Olivia Lichtenstein

Seitensprung rückwärts

Roman

Aus dem Englischen von
Isabel Bogdan

Krüger Verlag

Alle Figuren in diesem Buch sind frei erfunden.
Jede Ähnlichkeit mit lebenden oder toten Personen
ist rein zufällig.

Deutsche Erstausgabe
Erschienen bei Krüger,
einem Verlag der S. Fischer Verlag GmbH,
Frankfurt am Main

Die englische Originalausgabe erschien
unter dem Titel ›Mrs Zhivago of Queen's Park‹ bei Orion Books, London

© Olivia Lichtenstein 2007
Für die deutschsprachige Ausgabe:
© S. Fischer Verlag GmbH, Frankfurt am Main 2007
Satz: Pinkuin Satz und Datentechnik, Berlin
Druck und Bindung: Clausen & Bosse, Leck
Printed in Germany
ISBN 978-3-8105-1932-0

Für meinen Vater Edwin
März 1923 – März 2004

Und so heirateten sie,
Um mehr zusammen zu sein,
Und waren nie wieder so sehr zusammen,
Getrennt durch den Morgentee,
Durch das Abendblatt,
Durch Kinder und Handwerkerrechnungen.
Louis MacNeice, *Les Sylphides*

Die Ehe ist wie ein Käfig: Man sieht die Vögel draußen
verzweifelt flattern, um reinzukommen, und die drinnen
wollen mit der gleichen Verzweiflung raus.
Michel de Montaigne, *Essays*

Alle glücklichen Familien gleichen einander; aber
jede unglückliche Familie ist auf ihre eigene Weise
unglücklich.
Leo Tolstoi, *Anna Karenina*

Chloe Schiwago, dreizehn, faltete sorgfältig ein Blatt Papier zusammen, das mit psychedelischen Schnörkeln in verschiedenen Pinktönen verziert war. Chloe und ihre beste Freundin Ruthie Zimmer hatten darauf vermerkt: »Forschungshilfe für zukünftige Historiker und Archäologen. In dieser Dose finden Sie wichtige Hinweise auf das Leben von zwei Mädchen in den 1970er Jahren.« Sie legten den Brief in eine schottisch karierte Keksdose, die außerdem Folgendes enthielt: einen pflaumenfarbenen Lippenstift, eine Ausgabe der Zeitschrift Jackie, etwas kaputten Schmuck, einige Briefe, die sie einander geschrieben hatten, und einen mit Blut unterzeichneten Vertrag über ewige Freundschaft. Sie verschlossen die Dose mit Klebeband, buddelten am Ende von Chloes Garten ein tiefes Loch und vergruben sie. Mit feierlichen Gesichtern standen die beiden Mädchen vor der frisch aufgeworfenen Erde und senkten die Köpfe in Ehrfurcht vor einer fernen Zukunft, die sie nicht mehr erleben würden. Später saßen sie drinnen, schauten hinaus in den Regen und ließen zwei Regentropfen um die Wette an der Fensterscheibe hinunterlaufen: einer war Chloes, der andere Ruthies. »Was willst du eigentlich machen, wenn du groß bist?«, fragte Ruthie Chloe.

»Einen guten Job finden, mich verlieben, Kinder kriegen und glücklich leben bis an mein Ende«, antwortete Chloe. Und nach »glücklich leben bis an mein Ende …« kam dies.

Erstes Kapitel

Als ich morgens aufstand, war ich gut drauf. Geradezu vergnügt. Es nervte mich nicht einmal, dass ich den Wasserkessel nicht finden konnte, weil Greg ihn versteckt hatte. Es sind diese kleinen Dinge, die man so charmant findet, wenn man einen Mann kennenlernt, die einen später zur Verzweiflung treiben. Gregs Onkel ist mit zweiunddreißig Jahren an Alzheimer erkrankt, und Greg entwickelte daraufhin eine so panische Angst vor Gedächtnisschwund, dass er sich selbst immer wieder kleine Aufgaben stellt. »Das Gehirn ist ein Muskel wie jeder andere auch und muss trainiert werden«, sagt er. Das mag für ihn ja in Ordnung sein, aber es ist doch anstrengend für uns andere, die wir es nicht für einen nennenswerten Erfolg des Gehirnmuskels halten, sich daran zu erinnern, wo man den Kessel vor sich selbst versteckt hat. Aber ich weiß noch, dass ich an diesem Morgen beim Suchen vor mich hin pfiff und frohgelaunt triumphierte, als ich ihn schließlich in der Waschmaschine fand.

Greg bemerkte es nicht; er saß am Küchentisch und kratzte in seiner unleserlichen Ärztehandschrift mal wieder einen wütenden Brief mit dem Federkiel, den ich ihm einige Jahre zuvor spaßeshalber für seine zahllosen Beschwerdebriefe geschenkt hatte. (Es fehlte nur noch, dass er auf Pergament schrieb, ein Wachssiegel verwendete und seine Schreiben durch einen livrierten Lakaien überbringen ließ.) Der aktuelle Brief ging an den Stadtrat und drehte sich um ein Knöllchen für falsches Parken.

»Ha, Chloe, hör mal«, sagte er. »Ich verlange eine Antwort vom Stadtrat persönlich.« Er stand auf, hielt den Brief so weit

11

es ging von sich gestreckt (die Eitelkeit verbot ihm eine Lesebrille und das damit einhergehende Eingeständnis, dass er älter wurde), räusperte sich und las mit der Stimme, die er nur für Offizielles benutzte, laut vor: »Nach Überprüfung der Rechtslage stelle ich mit Erstaunen fest, dass der London Borough of Brent bzw. seine Stellvertreter mir auf offenbar ungesetzliche Weise Geld abnötigen. Anbei erhalten Sie einen Auszug aus dem *Bill of Rights Act* von 1689, erlassen und in Kraft getreten nach der *Declaration of Rights* von 1689. Bitte beachten Sie vor allem die unterstrichene Passage: *Dass jegliche Verhängung von Geldstrafen oder Bußgeldern über Einzelpersonen ohne eine Verurteilung rechtswidrig und nichtig ist.*«

Er sah mich beifallheischend an, wie ein Hund, der in Rekordzeit ein Stöckchen apportiert und seinem Herrchen zu Füßen gelegt hat. Dann nahm er sich eine Scheibe Toast und bestrich sie feierlich mit einer dünnen Schicht Halbfettmargarine.

»Und was bedeutet das jetzt? Dass sie überhaupt keine Bußgelder mehr eintreiben dürfen, ohne dich für ein Verbrechen zu verurteilen?«

»Genau«, sagte er und verließ die Küche mit einem blasierten Grinsen. »Man muss erst vom Gericht für schuldig befunden werden.«

Unser fünfzehnjähriger Sohn Leo verübte vor unseren Augen einen blitzartigen Überfall auf die Küche. Er nahm sich in null Komma nichts einen Schokoriegel aus einer Dose, die eigentlich in einem der Oberschränke versteckt sein sollte, trank einen Schluck Orangensaft aus dem Tetrapack im Kühlschrank und war weg, bevor er deswegen verwarnt werden konnte. Bea, das tschechische Au-pair-Mädchen, warf der Stelle, wo er eben noch gestanden hatte, ihren typischen finsteren Blick zu, zuckte mit den Achseln und beschäftigte sich weiter damit, einen Obstteller mit den exotischen Früchten zusammenzustellen, die ich extra fürs Abendessen gekauft hatte. Ich sagte nichts, weil ich annahm, der Teller sei für meine zwölfjährige Tochter Kitty, die kürzlich verkündet hatte, sie würde jetzt gesund leben. Und als Mutter legt man einem Kind, das freiwillig Obst und Gemüse isst, keine Steine in den Weg.

In diesem Moment kam Kitty mit einem halb leergegessenen Teller Kartoffelpüree in die Küche.

»Ich hab Bauchschmerzen«, sagte sie.

»Kein Wunder, wenn du dieses Fertigzeug isst«, antwortete ich barsch, »was ist denn mit deinem Gesundheitstrip?« Mir ging auf, dass der Südfrüchteteller für niemand anderen als Bea selbst gedacht sein konnte, und in der Tat machte sie es sich am Tisch gemütlich. Ich versuchte, nicht hinzusehen, als sie ordentlich mit Messer und Gabel teure Mango, Papaya und Guave verputzte. Die Sonne schien, und ich war entschlossen, mir die Laune nicht verderben zu lassen. Und so biss ich die Zähne zusammen, räumte die Spülmaschine aus und bürstete Kitty das Haar. Eigentlich war alles in bester Ordnung, bis meine dritte Patientin dieses Tages kam.

Ich bin Psychotherapeutin, und unser Haus in Queen's Park hat eine Einliegerwohnung im Souterrain, die ich als Praxis nutze. »Die meisten Leute bringen ihre netten, harmlosen alten Mütter im Souterrain unter und vergeuden den Platz nicht dafür, dass irgendwelche Heulsusen, die in Selbstmitleid ertrinken, da in ihren Problemchen rumstochern«, sagt Greg. Die Vorstellung, dass Greg die Worte nett und harmlos im Zusammenhang mit dem Wort Mutter benutzt, ist in Anbetracht seines eigenen weiblichen Elternteils ehrlich gesagt lachhaft. Außerdem haben meine Heulsusen ihn durchs Medizinstudium gebracht. Aber er als Arzt hat überhaupt kein Verständnis für Krankheiten, schon gar nicht für solche ohne sichtbare körperliche Symptome. Erklärt man ihm, dass es Leuten bessergehen kann, wenn sie mit einem ausgebildeten Therapeuten sprechen, verdreht er nur die Augen. »Warum reden die nicht einfach mit ihren Freunden, statt mit einer völlig Unbekannten?« Wir sprechen so wenig wie möglich über meine Arbeit.

An diesem Morgen hatte ich mich gerade von Fuchsteufels-Frank verabschiedet, mit dem ich seit einer Weile an seinem kleinen Aggressionsproblem arbeitete, und genoss die zehn Minuten zwischen den Patienten. Ich schaute aus dem Fenster auf die Füße, die dort im Vorbeigehen die Herbstblätter zertraten. Der Sommer war vorüber, aber ich spürte nicht die übliche Trostlosigkeit angesichts der herannahenden Nebelsaison.

Es klingelte mit dem üblichen nörgelnden Nachdruck. Grübel-Gina kam schon seit fünf Jahren zu mir. (»Meinst du, sie wissen, dass du ihnen solche Spitznamen gibst?«, fragte meine Freundin Ruthie mich einmal. »Natürlich nicht«, sagte ich, »du bist die Einzige, die das weiß. Das ist nur mein Galgenhumor; ich gebe ihnen eine Art Kosenamen, um sie auseinanderzuhalten.«

Ich war nicht immer so zynisch. Mit achtundzwanzig Jahren war ich die Jüngste gewesen, die sich bei der *British Association of Psychotherapists* qualifizierte, und ich hatte immer sehr engagiert gearbeitet. In letzter Zeit war der Glanz allerdings etwas verblasst, und ich hatte oft das Gefühl, nur noch so zu tun, als ob.)

Gina war kaum in der Lage, etwas Positives an einer Situation oder einem Menschen zu sehen; neben ihr fühlte ich mich immer wie eine unverbesserliche Optimistin. Neuerdings war sie jedoch deutlich zufriedener, denn sie sollte bald heiraten und hatte bislang noch nicht viel an ihrem Verlobten Jim auszusetzen gefunden, obwohl sie sich weiß Gott bemühte. Für ihre Verhältnisse war sie seit einem Vierteljahr geradezu glücklich. Aber an diesem Tag hatte sie einen Gesichtsausdruck wie vor Jims Zeiten. Irgendetwas war mit ihr los.

»Ich habe nachgedacht«, fing sie an. Nie eine gute Einleitung bei Gina. »Das war's jetzt. Ich werde nie wieder mit einem anderen Mann schlafen. Ich werde nie mehr diese Aufregung und den Zauber erleben, wenn man jemanden neu entdeckt, wenn man sich zum ersten Mal küsst oder wenn man zusammen aufwacht und alles voller Wunder und ganz neu ist.«

Ich wollte sagen: »Das ist doch Unsinn, vielleicht stirbt er, vielleicht lassen Sie sich scheiden, vielleicht haben Sie mal eine Affäre«, aber das sagte ich nicht. Stattdessen ging mir plötzlich auf, dass ich es noch nie so gesehen hatte. Es traf mich wie ein Keulenschlag. In diesem Augenblick begann die Saat des Betrugs zu keimen.

Den Rest der Sitzung habe ich Gina kaum zugehört; ich hatte fast ein schlechtes Gewissen, als ich ihren Scheck in Empfang nahm. Aber nur ein bisschen; schließlich kam sie wirklich nicht zu kurz bei all ihren außerplanmäßigen Anrufen und mitternächtlichen Panikattacken. Stattdessen saß ich geistesabwesend da, nickte und starrte die Wand hinter ihr an. Die gelblichen Schmierstreifen vom Sickerwasser, die feucht an meinen Kellerwänden emporkrochen, passten hervorragend zu meinem wachsenden Unbehagen. Zuvor hatte der Tag sich noch hell und vielversprechend angefühlt, jetzt wirkte er wolkig und feucht. Die Sonne war verschwunden.

Nie mehr den ersten Kuss eines neuen Liebhabers erleben? Wie ging nochmal dieses Gedicht von e.e.cummings, irgendwas darüber, seinen Körper zu mögen, wenn er mit dem eines anderen zusammen ist, der Reiz von »dir unter mir so neu«? Ich habe e.e. immer ganz gern gemocht, anfangs vor allem deswegen, weil er genau an dem Tag und in dem Jahr gestorben ist, an dem ich geboren wurde, am 3. September 1962; für eine Heranwachsende ist so was ein irgendwie unheimlicher Zufall und muss eine tiefere Bedeutung haben. Ich dachte, wir hätten eine ganz besondere spirituelle Verbindung. Eine Zeitlang glaubte ich sogar, als seine Seele um 1:15 Uhr nachts, seinem Todeszeitpunkt, seinen Körper verließ, sei sie direkt in meinen hineingeflogen, als ich um 3:23 den Mund öffnete, um meinen ersten Atemzug zu tun. Etwas mehr als zwei Stunden schienen mir eine angemessene Zeit für eine Seele, um von der amerikanischen Ostküste nach Chalk Farm in London zu fliegen. Ich bewunderte cummings vor allem deswegen, weil er die Frechheit besaß, keine Großbuchstaben zu benutzen und sich nicht um die Grammatik zu scheren, was man mir in der Schule nie durchgehen ließ. Natürlich habe ich es versucht, in meiner »die seele von e.e.cummings lebt in mir weiter und ich werde die wichtigste lebende dichterin der welt«-Phase. Aber Miss Titworth, meine Englischlehrerin, legte größten Wert auf Interpunktion. Wir mussten die Satzzeichen sogar mitsprechen: »Miss Titworth Komma kann ich mal kurz zur Toilette Fragezeichen.« Das war natürlich Anlass für endlose geistreiche Schülerinnenwitze bei heimlichen Zigaretten auf der Toilette: »Miss Tittenwert Komma was sind Ihre Titten wert Fragezeichen.«

Aber jetzt, in meinem Behandlungszimmer, konnte ich nur denken: »War's das Fragezeichen.« Für immer und ewig derselbe Alte? Nachdem Gina gegangen war, ging ich hinauf und schnurstracks zum Kühlschrank, betrachtete finster seinen Inhalt und naschte geistesabwesend an Käse und Aufschnitt wie ein nervöses Schaf mit ADS. Ich brauchte etwas, um den klaffenden Abgrund meiner leeren, ereignislosen Zukunft zu füllen. Natürlich sollte ich es besser wissen, »Essen kann Liebe nicht ersetzen« und so, aber Zahnärzte haben nicht zwangsläufig perfekte Zähne und Psychotherapeuten nicht unbedingt eine intakte Psyche. Kitty kam herein und erwischte mich, wie ich mir mit schlechtem Gewissen Frischkäse vom Zeigefinger leckte und Orangensaft direkt aus dem Karton trank. Meine Kinder haben gelernt, dass diese beiden Verbrechen Freiheitsstrafen zur Folge haben.

»Mann, uns verbietest du das immer!«, protestierte sie.

»Das solltest du auch gar nicht sehen. Und sag nicht immer Mann«, antwortete ich lahm. »Wieso bist du eigentlich nicht in der Schule?«

Kitty seufzte und verdrehte dramatisch die Augen. Bisher hatte ich angenommen, das käme erst mit der Pubertät, wenn einem plötzlich die überwältigende Dummheit der eigenen Eltern aufgeht. Sie sollte eigentlich noch in dem Stadium sein, in

16

dem ich nichts falsch machen konnte und sie mich vorbehaltlos bewunderte.

»Ich hab dir doch heute Morgen gesagt, dass ich Bauch-schmerzen habe«, sagte sie vorwurfsvoll, »aber *du* hast mich in die Schule geschickt, und ich habe gekotzt, und Bea musste mich abholen.« Bea hatte eher demonstrativ und nicht gerade unauffällig vor der Küchentür herumgelungert, kam jetzt herein und warf mir einen finsteren Blick zu.

»Danke, Bea. Hast du Dad nicht gesagt, dass du Bauch-schmerzen hast?«, fragte ich, um den Schwarzen Peter weiter-zureichen. »Er ist doch der Arzt.«

»Mum, du weißt doch genau, dass man schon den Kopf un-term Arm tragen muss, damit Daddy überhaupt mal guckt.«

»Armer Schatz.« Ich nahm Kitty in den Arm und hielt sie fest.

Ich war vom ersten Moment an mit Begeisterung Mutter. Noch heute kann ich am besten einschlafen, wenn ich in Gedanken die Geburten noch einmal durchspiele wie einen Lieblingsfilm. Ich liebte den süßen, milchigen Duft der Babys und trug sie, solange sie klein genug waren, dicht an meinem Herzen mit mir herum wie eine kostbare Brosche. Ich liebte diese Stelle in ihrem Nacken, in die man die Nase bohren musste, um sie zu küssen. Das tue ich immer noch. Ich liebte es, einen winzigen Fuß kom-plett in den Mund zu nehmen. Kitty lässt mich immer noch an ihren Gliedmaßen knabbern und sie abküssen, und auch Leo ist ungewöhnlich entgegenkommend für einen Fünfzehnjäh-rigen, solange es niemand sieht. Ich ziehe sie beide damit auf, dass ich sie vor langer Zeit einen Vertrag habe unterschreiben lassen, mit dem sie sich bereit erklärt haben, meine Küsse und Liebkosungen ungeachtet ihres Alters bis in alle Ewigkeit über sich ergehen zu lassen.

Ich halte Verträge ein. Nennen Sie mich altmodisch, aber ich meinte es vor siebzehn Jahren ernst, als ich Mr Missmut, ihrem Vater, mein Eheversprechen gab, als ich gelobte, allen anderen zu entsagen und ihm treu zu bleiben, bis der Tod uns scheidet. Ich hatte den einen oder anderen kleinen Flirt, ein paar heimliche Küsse, habe aber nie ernsthaft über Untreue nachgedacht. In letzter Zeit allerdings erwischte ich mich dabei, mit meinen einzigen alleinstehenden männlichen Freunden zu schäkern. Und die waren eingefleischte Homosexuelle.

»Was ist denn an Frauen verkehrt?«, jammerte ich gelegentlich.

»Ihr seid einfach, na ja, nicht haarig genug.«

»Wären wir wohl, wenn wir uns nicht überall rasieren würden!«

Und jetzt hatte ich Ginas Worte im Kopf, endgültig nie wieder mit einem anderen Mann schlafen zu können, und fühlte mich, als würde ich ersticken. Was sollte ich tun? Sollte Greg wirklich der einzige Mann bleiben, mit dem ich noch Sex haben würde? Andererseits: Konnte ich mir überhaupt vorstellen, einen Liebhaber zu haben? Eigentlich hatte ich angenommen, ab vierzig dürfe man sich gar nicht mehr vor fremden Menschen ausziehen. Das war doch bestimmt Erregung öffentlichen Ärgernisses oder so. Es ist ja in Ordnung, dass der eigene Mann einen nackt sieht, wenn es sich nicht vermeiden lässt. Schließlich ist es seine Schuld, dass der Körper nach den Geburten alles andere als straff ist, sodass es einem eine Art perverse Freude bereitet, damit vor ihm auf und ab zu schreiten, als stummer Vorwurf: »*Guck mal, was du mit meinem Körper gemacht hast, Mistkerl.*« Aber jemand Neues, das wäre, nun ja … das Wörtchen »unmöglich« drängt sich auf.

»Du findest mich doch interessant, oder?«, fragte meine Freundin Ruthie mich später, als wir wie die Römer auf ihrem Sofa lagen und zu Mittag aßen.

»Klar, sonst wären wir wohl nicht seit zweiunddreißig Jahren befreundet. Warum?«, fragte ich und schob mir das letzte Stückchen Bagel mit Lachs und Frischkäse in den Mund.

»Es ist nur, weil Richard, wenn ich irgendwas zu ihm sage, immer nur seufzt und die Augen zumacht.«

»Ach, IHMM«, sprach ich weise.

Wir haben so unsere Abkürzungen; so können wir schneller simsen und auch über unsere Gefühle schreiben, ohne Angst vor Mitlesern haben zu müssen. Es hat sich so ergeben, nachdem ich einmal einen schlimmen Streit mit Greg hatte, als er die Kinder und mich ein ganzes Wochenende lang angeschrien hatte. Ich schrieb »Mein Mann ist ein Arschloch«, schickte die Nachricht aber versehentlich an Greg statt an Ruthie. Als ich es merkte, wurde mir ganz flau, ich fühlte mich wie ein Kind, das erwischt wird, wie es dem Lehrer einen Vogel zeigt. Ich konnte die Situation gerade noch retten, indem ich eine weitere Nachricht hinterherschickte: »War ein Scherz, Schatz. Was willst du zum Abendbrot?« Glücklicherweise hat es funktioniert. Seither schienen mir Abkürzungen sicherer, deswegen IHMM – Ich Hasse Meinen Mann.

Ruthie gähnte und streckte sich. So sehe ich sie immer vor mir, gähnend und sich räkelnd, auf so eine weichgezeichnete, schläfrige Weise, wie eine Katze, die sich nur kurz erhebt, um die Stellung vor dem Feuer zu wechseln. Bei der Arbeit ist sie aufmerksam, fix, ganz geschäftige Effizienz, aber ich kenne ihr Geheimnis: dass sie sich immer nach einem kleinen Nickerchen sehnt. Sie hat ein schönes, herzförmiges Gesicht, den Körper von Marilyn Monroe und feucht schimmernde braune Augen. Früher hätten die Jungs sich fast abgestochen, um ihre Gunst zu gewinnen. Und es macht sie vollends unwiderstehlich, dass sie sich ihrer Ausstrahlung gar nicht bewusst ist und sie lässig und bequem trägt wie einen etwas abgewetzten Lieblingsbademantel.

Wir haben uns an unserem ersten Schultag auf der Oberschule kennengelernt: Wir wurden nebeneinandergesetzt, weil die Anfangsbuchstaben unserer Nachnamen im Alphabet beide ziemlich weit hinten liegen. Chloe Schiwago und Ruthie Zimmer. Der Name ihrer Familie war ursprünglich Zimmermann, aber irgendwelche Grenzbeamten fanden das unnötig lang und ließen die letzte Silbe unterwegs fallen, als ihr Vater damals vor den Nazis von Deutschland nach England floh. Ruthie war eine bessere Jüdin als ich, sie kannte sich aus. Denn ich bin zwar Psychotherapeutin, koche eine hervorragende Hühnersuppe und andere traditionelle Gerichte, habe aber im Großen und Ganzen keine Ahnung vom Judentum. Das ist auch nicht weiter verwunderlich. Ich erinnere mich noch, wie ich Dad einmal fragte, was die Chanukka-Kerzen bedeuten. Er schaute mich ganz verwirrt an und sagte: »Weißt du was, Schatz, ich habe nicht die leiseste Ahnung.«

»Was bist du denn für ein jüdischer Vater?«, fragte ich.

»Ein sehr schlechter«, lächelte er, »aber dafür kann ich richtig singen.« (Mein Vater Bertie komponiert Musicals für das West End.)

Mum hätte es gewusst, tat aber so, als wüsste sie es nicht; seit ihrer Hochzeit mit Dad verleugnete sie ihre religiöse Erziehung, und das einzige Fest, das wir feierten, war Weihnachten. Also fragte ich Ruthie. Offenbar hatte es vor tausend Jahren im Tempel einmal an Öl für den Kandelaber gemangelt, der stets die ganze Nacht hindurch brennen sollte. Es gab nur noch Öl für einen Tag. Unerklärlicherweise brannte das Licht acht Tage lang, und zur Erinnerung daran wurde das acht Tage dauernde Fest eingeführt. Ein bisschen wie das mit den Broten und den Fischen, von denen alle satt wurden. Jede Religion braucht ihre Wunder. Früher haben wir darüber gewitzelt, dass es außerdem an das Wunder des Stevie Brick erinnerte: Als wir fünfzehn waren, schaffte er es, am selben Abend auf drei verschiedenen Partys vier von uns aufzureißen. Jedenfalls habe ich seither in allen jüdischen Angelegenheiten Ruthie um Rat gefragt.

Wir waren füreinander wie Schwestern, und wir hatten uns geschworen, immer so nah wie möglich beieinanderzuwohnen und gleichzeitig Kinder zu bekommen. Beides haben wir geschafft. Ruthie wohnt genau auf der gegenüberliegenden Seite des Queen's Park, und wir könnten uns von den jeweiligen Dächern aus mit Winksignalen verständigen, wenn wir wollten. Stattdessen telefonieren und simsen wir permanent und laufen uns bei unseren täglichen Besorgungen oft zufällig über den Weg. Außerdem verabreden wir uns natürlich oft. Ihre Kinder, Atlas und Sephy (Persephone), sind die besten Freunde meiner Kinder und im gleichen Alter. Ihr Mann Richard ist Altphilologe, und Ruthie findet, da er sonst in ihrem Leben nicht viel zu sagen hat, wäre es kleinlich von ihr gewesen, ihn nicht die Namen für die Kinder aussuchen zu lassen. Atlas ist ein kleiner, zierlicher Junge. Man kann sich kaum jemand Ungeeigneteren vorstellen, um die Säulen zwischen Himmel und Erde auf seinen Schultern zu tragen, aber er hat durchaus die Ausstrahlung eines Menschen, der schwer an der Last der Welt trägt. Und ebenso wie sein griechischer Namensvetter interessiert er sich leidenschaftlich für Wissenschaft und Astronomie und kauert viele Abende oben auf dem Dach des Hauses, oft mit Leo zusammen, starrt durch ein Teleskop und deutet auf Sterne und Planeten. (Als jüdische Mutter war Ruthie lange hin- und hergerissen: Einerseits freute sie sich über die Wissbegierde ihres Sohnes, andererseits fürchtete sie, er könnte bei seinem Streben in den Tod stürzen. Die Lösung? Es wurde für eine beträchtliche Summe Geld ein stabiles Eisengeländer um das Dach herum angebracht.) Sephy ist auch nicht gerade eine Königin der Unterwelt; eher eine fröhliche Elfenprinzessin, ebenso wie Kitty, und wenn die beiden aus dem Zimmer gehen, hinterlassen sie eine Leere, als seien sie in den Hades zurückgekehrt und hätten dadurch den Wintereinbruch verkündet. Indem man einem Kind einen Namen gibt, beeinflusst man bis zu einem gewissen Grad sein Schicksal und seine Persönlichkeit. Daher wollte ich starke Namen für meine Kinder, wie Leo und Katherine – die Namen von Kaisern und Kaiserinnen. Niemand sollte meine Kinder schikanieren.

»Wann hattest du zuletzt Sex?«, fragte ich Ruthie.

»Mit Richard? Sei nicht albern, wir sind verheiratet.«

»Schon klar.« Ich kaute auf einer Peperoni und genoss es, wie sie mir die Tränen in die Augen trieb. »Wir haben es schon so lange nicht mehr gemacht, dass ich allein die Vorstellung, mich mit Greg im Ehebett herumzuwälzen, irgendwie unangebracht und obszön finde. Gott sei Dank hatten wir vor der Heirat genug Sex, wenn schon jetzt nichts mehr läuft.«

»Meinst du, bei unseren Müttern war das genauso? Oder haben die, weil sie sich aufgespart haben, dann in der Ehe jede Menge Sex gehabt?« Ruthie knabberte an einer Olive, sie hatte kaum etwas gegessen. »Vielleicht sollten wir unsere Männer einfach sitzenlassen und eine lesbische Kommune gründen«, schlug sie vor.

»Gute Idee, im Prinzip. Der Haken ist nur, wir sind nicht lesbisch.«

»Ich weiß«, sagte Ruthie bedauernd. »Schade eigentlich. Dann vielleicht eine Kommune mit einem umzäunten Männerbereich? Wo wir mit ihnen spielen könnten, wann immer wir Lust haben?«

»Ein Käfig voller Männer?«, überlegte ich. »Übrigens«, sagte ich, weil mir Ginas Worte immer noch nicht aus dem Kopf gingen, »habe ich tatsächlich schon überlegt, mir einen Liebhaber zu suchen, um ein paar Kilo abzunehmen, du weißt schon, von neuem Sex purzeln die Pfunde immer so schön.« Ich zwickte mich in mehr als ein kleines Röllchen um die Rippen.

»Niemand könnte uns einen Vorwurf machen, wenn eine von uns eine Affäre hätte. Man kann doch von einer Frau nicht erwarten, dass sie mit so wenig Sex lebt, das ist ja menschenrechtswidrig«, sagte Ruthie und tauchte den Finger in eine Schale Hummus. »Das Problem ist nur, der einzige Sex nach der Hochzeit findet mit fremden Leuten statt.« Sie taxierte mich und fügte hinzu: »Wenn du dir wirklich einen Liebhaber nehmen willst, dann denk bloß an die Grundregel.«

Ruthie ist Chefredakteurin des *Smart Magazine – Ganz*

schön klug und benutzt mich regelmäßig unter verschiedenen Pseudonymen für ihre Fallbeispiele. Sie hat bereits zu jedem erdenklichen Thema Artikel geschrieben oder korrigiert, und ihr Wissen ist schier unerschöpflich. Ich betrachtete sie; sie trug ihre Berufsuniform, Issey Miyake; zur Arbeit trug sie nie etwas anderes. (Seine Kleider aus tausend winzigen, messerscharfen Bügelfalten machen mich immer ganz kribbelig. Sitzt da irgendwo jemand und legt eine Falte nach der anderen, wie ein Zwangsneurotiker im Irrenhaus?)

»Welche Regel, o Weise und Plissierte?«, fragte ich.

»Lass dich niemals auf eine Affäre mit jemandem ein, der weniger zu verlieren hat als du.« Das war schlau und, wenn man darüber nachdachte, eigentlich offensichtlich. Am liebsten hätte ich es mir notiert, wie eine übereifrige Studentin.

»Du wirst deine Affäre für mich mit haben müssen«, fuhr sie fort. »Niemand außer Richard dürfte meine labberigen, ständig weiterwachsenden alten Brüste sehen.«

Ich schaute ihr auf den Busen; er kam mir tatsächlich größer vor.

»Nasen und Ohren wachsen ja angeblich immer weiter«, sagte sie. »Scheint bei meinen Brüsten genauso zu sein, die finden einfach kein Ende.«

»Wenigstens hast du welche, meine sind überhaupt nie gewachsen, und jetzt sehen sie aus wie kleine, leere Socken.«

Ruthie lachte. »Nur zu, du warst doch schon immer draufgängerischer als ich, und ich habe meine Affäre dann halt aus zweiter Hand.«

»Typisch, und ich hab die ganze Arbeit. Es hat sich wirklich nichts geändert, seit du meine Lateinhausaufgaben abgeschrieben hast.«

»Ich weiß, Süße, wenn es darum ging, etwas wirklich zu tun, warst du schon immer besser als ich; ich schreibe nur darüber, was andere Leute tun.«

Wir lachten, denn wir wussten beide genau, wie ausgeglichen unsere Symbiose war.

»Wusstest du, dass siebzig Prozent der Männer und dreißig Prozent der Frauen fremdgehen?«, fragte Ruthie.

»Dann wird es ja Zeit, dass die Frauen aufholen«, sagte ich bitter.

Eigentlich hatte ich es nur so dahingesagt mit der Diät *Pfunde verlieren mit Spaß – und mit einem anderen Mann*. Ich wollte mir die Worte nur mal auf der Zunge zergehen lassen, die Vorstellung kosten und aussprechen. Es schien schon ewig her zu sein, dass ich ein bisschen Spaß hatte; ich war Ehefrau, Mutter und Psychotherapeutin, damit war das Leben ausgefüllt. Und jetzt war ich plötzlich über vierzig und hatte überhaupt keine Zeit, mich einfach mal zu amüsieren. Mir war klar, warum die Vierziger das Jahrzehnt der Scheidungen waren; ein verzweifelter letzter Versuch, sich von der Last der Verantwortungen und Verpflichtungen freizumachen. Als ich von Ruthie wegging, stieß ich beinahe mit einer Frau zusammen, die einen Kinderwagen mit einem brüllenden Baby schob und ein weinendes Kleinkind hinter sich herzog. Ich schaute genauer hin und sah, dass auch der Mutter Tränen über das müde Gesicht liefen. Ironischerweise hatte ich plötzlich das Lied *Love and Marriage, Horse and Carriage* im Kopf. Es war einer dieser nieseligen, grauen Londoner Tage, an denen die Feuchtigkeit einem in die Knochen kriecht und man denkt, dass man nie wieder die Sonne sehen wird. Ich war deprimiert.

Als ich zu Hause ankam, erschien mir mein ganzes Leben jämmerlich. Wo war die Leidenschaft hin, warum verbrachten Greg und ich nicht mehr ganze Wochenenden im Bett? Ich fragte ihn, als er von der Arbeit kam. Er suchte die Schokolade, die er sich versteckt hatte.

»So ein Quatsch, man kann doch nicht ewig in den Flitterwochen sein, da würde man ja zu gar nichts mehr kommen.«

»Aber vermisst du es nicht, Schatz, sehnst du dich nicht manchmal danach?«

»Ach nein, es ist doch viel zu viel zu tun; die Kinder, die Arbeit, Bücher lesen, Filme gucken. Ah, hier ist sie ja.« Er strahlte zufrieden und zog einen Schokoriegel hinter den vielen Kochbüchern hervor, die bestimmt demnächst von dem vollgestopften Bord fallen würden. »Möchtest du was?« (Er weigerte sich standhaft, über seine seltsame Diät aus Halbfettmargarine und Schokolade zu sprechen.)

»Och ja«, sagte ich bitter und dachte: »Die Kalorien kann ich ja dann mit einem anderen Mann verbrennen.«

Greg ging ins Wohnzimmer und begrüßte Leo mit einem munteren »Yo, Rastaman!« Vor kurzem hatte er eine Streichholzschachtel mit Gras gefunden, als er sich ein Paar gestohlener Designer-Boxershorts aus dem Schrank seines Sohnes zurückholen wollte. Greg ist dem Gras ebenfalls nicht abgeneigt; er hatte demonstrativ daran geschnuppert und gesagt: »Scheint guter Stoff zu sein, muss ich vielleicht selber rauchen.« Seitdem lief dieser Rasta-Gag, anfangs ganz witzig, aber nach inzwischen zehn Tagen nutzte er sich doch etwas ab.

Leo schlurfte in die Küche, nahezu sichtbar eingehüllt in diese Wolke aus Missmut, die in den letzten beiden Jahren ständig um ihn war. An ihrem dreizehnten Geburtstag erleben Jungen ja diese absurde körperliche Veränderung. Ihre Köpfe, die sie zuvor ganz gut oben halten konnten, werden über Nacht plötzlich zu schwer für ihre Hälse, und ihre Sprache, die einmal klar und deutlich war, wird undeutlich. Der einst aufrechte, gesprächige und eloquente Sohn wird zu einem nuschelnden Schluffi.

»Hast du schon Hausaufgaben gemacht, Schatz?«, fragte ich.

»Mmmf, mrumf«, sagte er.

»Bitte?«

»Ja, ja, alles klar«, artikulierte er überdeutlich.

Ich warf den Rest des Schokoriegels fort; mein Selbstekel bei jedem Bissen war unerträglich. Außerdem sollte ich es vielleicht lieber mit Diät und Bewegung versuchen, bevor ich auf einen Seitensprung zurückgriff. Ich beschloss, mit Greg zu flirten und ihn zu verführen. So soll man das doch machen, jedenfalls rate ich es meinen Patienten immer. Einander neu entdecken, wieder Romantik in die Ehe bringen, gemeinsam etwas unternehmen, sich Zeit nehmen und miteinander reden. Wer sagt denn, dass ein Verhältnis mit einem anderen Mann anders wäre? Nach der anfänglichen Begeisterung der ersten zwei Jahre würde es wahrscheinlich genau das werden, was ich jetzt auch hatte. War das die Lügen wert, den Betrug und das Risiko für das Glück aller Beteiligten, nur für ein paar Jahre guten Sex? (Wobei er in meinem Fall nicht einmal gut zu sein brauchte; einfach Sex hätte mir schon gereicht.)

Ich hörte den Fernseher im Wohnzimmer und sah Greg durch die offene Tür auf dem Sofa sitzen. Er schaute mit leicht geöffnetem Mund den Wetterbericht und wirkte dabei so konzentriert wie ein hungriges Kind an der Mutterbrust. Ich zog mich komplett aus und machte vor seiner Nase Schlangenbewegungen; mal sehen, ob er es merken würde. Er winkte mich beiseite und deutete auf den Fernseher. »Sehr schön, Schatz, aber du weißt schon, der Wetterbericht ...« Klar, das ist seine Lieblingssendung, aber trotzdem.

In diesem Moment klingelte das Telefon. Es war eine Patientin von Greg, Mrs Meagan oder »*me again*«, wie wir sie nennen, »ich schon wieder«, weil sie so oft anruft. Weiß der Teufel, wie sie an unsere Geheimnummer gekommen ist; wahrscheinlich arbeitet ihr Mann bei British Telecom oder bei der Polizei oder ist Einbrecher oder so. Normalerweise wimmele ich sie ab. Greg kann Kranke schon nicht leiden, wenn er gut drauf ist, und Hypochonder rauben ihm wirklich den letzten Nerv. Aber jetzt, nach dieser bitteren Zurückweisung, flötete ich: »Ja, Mrs Meagan, natürlich, er steht schon neben mir«, stolzierte nur mit High Heels bekleidet aus dem Zimmer und stieß prompt mit Leo zusammen, der gerade die Treppe heraufgeschlurft kam. Er sah mich an, schauderte und artikulierte sehr deutlich: »Argh, nackte Eltern! Das ist voll schädlich für meine psychosexuelle Entwicklung, Mum.«

Den Rest des Abends verbrachte ich damit, schmollend einen Filzelefanten zusammenzunähen, für irgendwas, was Kitty in der Schule machte, während sie mir alles über Henry VI und seine acht Frauen oder Henry VIII und seine sechs Frauen erzählte – *ja, ja, alles klar.* Ist das mein Leben? Was ist bloß mit mir passiert, und wie bin ich hierhergekommen?

Zweites Kapitel

Grandpa Rabbi Neemans Rezept für eine glückliche Ehe

250 g Liebe
250 g Humor
250 g Sexuelle Anziehung
500 ml gegenseitige Bewunderung und Respekt
500 g intellektuelle
Ebenbürtigkeit
1 Prise Schwiegerfamilien,
nach Belieben auch mehr
1 vernünftiges Einkommen
1 großer Schuss Teamwork

4 TL Bereitschaft, Fehler
einzugestehen
250 g bereitwillige Ent-
schuldigung
je 250 g Vertrauen und
Unterstützung
1 großes oder viele kleine
gemeinsame Interessen oder
Hobbys
250 g Freude aneinander
getrennte Badezimmer
(wenn finanziell möglich)

Alle Zutaten durchsieben, Klümpchen von Eifersucht, Erb-
senzählerei, Groll, Rechthaberei, schlechter Laune und
Anschuldigungen entfernen. Regelmäßig gesunden und
befriedigenden ehelichen Sex unterrühren. In großzügige
Liebesportionen aufteilen und über viele Jahre in der stetigen Wärme aus Zuneigung, gegenseitigem Respekt und
Begehren backen.

In dieser Nacht hatte ich wieder meinen Kontaktlinsen-Alb-
traum. Er taucht in unterschiedlichen Varianten auf: Diesmal
war es die, in der ich versuche, mir eine riesige Kontaktlinse ins
Auge zu setzen. Sie war einfach zu groß und passte nicht hinein,

aber ich versuchte es immer wieder. Ich verstand das nicht: Ich trug diese Linsen täglich, warum passten sie nicht mehr? Die Linse hatte Laschen an den Seiten, wie diese Damenbinden, bei denen man die Flügel seitlich um den Slip klappt. Diese Seitenteile sollten auf das Weiße des Auges passen, aber sosehr ich mich auch abmühte, ich bekam sie nicht hinein. Aufzuwachen war eine Erleichterung. Ich sah zu Greg hinüber, der neben mir weniger sanft schnarchte, als er glaubte. Was mochte der Traum bedeuten? Ich analysiere meine Träume immer; das ist die Jungianerin in mir. In Träumen verarbeiten wir unser Leben, unser Unterbewusstsein sagt uns damit etwas. Meins sagte mir eindeutig, dass ich angespannt war. Oder wollte es mir sagen, dass Greg mir nicht mehr passte? Vielleicht hatte er mir siebzehn Jahre lang Tag für Tag gepasst, aber jetzt nicht mehr? Ein paar Stunden zuvor, als wir ins Bett gegangen waren, hatte ich mit dem Fuß an seiner Wade entlanggestrichen, unser Signal für den Wunsch nach Sex. Ich wusste, dass er noch wach war, aber er atmete absichtlich tiefer und tat, als schliefe er schon; er grunzte und drehte mir den Rücken zu, und zwischen unseren Körpern lag ein ganzer Ozean der Einsamkeit aus weißen Laken. Durch seine Zurückweisung fühlte ich mich ungeliebt und unattraktiv.

Es war vier Uhr morgens. Es ist immer vier Uhr morgens, wenn ich angespannt und hellwach im schlafenden Haus aufwache. Ich stand auf, ging in Kittys Zimmer und setzte mich in den mit Chintz bezogenen, niedrigen Sessel, den sie unbedingt neben dem Bett behalten möchte. Ich betrachte sie so gern im Schlaf. Im Schlaf sieht sie wieder aus wie ein Baby; ihre Züge sind weich und zufrieden; ihr Arm liegt locker auf ihrer Brust, ihre langen, dunklen Wimpern ruhen sanft auf ihren Wangen, und ihr Mund ist leicht geöffnet. Sie hat einen besonders schönen Mund, üppig und rot, der die sinnliche junge Frau erahnen lässt, die sie bald sein wird. Ich hätte sie gern geküsst, widerstand der Versuchung aber. Stattdessen legte ich ihr nur vorsichtig eine Hand auf die Brust und spürte, wie sie sich mit dem

Atem hob und senkte. Als sie und Leo noch Babys waren, habe ich ihnen immer einen Finger unter die Nase gehalten, um zu prüfen, ob sie noch lebten. Manchmal war ihr Kinderatem so sanft, dass ich ihn nicht spürte, und ich weckte sie mit meinem ängstlichen Nachbohren versehentlich auf. Ich dachte an die vielen Male, die ich in diesem Sessel gesessen und sie mitten in der Nacht gestillt hatte – erst Leo und ein paar Jahre später Kitty. Ich hatte immer das Gefühl, ich sei der einzige Mensch auf der Welt, der wach sei, und tat alles, damit die Babys nicht weinten und Greg aufweckten. Er hatte nämlich den ganzen Tag schlechte Laune, wenn er nachts nicht genügend Schlaf bekam.

Jetzt wälzte Kitty sich herum und sagte geheimnisvoll: »Vier Kastanien und ein Dachsschwanz.« In dieser Familie reden außer mir alle im Schlaf. Besonders Greg neigt zu lauten biblischen Verkündigungen, von denen ich manchmal aufwache. Träumt er, er wäre Jesus? Seine größte Angst ist, eines Tages erleuchtet zu werden. Ich musste ihm versprechen, ihn zu erschießen, falls er wiedergeboren und plötzlich fromm wird.

Ich ging nach unten. Das Haus knarzte, ächzte und wälzte sich im Schlaf herum. Ich betrachtete es, schaute mein Leben an, das Durcheinander. Ein Jackenhaufen im Flur, Schuhe auf der Treppe. Auflesen und wegräumen, darauf lief das Leben hinaus: Man hob irgendwo etwas auf und legte es anderswohin, um es dann später von dort wieder aufzuheben und es wieder anderswo hinzutun. Jede verfügbare Oberfläche lag voller *Zeug*. Die Dinge schienen sich in rasanter Geschwindigkeit zu vermehren. Einzelne Socken rotteten sich zu Banden zusammen und feierten Partys mit leeren Kaffeebechern, achtlos hingeworfenen Klamotten und unendlichen Mengen von Papier. Manchmal drohte der Kram mich zu überwältigen. Was, wenn ich einfach zur Tür hinausgehen und nie mehr wiederkommen würde? Zum Flughafen führe, das erste Flugzeug nach irgendwo nähme und ein ganz neues Leben anfinge? Gelegentlich spielte ich gern mit diesem Gedanken, bewegte ihn in meinem Herzen und verwarf ihn dann wieder, denn ich würde so etwas nie ernsthaft in Betracht ziehen. Allein die Vorstellung, Leo und Kitty zu verlassen, machte mich krank, ich fühlte mich körperlich unwohl, empfand einen dumpfen Schmerz im Herzen.

Wenn ich als Kind schlecht geträumt hatte oder nicht schlafen konnte, machte mein Vater mir heiße Milch. Er saß neben mir, wenn ich sie trank, streichelte mir über den Kopf und strich mit dem Daumen meine Augenbrauen glatt. Dazu sang er mir seinen neuesten Song vor, einen, an dem er noch schrieb und den noch niemand gehört hatte. Manchmal waren es nur ein oder zwei Zeilen, die er so lange wiederholte, immer leiser, bis ich einschlief. Ich genoss diese Daddy-und-Chloe-Nächte, in denen er dafür sorgte, dass ich mich geborgen fühlte. Heute ist die einzige Gelegenheit, zu der ich Milch trinke, mitten in der Nacht. Auch jetzt machte ich mir welche warm, umklammerte meinen Becher, rollte mich damit auf dem Sofa zusammen und versuchte, mein Unbehagen zu analysieren. Ich musste eingenickt sein, denn die kitschige Uhr, die mein Bruder Sammy uns geschenkt hatte, schlug plötzlich sechs Mal: Ein kleines rosa Schweinchen kam grunzend aus der Klappe, hinter der normalerweise ein Kuckuck steckt. Ich griff nach dem Telefon.

»Daddy?«

»Wer spricht da, bitte?«

»Welche Frau nennt dich denn noch Daddy?«

»Das wollen wir jetzt lieber nicht diskutieren«, lachte er.

»Hier ist Chloe.« Ich spielte das Spiel mit.

»Stimmt, ich hatte mal eine Tochter, die so hieß, aber ich habe schon ewig nichts von ihr gehört.«

»Seit drei Tagen.«

»Für einen jüdischen Vater sind drei Tage drei Monate, das weißt du doch.«

»Bist du schon wach?«

»Jetzt ja.«

War er sowieso, und das wusste ich. Er sitzt immer schon morgens um sechs am Klavier.

»Warte mal kurz, Schatz«, sagte er, »ich muss eben die Vögel aus meinem Kopf zu Papier bringen, sonst fliegen sie noch weg.«

Mein Vater hat Lieder im Kopf wie andere Leute Gedanken. Als ich klein war, habe ich mir vorgestellt, sein Kopf sei voller Vögel, die singend herausgeflogen kamen, wenn er den Mund aufmachte, und er müsste sie fangen. Und ich dachte, er klebt sie dann auf dem Papier fest, denn die kleinen, schwarzen Noten auf seinen Manuskripten sahen aus wie Amseln auf Stromleitungen. Wenn die Vögel bereit waren herauszukommen, wurde Dad ganz kribbelig und sprach nicht gern, bis er sie alle ordentlich notiert hatte. Also wartete ich ein paar Minuten.

»So, fertig. Warum bist du denn so früh schon auf, Chloe?«

»Ich habe nachgedacht. Dad, glaubst du, man kann sein ganzes Leben lang glücklich mit einem Menschen verheiratet sein?«

Ich hörte in der morgendlichen Stille die Uhr ticken und wartete auf seine Antwort.

»Ich glaube, Beziehungen verändern sich, wie alles andere auch. Manchmal dachte ich, ich halte es keine Minute mehr mit deiner Mutter aus, und eine Woche später kam mir das Leben ohne sie völlig unmöglich vor. Manchmal ist man glücklich, manchmal nicht. Lust kommt sofort, aber Liebe braucht lange zum Wachsen. Mark Twain hat mal gesagt, ›Weder Mann noch Frau wissen, was vollkommene Liebe ist, ehe sie ein Vierteljahrhundert verheiratet waren.‹ Vielleicht bist du einfach noch nicht lange genug verheiratet.«

Ich liebe vieles an meinem Vater, zum Beispiel dass er jedes Thema in einem Zitat zusammenfassen kann; er hat für jede Gelegenheit eins parat.

»Bist du glücklich, Schatz?«, fragte er.

»Darum geht es eigentlich gar nicht, Dad, es ist eher, dass alles so eintönig ist. Als wäre alles Aufregende schon passiert, und ab jetzt bleibt alles, wie es ist, und es gibt nichts mehr, worauf ich mich freuen kann.«

Ich merkte selbst, dass ich wie ein quengelndes Kind klang, aber das änderte nichts an meinen Gefühlen.

»Das ist das Alter, Chloe. Du hast geheiratet, du hast die Kinder bekommen, und was jetzt? Ich hatte das in den Vierzigern auch.«

»Und was hast du gemacht?«

Er schwieg eine Weile. Ich schaute aus dem Fenster und betrachtete den Regen in der blauen Morgendämmerung. Nasse Reifen zischten auf dem Asphalt; der Verkehr wurde dichter. Die Welt rieb sich die Augen und wurde langsam wach. Ein neuer Tag. Aber wie neu würde er werden, und wie viel davon wäre nur eine Wiederholung des alten Tages, gestern?

Ich wartete. Am anderen Ende der Leitung räusperte Dad sich.

»Na ja, Chloe, ich würde das nicht empfehlen, aber ich hatte eine Affäre.«

Ich schwieg, während eine alte, halb vergessene Erinnerung hochkam: das Klingeln des Telefons, ein Schwall wütender Worte, das Aufknallen des Telefonhörers, meine Mutter mit verquollenen, roten Augen, Schreien und heiseres Flüstern hinter verschlossenen Türen. Mein Vater plötzlich für ein paar Tage weg, »weil eins seiner Musicals in Leeds aufgeführt wird«. Ich muss etwa zwölf gewesen sein, verstand nicht, merkte aber, dass eine Scheidung zwar vielleicht nicht unmittelbar bevorstand, aber doch zumindest im Gespräch war. In meinem kindlichen Egoismus dachte ich nur: Hoffentlich kann ich bei Daddy wohnen.

»O Gott, hat Mum das gewusst?«

»Erst später«, sagte Dad. »Warte, bis wir uns sehen, dann erkläre ich es dir.«

Meine Mutter war das jüngste von vier Kindern, die ersehnte, verwöhnte Tochter, die endlich geboren wurde, als nach drei Söhnen schon fast keine Hoffnung mehr bestand. Sie freuten sich so, ein Mädchen in der Familie zu haben, eine Tochter, dass sie sie nur »Mädchen« nannten: Girlie. Tatsächlich wurde sie ihr ganzes Leben lang so gerufen, niemand durfte sie anders nennen. In Wirklichkeit hieß sie Gertrude. Gertrude Neeman. »Das klingt doch wie eine plumpe Matrone mit dicken Fesseln«, maulte sie. Sie war ein hübsches Kind, das, so wollte es die Familienüberlieferung, schon mit üppigen schwarzen Locken und Tänzerinnenbeinen auf die Welt kam. Sie fing an zu tanzen, sobald sie laufen konnte, und erhielt mit acht Jahren ein Stipendium für die Royal Ballet School. Ihre Eltern stammten aus alten Talmudgelehrten-Familien, der Vater war Rabbiner, die Mutter Lehrerin. Das Tanzen konnten sie akzeptieren, solange es klassisch und somit »Kunst« war. Schwieriger wurde es für sie, als Girlie die Ballettschule verließ und in die Freizügigkeit der schmissigen Musicals im West End wechselte. Und sie waren vollends entsetzt, als sie sich in meinen Vater verliebte und ihn heiratete. Er war zehn Jahre älter als sie und komponierte ebendiese Musicals, die sie von ihrem eigentlichen künstlerischen Schaffen abgebracht hatten. Dass seine Eltern im »Schmattesgeschäft« waren, dass sie einen Kleiderladen führten, machte es nur noch schlimmer.

»Immerhin ist er Jude«, sagte Girlie.

Sie wurden blass. Eine Woche später tätschelten sie ihr wieder die Wange und sagten ihr, wie schön sie sei. Sie war ihr Wunder, ihr Gottesgeschenk, wie hätten sie ihrem Engelchen böse sein können?

Girlie war ein außergewöhnliches, entrücktes Wesen, und ich bekam immer wieder zu hören, was für ein Glück ich hätte, sie zur Mutter zu haben. Aber sie war nicht besonders mütterlich, jedenfalls nicht die Sorte »Setz dich, Schatz, ich mach dir was zu essen«, und unsere Rollen verschoben sich schon sehr früh. Als Teenager hatte ich das Gefühl, ich sei die verantwortungsvolle Erwachsene und sie das launische, tyrannische und depressive Kind. Wenn ich von der Schule nach Hause kam, drehte ich den Schlüssel im Schloss herum und schnüffelte erst mal besorgt. Ich konnte anhand eines kaum wahrnehmbaren Geruchs feststellen, ob in der Welt meiner Mutter, und damit in meiner, alles in Ordnung war oder nicht. Jede Familie hat ihren eigenen Geruch, ein unterschwelliges Aroma, das von Vertrautheit kündet, aber nicht unbedingt von Zufriedenheit. Ich roch es auf zehn Meter Entfernung, wenn meine Mutter schlechte Laune oder Kummer hatte. Dann lag sie im Dunkeln im Bett, ihre Stimme war monoton und kraftlos, und ich schlich auf Zehenspitzen durchs Haus, weil ich fürchtete, es noch schlimmer zu machen. Ich versuchte, ihre Laune zu heben, indem ich sie zum Essen oder Trinken anhielt, aber sie lehnte all meine Angebote ab. »Du willst wohl, dass ich fett werde«, schimpfte sie, »das hättest du wohl gerne, so eine dicke, mütterliche Mutter!« Wahrscheinlich hatte sie recht; ich hätte wirklich gern eine mütterlichere Mutter gehabt, nicht eine so unberechenbare und enttäuschte Frau, die sich in der Dunkelheit versteckte. Ihre Laune konnte von einem Moment auf den anderen umschlagen. Wenn es an der Tür klingelte, sprang sie aus dem Bett, schminkte sich und trat auf wie auf der Bühne. Sie war sofort bereit, eine Vorstellung zu geben, zu strahlen, und ihr vorheriges Elend war vor Freude über den unerwarteten Besuch wie weggeblasen. Es war, als könne sie abseits des Rampenlichts nicht existieren. Ihre Tage als Tänzerin waren längst vorüber, jetzt waren Freunde und Bekannte ihr Publikum. Ohne Publikum verkümmerte sie; ihre Familie genügte nicht, um sie mit Aufmerksamkeit zu versorgen.

Diese Bedürftigkeit war es sicher, die mich vom Showgeschäft fernhielt und mich zum Studium drängte. Ich hatte die Beine meiner Mutter, aber nicht den Wunsch, sie – oder irgendeinen anderen Körperteil – zu zeigen. Und weil ich Girlie in ihren finsteren Stunden kannte, schwor ich mir, niemals Depressionen zu bekommen. Es wurde zu einer Art Phobie für mich. Die vergebliche Hoffnung, meine eigene Psyche beherrschen zu lernen, machte mich zur Psychotherapeutin.

Ich ging wieder ins Bett. Durchs Fenster sah ich die Taubenfrau im gelblichen Schimmer der nächsten Straßenlaterne ihren üblichen Feldzug gegen die Tauben führen. Manchmal sprach sie mit ihnen wie mit Freunden, aber meist schien sie sich mit ihnen zu streiten. Es war, als hätten die Vögel sie schrecklich beleidigt und sie müsste sie zurechtweisen. Immer wieder stürzte sie auf sie zu, schrie sie an, tadelte sie. Ihre Plastiktüten und ihr graues Haar wehten hinter ihr her, den Mantel hatte sie sich fest um den großen, dünnen Körper gezogen. Zwei der Vögel schienen unempfänglich für ihr Geschrei. Sie standen nebeneinander auf dem Gehweg, schienen einander zu beschützen und pickten einträchtig auf dem Boden herum. Eine dritte Taube sauste zwischen sie und drängte sie auseinander. Es kam mir vor, als hätte ich genau das mit meinen Eltern getan: Dadurch, dass ich der Liebling meines Vaters war, hatte ich ihre Einheit zerstört und sie auseinandergedrängt. Ich dachte an all die Nächte, in denen ich meinen Bruder Sammy in unserem Zimmer allein gelassen hatte und ins Bett unserer Eltern gekrochen war, wo ich mir entschlossen den Platz in der Mitte erkämpfte. Ich bohrte meine kleinen Fersen in die Oberschenkel meiner Mutter und schob sie beiseite, um meinen rechtmäßigen Platz an der Seite meines Vaters einnehmen zu können. Dann bettete ich siegreich meinen Kopf auf seine Brust.

Ich liebte seinen Duft, sein teures Givenchy-Parfum, das extra für ihn in einem kleinen Laden abseits der Place de la Concorde in Paris hergestellt wurde, wohin er viermal im Jahr fuhr, auch, um Socken zu kaufen: dünn, schwarz und aus Seide. Mein Vater war schon immer ein Dandy, zu jeder Gelegenheit makellos gekleidet. Er hatte immer eine Ersatzkrawatte dabei, für den schlimmsten denkbaren Fall: einem Fleck auf der, die er trug. Dass er eine Affäre gehabt hatte, überraschte mich nicht; er war einfach zu charmant, zu überschwänglich und zu liebevoll, um sich von der Ehe binden zu lassen. Irgendwie habe ich es wohl geahnt und die Spannungen zwischen ihm und meiner Mutter richtig interpretiert. Nach ein paar Tagen kehrte er aus

»Leeds« zurück, und wir setzten unser normales Familienleben fort. Ich nehme an, dass meine Mutter sich schon lange zuvor von ihm betrogen fühlte, weil er mich so sehr liebte, sein kleines Mädchen. Andererseits hatte sie ja auch noch meinen Bruder zum Liebhaben.

An den folgenden Tagen musste ich immerzu an die Affäre meines Vaters denken und daran, wie es wohl wäre, selbst eine zu haben. Wenn Greg nicht bei der Arbeit war, verbrachte er viel Zeit damit, weitere Beschwerdebriefe an den Stadtrat zu verfassen und im Internet nach Präzedenzfällen für seinen soeben erklärten Krieg gegen die Strafzettel zu suchen. Die übrige Zeit telefonierte er mit seinen neuen Freunden: anderen Knöllchen-Bekämpfern. Es gab ein landesweites Netzwerk mit eigener Website, und sie waren durch ihr gemeinsames Anliegen verbunden wie Brüder.

»So eine Strafe ist ja vollkommen in Ordnung, wenn die Leute die Straße versperren oder in Anwohnerstraßen parken«, sagte Greg eines Abends, nachdem er uns beim Essen wieder einen langen Vortrag gehalten hatte, »aber inzwischen tun sie es nur wegen des Geldes, und so geht's ja wohl nicht.« Er kannte kein anderes Gesprächsthema mehr, und die Kinder und ich gingen ihm aus dem Weg. Wir hofften, dass er es irgendwann leid wäre.

Das ganze Universum schien einen Seitensprung in der Schüssel zu haben. Als eines Nachmittags ein Patient absagte und ich mir ein bisschen verbotenes Nachmittagsfernsehen gönnte, war das Thema *Mein Partner geht fremd*. Da saßen sie alle: Schwarze, Weiße, Dicke, Dünne, betrogen einander nach Herzenslust und schauten dabei auch noch ganz selbstgefällig drein. Der Moderator brachte die scheinheilige Zusammenfassung: »In Wahrheit betrügt man sich selbst. Was ist denn das für eine Beziehung, wenn man nicht ehrlich zueinander ist?«

»Eine spannende«, sagte ich laut, ließ angewidert die Fernbedienung fallen und ging aus dem Zimmer. Wo ich auch hinschaute, sah ich verliebte Paare, die Körper so dicht wie möglich aneinandergedrängt, sie küssten sich an den Straßenecken und hielten liebevoll das Gesicht des anderen in den Händen. Die Frauenzeitschriften am Kiosk um die Ecke gaben mir mit ihren ehebrecherischen Überschriften den Rest: *Wenn der Geliebte nicht der eigene Mann ist; Zusammenleben mit Ehemann und Liebhaber; Meine Affäre hat uns wieder zusammengebracht.* Auf der Straße vor unserem Haus schrie die Taubenfrau mich seltsamerweise an: »Dann such dir doch einen tollen Kerl, na los, ihr seid doch alle gleich.« Ich merkte, dass ich Männer wieder mit so einem »Na, wie wär's«-Blick anschaute – und manche schauten zurück. Die Unsichtbarkeitspille, die ich an meinem vierzigsten Geburtstag versehentlich geschluckt hatte, schien, zumindest vorübergehend, nicht mehr zu wirken.

Drittes Kapitel

Sariputras Kaktus-Salsa

1 Bund frischer Koriander
1 große Dose (780 g) geschälte
italienische Eiertomaten
800 g Kaktus (frisch oder in
Dosen)
1 kg frische Tomaten
3 Zitronen
1 oder 2 Bund Frühlingszwiebeln

2 große rote Zwiebeln
4 kleine rote oder grüne
Chilischoten
6–8 Knoblauchzehen
1 TL Salz
1 TL frisch gemahlener
schwarzer Pfeffer
2 gr. EL Olivenöl

Dosentomaten in einer großen Schüssel zerdrücken. Kaktus abtropfen lassen und in Würfel schneiden, ebenso die frischen Tomaten, Zwiebeln und Frühlingszwiebeln, und alles hinzugeben. Korianderblätter und Chilischoten fein hacken und zusammen mit Zitronensaft, zerdrücktem Knoblauch, Pfeffer, Salz und Olivenöl hinzufügen. Alles gut vermengen und einige Stunden ziehen lassen.
Passt zu Fisch, Geflügel oder Fleisch.
Die Mischung lässt sich auch pürieren und eignet sich als Dip zu Tortilla Chips.

»Ich habe immer gedacht, glücklich leben bis an mein Ende wäre irgendwie befriedigender, du nicht?«, sagte Ruthie. Wir saßen im Café im Queen's Park. Sie sah müde aus. In letzter Zeit schien sie dauernd erkältet zu sein. Wenn ich sie fragte, was los sei, antwortete sie nur, die Arbeit mache sie fertig.

39

»Mmm«, sagte ich, »aber vielleicht, nur vielleicht, geht es ja auch anders. Du weißt schon, so ein Leben voller Liebe und Leidenschaft: man redet und es hört einem jemand zu, man streichelt und wird gestreichelt. Jemand sieht dir in die Augen und sagt, dass er dich liebt. Du siehst jemandem in die Augen und findest alles darin.«

»Ach, Chloe, du bist wirklich hoffnungslos romantisch«, sagte sie und schob ihr Essen auf dem Teller herum wie eine Magersüchtige, die nur so tut, als würde sie essen. »Übrigens«, sagte sie plötzlich, »herzlichen Glückwunsch zum Geburtstag.«

»Ich habe doch erst in einem halben Jahr Geburtstag.« Ich schaute sie verwirrt an.

»Ich weiß. Aber Lou hat seit Wochen nicht mit mir gesprochen, weil ich ihren Geburtstag vergessen habe, also gratuliere ich jetzt allen, die ich treffe; dann kann keiner beleidigt sein, wenn ich seinen Geburtstag vergesse. Jedenfalls«, fuhr sie fort, »hat Lou ja jetzt sowieso andere Sorgen, wo sie und James sich getrennt haben.«

Ich war erschüttert. Lou und James waren seit zwanzig Jahren zusammen; sie hatten vor allen anderen geheiratet und, so schnell sie konnten, Kinder bekommen, vier insgesamt, eins nach dem anderen: Junge, Mädchen, Junge, Mädchen. Sie mochten sich wirklich, lachten über die Witze des anderen, redeten miteinander; es waren tatsächlich echte Gespräche, nicht nur Geschäftsbesprechungen darüber, wer dran war, den Klempner zu rufen oder das Auto in die Werkstatt zu bringen. Lous Hand flatterte immer liebevoll um James herum, glättete ihm das Haar oder streichelte ihm die Wange. James bemerkte, was Lou trug, und ging gerne mit ihr shoppen, er nahm Kleider, von denen er wusste, dass sie ihr stehen würden, vom Ständer und hielt sie vor sie hin. Wir hatten immer gewitzelt, er wäre schwul und nur im Körper eines Heteros gefangen. Sie waren uns allen ein Vorbild: Mr und Mrs Glücklich Verheiratet, der lebende Beweis, dass man glücklich bis an sein Ende leben konnte. Ihre Ehe war lebenswichtig für das Gleichgewicht aller anderen Beziehungen. Wie konnten sie sich trennen? Sie wirkten immer, als stünden sie harmonisch beieinander wie zwei starke Eichen, die unter derselben Sonne gediehen, deren Wurzeln in der Erde ineinander verschlungen waren und denen die Jahre nichts anhaben konnten. Es hatte gelegentlich mal geknirscht, oder, um im Bild zu bleiben, ein Zweiglein war abgebrochen, aber niemand hätte sich vorstellen können, dass der Baum gefällt werden würde. Bis jetzt.

»Was? Warum? Wann?« Die Fragen purzelten nur so aus meinem Mund. »Wieso hast du mir das nicht erzählt?«

»Hab ich ganz vergessen. Wie Geburtstage. Sie trennen sich erst mal auf Probe, sie haben das Gefühl, sie müssen sich wieder neu kennenlernen oder so und dass sie füreinander zu selbstverständlich geworden sind.«

»Wenn die beiden nicht zusammenbleiben können, wie sollen wir es denn dann hinkriegen?«, murmelte ich.

»Stimmt«, sagte Ruthie, »aber man weiß ja nie, was hinter verschlossenen Türen läuft; ich fand das ganze Geturtel in der Öffentlichkeit ja immer ein bisschen verdächtig, du weißt schon, ein Zeichen, dass im Bett nicht mehr viel passiert.«

»Bei uns läuft auch nicht mehr viel im Bett, aber wir sind trotzdem noch mit unseren Männern zusammen«, sagte ich.

»Wusstest du, dass zu wenig Sex tatsächlich ein Scheidungsgrund ist?«

»Aber wir sind nette jüdische Mädchen, die alles tun, um die Familie zusammenzuhalten, was?«, sagte ich.

»Klar, aber wenn wir religiös wären und wirklich in einer keuschen Ehe leben würden, könnten wir zum Rabbiner gehen, und der würde die Scheidung möglicherweise gestatten. Die Juden haben es doch immer so mit Sex und Intimität, und die Thora verpflichtet den Mann sogar dazu, die sexuellen Bedürfnisse seiner Frau zu befriedigen. Manche Texte verlangen sogar, dass der Mann seine Frau zuerst zum Orgasmus bringen muss.«

»Kluge Leute, die Juden, sage ich ja immer.« Ich trank meinen Kaffee aus und schwieg einen Moment; irgendetwas, das sie gesagt hatte, beschäftigte mich. »Warte mal«, sagte ich, »was heißt denn ›wenn wir wirklich in einer keuschen Ehe leben würden‹? Ruthie, hattet ihr etwa Sex?«, fragte ich streng.

»Eigentlich nicht«, sagte Ruthie, »du weißt schon, nur das Übliche, zweimal im Monat.«

»Im Vergleich zu mir ist das ja geradezu zügellos.«

Ruthie schaute mich an.

»Zweihundertfünfundvierzig Tage«, sagte ich.

»Was soll das heißen?«

»Zweihundertfünfundvierzig Tage seit Greg und ich zuletzt miteinander geschlafen haben. An Silvester, wir waren betrunken. Das heißt vermutlich, dass ich offiziell wieder Jungfrau bin.«

»Unglaublich, dass du mir das nie erzählt hast.«

»Ich habe es nicht fertiggebracht.«

»Habt ihr darüber gesprochen?«

»Ich hab's versucht, aber er meint, es ist alles in Ordnung; wir haben beide viel um die Ohren und das ist nur so eine Phase. Für ihn ist das kein großes Thema.«

»Fragt sich, wann aus einer Phase ein Dauerzustand wird.« Ruthie sah mich an wie ein Exemplar einer neu entdeckten Art. »Das wäre doch mal ein gutes Feature, *Frauen in keuscher Ehe packen aus.*«

»Na Prost, du weißt ja, an wen du dich wenden kannst.« Ich sah auf die Uhr. »Himmel, ich muss los.«

Mir war nicht klar gewesen, dass Ruthies Definition von kein Sex zweimal im Monat Sex bedeutete. Ihr Schreck über meine Enthüllung zeigte mir, dass Greg und ich wirklich ein Problem hatten. Das passiert manchmal, wenn man Dinge ausspricht.

Ich schaffte es gerade noch zu meinem Drei-Uhr-Termin. Gentleman Joe ist Amerikaner und war früher mal Stripper bei den Chippendales, »bevor da nur noch Schwule waren«, wie er mir wiederholt versicherte. Gentleman Joe war damals sein

Künstlername, und nachdem er, nach drei Jahren Therapie, mit seiner schrillen Vergangenheit herausgerückt war, konnte ich nur noch als Gentleman Joe an ihn denken. Er ist hinreißend: olivfarbene Haut, weiches, schwarzes Haar, Augenbrauen wie luxuriöse, flauschige Raupen, und so lange und schwere Wimpern, dass es ein Wunder ist, dass er die Augen überhaupt offen halten kann. Er hat Bindungsprobleme und ist von den Frauen zutiefst und dauerhaft enttäuscht: Keine lässt sich ganz auf ihn ein und wird seine Frau. Joe ist dauerverlobt; seine zukünftigen Ehefrauen geben ihm immer den Laufpass, sobald der Altar in Riechweite kommt. »Englische Weiber«, beschwerte er sich, »die gehen alle fremd, jede einzelne. Da glaubt man, die Beziehung wäre etwas ganz Besonderes, und dann brennen sie mit irgendeinem Typen durch, der mit ihrem Bruder zusammen zur Schule gegangen ist oder so.«

»Haben Sie schon mal daran gedacht, es mit einer anderen Nationalität zu versuchen, mit einer Amerikanerin zum Beispiel?«, schlug ich vor.

»Nee, amerikanische Frauen haben es viel zu nötig.«

»Glashaus. Steine«, dachte ich. »Hmm, wissen Sie was, Joe, vielleicht sollten Sie einfach aufhören, eine Frau zum Heiraten zu suchen, und dann ergibt es sich von ganz allein. Meinen Sie, Sie fühlen sich von Frauen angezogen, die unerreichbar für Sie sind?«

Er war nicht normal, die sprichwörtliche Ausnahme, die die Regel bestätigt, ein jüdischer Mann, der ein häusliches Eheleben beginnen wollte; andererseits war er schon vierundvierzig, und seine große Zeit bei den Chippendales war in den Achtzigern gewesen. Stripper? Was für ein Job war das denn für einen netten jüdischen Jungen?

Ich hatte es nie geschafft, ernsthafte Beziehungen mit jüdischen Männern zu haben. Das muss bei mir eine Art eingebautes Inzesttabu sein; jüdische Männer gehören viel zu sehr zur Familie.

Ich wusste, dass sie im Restaurant Essen zurückgehen ließen und dass sie eine Frage mit einer Gegenfrage beantworteten, dass sie heimlich auf kühle blonde Schicksen standen und dass wir am Ende lieber im Bett sitzen und Kuchen essen und plaudern würden, als wilden, stürmischen Sex zu haben. Einmal hatte ich einen jüdischen Freund – und der Sex war ziemlich stürmisch, bis wir es eines Tages vor einem Spiegel machten und gleichzeitig feststellten, wie ähnlich sich unsere Spiegelbilder waren. Es fühlte sich an, als wäre ich mit meinem Bruder zusammen, und sosehr ich meinen Bruder auch liebe, habe ich doch kein Bedürfnis, mit ihm zu schlafen.

Sammy ist zwei Jahre jünger als ich und wohnt in einem Tipi in den Alpujarras in Spanien. Er hat jetzt einen buddhistischen Namen, Sariputra, was *Kind einer Frühlingsnachtigall* bedeutet. Wir nennen ihn Sari, was, wenn man es vernuschelt, fast genauso klingt wie Sammy. Und so sind alle zufrieden. Er war mal Musiker und recht erfolgreich mit einer R&B-Band, aber dann starb unsere Mutter, und nachdem wir wie betäubt ihre Asche in meinem Garten begraben und einen Kirschbaum darauf gepflanzt hatten, ging Sammy nach North Carolina zu den Cherokee-Indianern. »Das ist eine matriarchalische Gesellschaft«, sagte er, bevor er ging. Er war untröstlich. Das waren wir alle; wir fühlten uns betrogen, beraubt und verwirrt. Mum wollte nicht alt werden und hatte mit fünfundfünfzig einfach beschlossen, es nicht zu tun. Sie war schlafen gegangen und nicht wieder aufgewacht – niemand weiß, woran sie gestorben ist, bei der Obduktion kam nichts heraus. Sie hätte ebenso gut sagen können: »Okay, ich geh dann mal, mir reicht's.« (Ich hatte immer das Gefühl, sie hätte es absichtlich getan, nur um noch einmal im Mittelpunkt zu stehen. Nicht so sehr, um einen Auftritt zu haben, was sie immer so genossen hatte, sondern einen Abgang.) Sammy lebte fünf Jahre lang bei den Cherokee und sprach weder mit Dad noch mit mir. Er sprach mit überhaupt niemandem. »In der Ruhe liegt die Kraft«, erklärte er schließlich, als er sein Tipi in Spanien aufbaute, zum Buddhismus kon-

44

vertierte und wieder Kontakt aufnahm. »Ich möchte auf diesem Planeten einen sanften Weg gehen.«

»Ja, und einen verdammt unbequemen«, hatte ich erwidert, als ich ihn fest drückte und das Gefühl hatte, mir würde vor Schmerz und Freude das Herz bersten. Insgeheim liebe ich sein Tipi, den holzigen, rauchigen Geruch und den einfachen Lebensstil. Es ist im Laufe der Jahre zu einer Art Zufluchtsort für mich geworden, an dem ich für kurze Zeit ein ganz anderes Leben führen kann. Ich fahre mindestens viermal im Jahr dorthin, normalerweise mit den Kindern und manchmal mit Greg. Sammy hat sechs Fenster in die Zeltwand geschnitten und richtige Holzrahmen mit Glasscheiben eingesetzt, eine Neuerung, auf die er mächtig stolz ist. »Da haben die amerikanischen Ureinwohner nicht dran gedacht!« Als Kinder hatten wir darauf bestanden, ein gemeinsames Zimmer zu haben, und morgens lagen wir in unseren Betten und schauten durch das Oberlicht in die Wolken. Das Spiel hieß »Tiere am Himmel«. Einer von uns erkannte irgendwo ein Tier, und der andere musste es suchen.

»Einhorn«, sagte Sammy, als wir bei meinem letzten Besuch in Spanien auf einem Hügel lagen und faul Tortilla Chips in Kaktus-Salsa tunkten, sein Spezialgericht (die Jahre bei den Cherokee waren nicht umsonst gewesen).

»Sind mythische Tiere erlaubt?«, fragte ich und suchte schon angestrengt die wenigen Wattebäusche am Himmel ab.

»Fragt man so was jemanden, der in einem Tipi lebt?«

Ich nahm ihn in den Arm, atmete den Duft nach kleinem Bruder ein und freute mich, dass seine Selbstironie nicht gelitten hatte. Kitty und Leo spielen ebenfalls Tiere am Himmel und nennen Sammy »Onkel Meschugge«. Er geht mit ihnen wandern und erzählt ihnen von ihrer Großmutter, die sie nicht mehr kennengelernt haben.

Mum starb vor zwölf Jahren, und ich bin immer noch sauer, dass sie mich hochschwanger und mit einem Dreijährigen allein gelassen hat, ohne eine Mutter, die mir hätte helfen können.

Gregs Mutter zählt nicht. Wir sehen sie nicht oft, und wenn, dann wünschen wir uns, wir hätten sie nicht gesehen. Die meisten Kinder fürchten irgendwann, sie seien vielleicht adoptiert; Greg hatte es immer gehofft. Er hatte das Gefühl, er sei in der falschen Familie gelandet, ein ungebetener Gast auf einer Party, auf der er sich nicht wohl fühlte. Er sah seinen Geschwistern überhaupt nicht ähnlich und hatte nichts mit ihnen gemeinsam. Die ganze Familie war blond und braunäugig – seine Haare waren tiefschwarz und seine Augen blau. Seine Eltern waren irische Methodisten, und Alkohol war verboten, mit Ausnahme von Baileys, der aus irgendeinem Grund zum nichtalkoholischen Getränk erklärt worden war und bei Familientreffen kistenweise getrunken wurde. Tanten und Onkel bekamen rote Bäckchen und wurden überschwänglich, und es wurden sentimentale Interpretationen von *Danny Boy* zum Besten gegeben. Das waren Gregs schönste Kindheitserinnerungen.

Sein Vater, der ihm in dieser Familie von Fremden am nächsten stand, hatte seine Mitgliedschaft schon gekündigt, als Greg acht Jahre alt war, und war nach Amerika gegangen; vorgeblich, um zu schauen, ob sie dorthin übersiedeln könnten. Sie hörten nie wieder von ihm, und sein Gesicht wurde akribisch aus allen Familienfotos, die gut sichtbar auf sämtlichen verfügbaren Oberflächen standen, ausgeschnitten. Greg weiß noch, wie seine Mutter nächtelang mit einem Stapel Fotos dasaß und mit einer scharfen Nagelschere daran herumschnippelte. Er hatte ein paar ausgeschnittene Köpfe seines Vaters retten können, als sie einmal nicht hinschaute, und hat sie bis heute im Portemonnaie – sein einziges Andenken an ihn. Es war nicht erlaubt, den Namen seines Vaters zu nennen, und das ganze Leben wurde ordentlich in zwei Teile geteilt: v. E. – vor dem Ereignis und n. E. – nach dem Ereignis. Edie, Gregs Mutter, zog in all den Jahren n. E. ein angewidertes Gesicht, als hätte sie permanent einen schlechten Geruch in der Nase. Als Leo geboren wurde, sagte Greg erleichtert, wie ein Ertrinkender, der das rettende Ufer erreicht: »Jetzt habe ich endlich die Familie, die ich möchte.«

Ich war müde. Manchmal schafften meine Patienten mich richtig, normalerweise dann, wenn ich mich selbst nicht besonders stabil fühlte und nicht verhindern konnte, dass ihr Leben in meins eindrang. Ich ging hinauf, wo Greg in der Küche herumwirbelte, in Schubladen guckte, Türen zuschlug und immer wütender wurde. Sein Haar stand in alle Richtungen, wie bei einer Klobürste, und er trug Kittys Flamenco-Schürze in Feuerrot mit gelben Tupfen. Stand ihm gut. Mit der rechten Hand machte er die Bewegung, die er mit dem machen würde, was er suchte, als könne er es damit herbeibeschwören.

»Suppenkelle?«, riet ich. »Oberste Schublade links, wenn du sie nicht wieder versteckt hast.«

»Probier mal«, sagte er und bot mir heiße Suppe an. »Hm? Und? Hmmm?« Er nickte ungeduldig.

»Köstlich, Schatz, aber …«

»Was, aber, sie ist perfekt!«

Greg hat all unsere Ehejahre hindurch einen Hühnersuppenkampf mit mir gekämpft, und er hat offenbar den unausgesprochenen Vorsatz, am Ende unserer Ehe, ob wir uns scheiden lassen oder einer von uns stirbt, Hühnersuppensieger zu sein. Er kocht gut – das ist einer der Gründe, warum ich ihn geheiratet habe – und hat sein eigenes Repertoire, aber er ist ganz besessen von dem Willen zu beweisen, dass man kein Jude sein muss, um eine jüdische Hühnersuppe zu kochen. Seine Suppe ist gut, fast schon perfekt, aber weniger authentisch und aromatisch als meine, und er kriegt auch die Konsistenz der *Kneidlach* nicht richtig hin.

Als Jüdin bin ich genetisch darauf programmiert, auf die Unbilden meiner Freunde und Verwandten zu reagieren, indem ich schnurstracks in die Küche marschiere und Hühnersuppe koche. Dieses Gen ist, wie sich herausstellte, durch Heirat übertragbar; jüdische Frauen geben es an ihre nichtjüdischen Ehemänner weiter. Wir machen sie durch Osmose unwiderruflich zu Juden. Wenn es Dad nicht gutgeht, ist es ebenso wahrscheinlich, dass Greg ihm Hühnersuppe bringt, wie dass ich es tue. Das jüdische Penicillin, das bekanntermaßen alle Krankheiten von Herzschmerz bis Krebs heilt. Diese jüngste Herausforderung bedeutete, dass ich eine Verteidigungssuppe würde kochen müssen, sobald ich Zeit hätte; dass ich den Fehdehandschuh aufheben musste, den er mir vor die Füße geworfen hatte, um meine Überlegenheit auf diesem Gebiet wieder neu zu beweisen.

»Heute Abend kann ich nicht«, sagte ich gereizt, »ich gehe zu BBs Dings, gehst du nicht mit?«

Greg schauderte. »Lieber esse ich einen Giftschlangeneintopf. Nee, ich gucke schön im Bett Fernsehen und lese mal die Straßenverkehrsordnung von 1991.« Er nickte seinem dampfenden Suppentopf zu. »Dann habe ich gewonnen.«

»Deine Menschenfeindlichkeit wird ja schon krankhaft. Ich mache meine Suppe morgen, und dann haken wir dieses Thema ein für alle Mal ab und lassen unsere Suppen von einem größeren Publikum testen.«

»Gut, dann wird mal öffentlich entschieden, wer die beste Suppe macht«, sagte er.

Ich stolzierte aus der Küche. Ich finde Stolzieren großartig, Kitty und ich üben es manchmal zusammen und wetteifern darin, wer am überheblichsten den Kopf herumwerfen, auf dem Absatz kehrtmachen und aus dem Zimmer marschieren kann. Kitty war hereingekommen, hatte das Ende des Gesprächs gehört und stand jetzt am Kühlschrank. Sie zeigte mir diskret den Daumen nach oben, als ich an ihr vorbeirauschte. (Mit ihrem verächtlichen Blick aus schmalen Augen und einem kaum hörbaren Schnauben kann sie Jungs schon aus zehn Metern Entfernung erniedrigen.) Ich zwinkerte ihr zu und gab ihr Zeichen, mir zu folgen.

»Hilf mir mal beim Anziehen«, sagte ich.

Sie nahm zwei Treppenstufen auf einmal. Sie ist mein Püppchen, und ich bin ebenso ihres. Sie liebt es, mir verschiedene Outfits auf dem Boden auszulegen, damit wir beide sehen können, wie sie wirken. Blusen, Röcke oder Hosen, Strumpfhosen und Schuhe, Gürtel, Armreifen und Tücher; körperlos und mit ausgestreckten Ärmeln und Beinen erinnern sie mich an die Kleider für Anziehpuppen, die man mit kleinen Laschen an diesen Pappfiguren befestigt, um sie von einem hässlichen Entlein in einen stolzen Schwan zu verwandeln.

Meine berühmt-berüchtigte Freundin Lizzie, die im Freundeskreis nur noch BB genannt wird, gab eine Party zum Erscheinen ihres neuesten Buchs: *Sexuelle Enthaltsamkeit: das eigene Selbst lieben lernen.* Irgendwie hatte sie es geschafft, Keuschheit cool aussehen zu lassen und nicht wie etwas, für das man sich schämen musste. Aber BB war im Moment auch nicht verheiratet. Ich schaute verzweifelt in meinen Kleiderschrank, der eigentlich nur zwei Möglichkeiten bot: neutrale Seelenklempner-Strickjacken oder unmodern gewordene Fick-mich-Klamotten, dazwischen ein paar zerschlissene T-Shirts und Jogginghosen. Kitty brauchte länger als sonst, um etwas zu finden, mit dem sie und ich einverstanden waren. Wir einigten uns schließlich auf einen kurzen schwarzen Rock, eine lässig offen stehende rote Bluse, um Dekolleté zu zeigen (soweit da eines war), eine schwarze Jacke und rote High Heels. Als ich mich endlich geduscht, eingecremt (unterschiedliche Lotionen für unterschiedliche Körperteile, ein Wunder, dass man überhaupt aus dem Haus kommt) und geschminkt hatte, war ich schon spät dran.

Greg war im Wohnzimmer und führte zu *Top of the Pops* einen peinlichen Tanz auf; Leo und Kitty wanden sich betreten auf dem Sofa. »Das ist das Beste daran, Kinder zu haben«, sagt Greg immer, »man kann sich endlich für all die Schmach rächen, die man selbst als Kind erlitten hat.« Er hatte Luftgitarre spielen, sinnloses Finger-in-die-Luft-Strecken, schlecht koordinierte Bewegungen, kleine Hüpfer und verzerrte Gesichtszüge in seine elterliche Folter eingebaut. Die Kinder waren außer sich. Ich steuerte ein paar Hüftschwünge zu ihrer Beschämung bei und küsste Greg zum Abschied. Wie immer tätschelte er mir kräftig den Po.

»Ich bin doch kein Pferd«, sagte ich.

Er bot mir seine gespitzten Lippen zum Kuss.

»Und auch nicht deine alte Tante.«

Ich öffnete die Tür, atmete die kalte Nachtluft ein und genoss den Hauch von Freiheit und Abenteuer. So musste man sich fühlen, wenn man wegen guter Führung vorzeitig aus dem Gefängnis entlassen wurde.

Viertes Kapitel

Rezept für Zoff (Anonym)

1 sexuell vernachlässigte
verheiratete Frau

1 unzufriedener, williger,
exotischer Mann

2 Teile Abenteuerlust hinzufügen, Frau und Mann
jeweils aufbrezeln und allein
ausgehen lassen, 3 Tropfen

berauschenden Duft des
Begehrens hineingeben.
Zutaten gut vermengen und
auf Ergebnisse warten ...

(Abstand halten, da Mischung explodieren kann.)

BBs Party war in vollem Gange, als ich schließlich ankam. Sie fand in einem dieser hippen Szenetreffpunkte in Soho statt; so ein Laden, in dem die Schlange vor der Toilette länger ist als die vor der Bar, weil die Leute sich dauernd die Nase pudern müssen. Ich konnte den Reiz des Kokains nie nachvollziehen. Ich habe es ein paar Mal ausprobiert und immer das Gefühl gehabt, ich schnupfe Ängste und Depressionen in Pulverform. Und da ich davon auch so schon genug habe, fand ich das überflüssig. Ich schämte mich bereits für meine Aufmachung, als ich durch die Tür trat, an meinem zu kurzen Rock zupf-te und mein nicht vorhandenes Dekolleté zu verstecken ver-suchte. Überhaupt fühlte ich mich völlig fehl am Platze und viel zu unmodern. Wieso bleibt man eigentlich immer in einer Art Zeitschleife der eigenen Jugend stecken, wenn man sexy aus-sehen will?

51

Die Londoner Intelligenz war dekorativ im Raum verteilt, plauderte, trank und aß nachgemachtes Unterschichtessen: winzige *Fish and Chips* und Mini-Würstchen. BBs Buch war überall präsent, und auch sie selbst war nicht zu übersehen: eine umwerfende Schönheit in einem knallroten Etuikleid mit aufgestickten *»No Entry«*-Schildern über Brust und Genitalbereich. Plötzlich fühlte ich mich in meinem eigenen Outfit schon viel wohler. BB hat ein schlafwandlerisches Geschick, den Zeitgeist zu treffen. Ihr erstes Buch, *Seien Sie eine Geisha*, das gerade veröffentlicht wurde, als der Postfeminismus heraufdämmerte, hatte sie über Nacht berühmt gemacht. Sie war mit Ruthie und mir zur Schule gegangen, und unsere Verbindung war zwar herzlich, aber von einem gewissen Neid angefressen, wie verwitterte Buchstaben auf einem Gedenkstein. Ruthie hatte mich vorher angerufen und gesagt, sie sei heute nicht in der Stimmung, den demütigen Fan zu spielen; sie sei ein bisschen müde und würde sich lieber hinlegen und ein Buch lesen. Ob ich das bitte für uns beide erledigen könne, sie würde sich bei Gelegenheit revanchieren. »Vorher sind noch zwanzig andere Revanchen fällig«, grummelte ich, aber sie hatte schon laute Küsse durch die Leitung geschickt und aufgelegt. Ich simste ihr, wenn sie nicht käme, würde ich den Vertrag über ewige Freundschaft kündigen, den wir dreißig Jahre zuvor mit Blut unterzeichnet und im Garten verbuddelt hatten.

BB stürzte sich wie ein roter Tropenvogel auf mich und gab mir Luftküsse.

»Hallo, Süße. Das ist David, er hat ein wahnsinnig interessantes Verhältnis zu seinem Vater.«

Das ist das Problem, wenn man Psychotherapeutin ist; jeder will davon profitieren, will eine Blitzantwort wie von einem Spielautomaten: Oben wirft man Geld ein, und unten kommt die Lösung für alle Probleme heraus. Als Greg noch mit mir auf Partys ging, spielten wir heimlich das Spiel *Wie viel hättest du heute verdienen können?* Viele Leute, die wir trafen, baten entweder ihn um medizinischen oder mich um psychologischen

Rat. Wir trafen uns dann in irgendeiner Ecke, nachdem wir die erste Runde gedreht hatten.

»Ich hätte schon über fünfhundert Pfund verdienen können«, murmelte Greg dann etwa. »Siehst du die Frau da hinten? Sie wird nicht schwanger und meint, vielleicht hat ihr Mann zu wenig Spermien, aber er lässt es nicht testen.«

»Und der Typ links von ihr«, entgegnete ich vielleicht, »ist stocksauer, weil ihm seine Mutter, als er fünf war, keine Pfannkuchen zum Frühstück gemacht hat.«

Jetzt, wo Greg so menschenscheu geworden ist, macht es nicht mehr so viel Spaß; ich muss die Therapiestunden weiterhin abhalten, aber ohne die Spannung unseres Spiels. Ich riss mich zusammen, wandte mich David zu und versuchte, interessiert zu gucken, als er mir erzählte, dass sein Vater ihm in seiner ganzen Kindheit und Jugend nicht ein einziges Mal gesagt habe, dass er ihn liebt. Immerhin hatte David einen ganz süßen Haarschnitt, wie Hugh Grant. Meine Enthaltsamkeit und die Gedanken ans Fremdgehen waren mir zu Kopf gestiegen, und meine Hormone liefen Amok.

»Und dann, als ich sechs war …«, sagte David.

Ich unterdrückte ein Gähnen, als mir bewusst wurde, dass wir seine gesamte psychologische Entwicklung Jahr für Jahr durchgehen würden, jede eingebildete Kränkung, jede noch so kleine Zurückweisung, jeden Winkel und jede Ritze, kein Stein würde auf dem anderen bleiben. So süß konnte er gar nicht sein, dass ich unter diesen Umständen interessiert bleiben würde. Ich schaute an ihm vorbei und sah, dass Ruthie soeben eingetroffen war. Ich funkte ihr mit den Augen wiederholt SOS. Sie winkte fröhlich, machte Stranguliergesten und ging weiter; ihre Rache dafür, dass ich sie gezwungen hatte, überhaupt hierherzukommen.

»Ich kann mich nicht erinnern, dass er je mit mir im Park Ball gespielt hätte«, sagte David. Über seine linke Schulter hinweg entdeckte ich einen großen, gutaussehenden Mann mit hohen Wangenknochen. »Wer ist das?«, zischte ich BB zu, die sich zu uns gesellt hatte. Der mit den Wangenknochen starrte mich intensiv an.

»Das ist Iwan.«

»Der lässt bestimmt nichts anbrennen, oder?«

»Och, weiß nicht. Er ist mit einer unscheinbaren Verlegerin namens Becky verheiratet.«

»Hmm.« Ich sah verstohlen zu ihm hinüber.

So weit schien alles zu Ruthies Regel zu passen. Was war nur mit mir los? Ich fühlte mich wie Struppi aus Tim und Struppi, wenn er sich zwischen einer guten und einer bösen Tat entscheiden muss und plötzlich einen bösen schwarzen Hund auf der einen Schulter hat und einen unschuldig weißen auf der anderen. Der schwarze versucht, ihn zu allerlei Ungehörigkeiten zu überreden, der weiße will ihn auf den Pfad der Tugend lenken. Mein schwarzer Hund hatte eindeutig Oberwasser. Plötzlich erwiderte ich Iwans Blicke und klimperte mit den Wimpern – offenbar ist es mit dem Flirten genauso wie mit dem sprichwörtlichen Radfahren. Innerhalb kürzester Zeit war er bei mir und drückte mir seine Karte in die Hand.

»Hier ist meine Telefonnummer«, sagte er. »Ich bin Iwan. Sie müssen mich anrufen. Ich tue so was sonst nie, aber ich will Sie unbedingt kennenlernen.«

Ich lachte höflich und reichte ihm die Hand. (Wie kommt es eigentlich, dass das charmante Lachen der Jugend, das an klirrende Eiswürfel in einem Glas erinnert, mit dem Alter zu einem kehligen Hexengackern wird?)

»Sie können mich auch Wanja nennen«, fuhr er fort.

»Ich heiße Chloe«, sagte ich.

»Nein«, sagte er so ungestüm, dass ich zusammenzuckte, »Sie rufen bestimmt nicht an. Geben Sie mir Ihre Nummer.«

»Wollen wir vorher vielleicht noch ein bisschen Konversation machen?«, schlug ich kokett vor.

Er kam aus St. Petersburg und sah aus wie ein Graf aus einem Tolstoi-Roman: groß, dunkel und mit diesen wie gemeißelten, hohen Wangenknochen, die einen immer an die russische

Steppe erinnern. Genau mein Typ, oder besser gesagt, er wäre genau der Typ gewesen, auf den ich als Single gestanden hätte.

»Ich habe Russland noch zur Sowjetzeit verlassen«, sagte er. »Ich wollte unbedingt raus und habe es schließlich auch geschafft. Die ganzen Jahre habe ich mich gefühlt wie ein Vogel im Käfig, der mit den Flügeln schlägt und in die Freiheit fliegen will. Und als ich hier ankam, war da plötzlich kein Käfig mehr, aber ich konnte nicht mehr fliegen. Mir waren die Flügel gestutzt worden.«

»Ich bin verheiratet und habe zwei Kinder, Leo ist fünfzehn und Kitty zwölf«, platzte ich heraus.

»Ich bin auch verheiratet.« Sein Lächeln wirkte ein wenig traurig. »Aber wissen Sie, manchmal …«

»Ja, ich weiß.« Und es stimmte ja auch. Manchmal … Iwan war schrecklich anziehend, und er hatte so einen Hauch von Tragik, vielleicht noch durch die Brutalität des Sowjetregimes. Mir wurde ganz weich in den Knien von diesem Gefühl, an das ich mich kaum noch erinnerte: vom stetigen Puls des Begehrens. Eine ziemlich ungewohnte Regung nach so vielen Jahren im heiligen Stand der Ehe. Was war es, das mich so berührte? War es mein eigenes Bedürfnis, mal wieder etwas zu *spüren*? Die Freude daran, dass ein Mann sich für mich interessierte? Das seltene Gefühl, dass mir jemand richtig in die Augen schaute und mir zuhörte? Ich musste immerzu seine Hände anstarren, die Hände eines Pianisten oder Chirurgen, mit langen, schlanken Fingern, kräftig und zart zugleich. Wenn ich sprach, neigte er den Kopf leicht zur Seite und faltete die Hände wie zum Gebet, mit verschränkten Fingern bis auf die Zeigefinger, die er ausgestreckt an die Lippen legte wie einen kleinen Kirchturm. Ich stellte mir vor, wie diese Hände mein Gesicht streichelten und an meinem Körper hinunterwanderten. Die Manschetten seines Hemds waren etwas zurückgerutscht, sodass ich seine schwarz behaarten Unterarme sehen konnte. Ich dachte über seine übrige Körperbehaarung nach und wurde ein bisschen rot, weil ich ihn mir jetzt schon nackt vorstellte. Seine Lippen waren voll, seine

Augen leuchtend blau. Meine Lieblingskombination – dunkles Haar und blaue Augen. Genau wie Greg. O Gott.

Ich gab ihm meine Nummer. War doch klar, nach der Sache mit dem Vogel und den Flügeln. Ganz plötzlich wollte ich gehen. Die sich auftuenden Möglichkeiten machten mich ganz schwindelig, und ein bisschen Angst hatte ich auch. Also schnappte ich mir meinen Mantel und wollte gerade hinaus, als BB mich aufhielt und mit Eintrittskarten vor meiner Nase herumwedelte.

»Tickets für Frou-Frou, Süße, das wird die heißeste Late-Night-Show der Stadt!«

Sie ist die Königin der Freikarten, sie hat schon mit vierzehn Jahren Freikarten für Popkonzerte organisiert, selbst wenn Leute wie The Who oder »Reggie« (Elton John für Normalsterbliche) spielten. Jetzt, wo sie selbst reich und berühmt ist, liebt sie immer noch alles, was es umsonst gibt.

»Nein, danke, Lizzie, ich muss los.«

»Ach komm, das wird lustig, und danach können wir noch zur Premierenparty gehen, ich stehe auf der Gästeliste.«

»Na klar«, sagte ich und machte mich schnell davon, bevor sie mir ihren Willen aufzwingen konnte. Irgendwie schafft sie es immer, dass man tut, was sie will.

Ich schaute mich um und sah, dass der langweilige David Ruthie an einer Wand festgenagelt hatte. Sie wirkte geradezu panisch.

»Wir müssen los«, sagte ich, nahm ihren Arm, lächelte David kurz an und führte sie zur Tür, in Sicherheit.

»Ich liebe dich«, flüsterte sie. »Jetzt und immerdar. Ich lasse es nicht zu, dass irgendwer auch nur ein Wort gegen dich sagt, niemand, niemals.«

»Gut, allerdings hast du mich gar nicht verdient. Ich bin viel netter als du. Du hast mich vorhin nicht gerettet, nächstes Mal lasse ich dich auch hängen.«

Zum Glück hatte sie mich nicht mit Iwan bemerkt. Ich wollte unsere Begegnung erst mal für mich behalten. Hätte ich darüber gesprochen, dann hätte ich zugegeben, dass es der Anfang von etwas war, und das wollte ich mir noch nicht einmal selbst eingestehen.

Zu Hause ging ich durch das schweigende, schlafende Haus und erschrak fürchterlich über einen dunklen Schatten. Es war Leo.

»Ey, tu mal fünf, weil, wir gehen morgen auf Piste.« Das ist Jugendsprache und bedeutet: »Liebe Mutter, könntest du mir möglicherweise bitte fünf Pfund geben, ich möchte morgen mit meinen Freunden ausgehen.« Voller Schuldgefühle wegen meiner ehebrecherischen Gedanken zahlte ich den elterlichen Zoll. Ich schminkte mich ab – das tue ich immer, denn sonst muss man später ja bekanntermaßen in der Hölle schmoren – und kroch ins Bett, neben meinen schnarchenden Mann.

»Und sie kamen in Scharen und siehe, die Antibiotika wurden unter ihnen aufgeteilt«, murmelte er im Schlaf. Seltsam, ich bin es so gewohnt, alle Neuigkeiten und Gedanken mit Greg zu besprechen, dass ich mich bremsen musste, ihn nicht aufzuwecken und ihm den neuesten Tratsch zu erzählen: dass ich soeben einen wundervollen, exotischen Mann kennengelernt hatte.

Ich wachte ganz aufgeregt auf und schwelgte in Erinnerungen an den Abend; ich packte sie aus wie ein Kind einen verbotenen Schokoriegel vor dem Essen. Das Wohlgefühl wurde schnell von der rauen Wirklichkeit eines normalen Schultags vertrieben. Bea bewegte sich in der Küche auf diese nervtötend träge Weise, die sie morgens an sich hat, wenn alle es wirklich eilig haben. Ich stolperte hinein und tastete blind nach dem Wasserkessel.

»Greg, der Kessel«, fauchte ich.

»Voilà!« Er strahlte und holte ihn mit einer großen Geste vom Kühlschrank herunter, wie ein Kaninchen aus einem Zylinder.

»Kannst du deine Gedächtnisübungen vielleicht mit Dingen machen, die nur du brauchst, statt mit denen, die alle brauchen, und uns diese beschissenen Suchspielchen am Morgen ersparen?«

»Mummy!«, schimpfte Kitty hinter einer Schachtel Frühstücksflocken.

Ich sah auf die Wanduhr. »Lass gut sein, Kitty, ich wusste nicht, dass die gottverdammte Fluchpolizei um Viertel vor acht schon im Dienst ist.«

Kitty hob den Kopf so weit über die Schachtel, dass ich sie die Augen verdrehen sehen konnte. »Da hat aber jemand schlechte Laune. Hast du gestern getrunken?«

»Ach, die Alkoholpolizei ist also auch schon da?«, murmelte ich. »Ich habe tatsächlich ein Glas Sekt getrunken, und ich habe eine Zeugin, die das unter Eid bestätigen würde.«

Bea lächelte. Dieser Anblick war so ungewöhnlich wie der eines orthodoxen Juden, der an der Klagemauer einen Picknicktisch aufstellt und einen Teller Schweinewürstchen verputzt.

»Alles in Ordnung, Bea?«, fragte ich.

»Ja, ja, ich heute sehr glücklich. Kommt meine Freundin Zuzi heute von Tschechien. Ist okay, wenn bleibt sie bei mir für paar Tage in mein Zimmer, bis sie hat Job?« Bea hielt meinen Blick mit dem uralten, unverwandten Starren des Kampf-Aupairs fest. Alle berufstätigen Mütter kennen und fürchten diesen Blick. Er sagt lauter als alle Worte: »Sie sagen jetzt ja zu allem, was ich will, sonst bin ich weg, und dann sind Sie, Lady, ganz schön am Arsch.« Ich weiß, wann ich mich geschlagen geben muss.

»Ja, Bea, natürlich. Wäre aber schön gewesen, wenn du ein bisschen früher Bescheid gesagt hättest. Und bitte nicht für allzu lange.«

Greg flüsterte mir ins Ohr: »Jetzt hast du's ihr aber ganz schön gegeben«, und schob sich an mir vorbei.

»Ist Leo schon auf?«, fragte ich.

»Hab ich ihm schon fünfmal geweckt«, sagte Bea. »Sieben Uhr, zehn nach sieben, zwanzig nach sieben, halb acht …«

»Danke, Bea, schon verstanden. Könntest du ihn bitte zum sechsten Mal wecken; das scheint ja meistens das Mal zu sein, bei dem es funktioniert.«

Ich arbeitete mich durch die Barrikade aus Frühstücksflockenkartons, die Kitty um sich herum aufgebaut hatte. Sie kommt gerade in diese extrem unsichere Phase, die mit den ersten Östrogenschüben einhergeht, und mag es nicht, wenn ihr jemand beim Essen zusieht. Ich bürstete ihr das Haar und versuchte, so sanft wie möglich durch die Knoten zu kommen.

»Au!«, quiekte sie, wie erwartet. »Das machst du extra, du willst mir nur wehtun!«

»Stimmt, deswegen habe ich auch neun Monate Schwangerschaft durchgestanden und diese irrsinnig schmerzhafte Geburt – nur, damit ich mich später an dir rächen kann, indem ich dir die Haare bürste.«

Ein mürrischer, geduckter Schemen schlurfte in die Küche, grunzte und schnaufte auf dem Weg zum Kühlschrank. Leo war endlich aufgestanden.

»Guten Morgen, mein Schatz«, sagte ich.

»*Was?*«, blaffte Leo, als hätte ich ihn bei etwas gestört.

»Ich hab keine sauberen Socken mehr«, rief Greg von oben.

»Na toll, bin ich jetzt auch noch Sockenbeauftragte?«, sagte ich.

Morgens ist es immer furchtbar; das ganze Aufstehen, alle anderen zum Aufstehen bewegen, sie für die Schule fertig machen, selbst fertig werden … Mein Handy piepte. »Was denn jetzt noch?«, murmelte ich. »Kann man denn nicht mal für fünf Minuten seine Ruhe haben?« Ich nahm das Handy und las die Nachricht. *Ich denke an dich. Du bist wunderschön. Iwan.*

Es war ein herrlicher Tag. Der Himmel war strahlend blau, die Bäume trugen fröhliches Rot, Orange und Braun, die Blätter fielen sanft im Wind, und auf dem Gehsteig lagen Kastanien wie glänzende Juwelen, die stacheligen Schalen beiseitegeworfen wie Butterbrottüten nach einem Picknick. Ich hob eine Kastanie auf und strich mit dem Daumen über ihren harten Glanz, sie war groß und kräftig. Die Taubenfrau rief mir hinterher: »Sie finden sich heute richtig toll, was, Mrs Madam?« Nun ja, ehrlich gesagt, ja. Ich eilte ins Café, um mich schnell mit Ruthie zu treffen.

»Scheiße, siehst du gut aus«, sagte sie zur Begrüßung. »Du strahlst ja richtig. Wer war denn der Mann gestern Abend eigentlich?«

»Welcher Mann?«, fragte ich unschuldig.

»Schönes Wetter heute, nicht wahr? Meine Güte, Chloe, du könntest dir genauso gut ›Fick mich‹ auf die Stirn tätowieren.«

»So schlimm?«

Sie nickte. »Jetzt erzähl schon.«

Also erzählte ich ihr von Iwan. Ich kam mir vor wie eine verzückte Maid bei Shakespeare, die zum ersten Mal verliebt ist. Allein den Namen des Geliebten auszusprechen ließ mich erröten. Ich hatte keinen Appetit auf mein Croissant und nippte am Cappuccino wie ein kränkelndes Kind.

»Mann, Chloe, sei bloß vorsichtig«, sagte Ruthie. »Du hast so viel zu verlieren.«

»Ich habe ja noch gar nichts getan. Ich habe nicht mal seine SMS beantwortet. Ach, ich weiß doch, dass das alles typisches Midlife-Crisis-Zeug ist. Frau in den Vierzigern muss sich beweisen, dass sie noch attraktiv ist, dass noch nicht alles vorbei ist. Aber es ist einfach nett, jemanden kennenzulernen, der mich interessant und schön findet.«

»Das mag sein, aber deswegen musst du ja nicht gleich mit ihm ins Bett gehen. Krieg lieber raus, warum du nicht mehr mit deinem Mann schläfst.«

»Du solltest hier die Therapeutin sein, Ruthie.«

»Die ganzen Bücher, die ganze Analysiererei, nein, danke. Mich interessieren sowieso nur meine Familie und meine

60

Freunde. Ich habe gar nicht das Bedürfnis, die ganze Welt zu heilen, so wie du.«

»Und was soll ich jetzt tun?«

»Nichts. Tu einfach nichts.«

»Du hast recht.«

Auf dem Nachhauseweg schrieb ich ihm: »Hat mich auch gefreut, dich kennenzulernen.« Ich schickte die Nachricht ab und wünschte mir sofort, ich hätte es nicht getan. Wie geistreich: *Hat mich auch gefreut, dich kennenzulernen.* Ich war vollkommen aus der Übung. Ich wusste gar nicht mehr, wie es ging. Ich war mir nicht mal sicher, was »es« überhaupt war.

Vor meiner Tür wartete BB mit ihrer Tochter Jessie. BB und Klein-BB, gleich gekleidet in langen Röcken und engen, winzigen Tops, die ihre perfekten Brüste, die schmalen Taillen und flachen Bäuche betonten. Aber unter den langen Röcken steckte ein Geheimnis: kräftige Beine und dicke Fesseln, bei Jessie erst ansatzweise, deutlich ausgeprägt bei BB. Das war ihr geheimer Makel, der Punkt, an dem sie nicht perfekt war. Sie kaschierte es geschickt, aber wir Schulkameradinnen hatten ihre Beine insgeheim Pferdeschenkel genannt und schweigend der unbekannten Gottheit gedankt, die ihr dieses Kreuz aufgeladen hatte. So konnten wir ihre absurde Schönheit mit etwas mehr Wohlwollen betrachten. Um den Minirock kam sie einfach herum, indem sie erst als Hippie ging und lange Röcke und ausgestellte Hosen trug und sich dann flugs dem Feminismus zuwandte; weniger wegen seiner Inhalte als wegen seiner Mode. Unter Doc Martens und Latzhosen ließ sich einiges verstecken.

Jessie wirkte nie besonders glücklich, ihr Gesicht war eine Art verzerrte Kopie des Gesichts ihrer Mutter. Wenn man sie nebeneinander sah, konnte man an ihnen studieren, was das eine schön und das andere unscheinbar machte. Jessie hatte die Anlagen zur Schönheit, schaffte es aber noch nicht, etwas daraus zu machen. Gelegentlich belebte ein Lächeln ihre Züge, aber auch das schien nur ihr ernstes Wesen zu bestätigen. Ich kannte diesen Blick – ich selbst hatte als Kind ebenso geschaut: Es war der Blick eines Mädchens, das in zu jungen Jahren in die Rolle der »Freundin« und »Vertrauten« ihrer Mutter gedrängt wird, wenn sie eigentlich noch eine Tochter sein und sich einfach nur geborgen fühlen möchte. Jessie hatte mit dreizehn Jahren schon ein Gespür für die überwältigende Last der Welt, für Sorgen, Verrat und enttäuschte Erwartungen. Wir verstanden uns gut, Jessie und ich. Es war meine Aufgabe, sie zu füttern, zu verwöhnen, sie über die Schule und ihre Freundinnen zu befragen, und ihr nicht zu erzählen, wie es mir ging oder was ich tat.

»Da bist du ja, Süße«, sagte BB, »wir warten schon ewig, ich habe geklingelt und ein Kichern gehört, es hat aber niemand aufgemacht.«

»Komisch.« Ich spähte durch den Briefkastenschlitz, sah einen unbekannten Koffer im Flur stehen und hörte unterdrückte Geräusche aus dem Wohnzimmer. Ich klingelte.

»Hast du keinen Schlüssel, Chloe? Das ist doch dein Haus.« Jessie sah mich fragend an.

»Ja, natürlich, stimmt. Mein Haus, ich wohne hier.« Dieser Iwan brachte mich ganz durcheinander. Ich wühlte in meiner Handtasche. Ruthie hatte mir einmal erklärt, dass Frauen drei Prozent ihrer Lebenszeit mit den Fingern in einer Handtasche verbringen, weil sie ein klingelndes Telefon, einen Schlüsselbund oder irgendein anderes lebenswichtiges Accessoire suchen. Diese Minuten summierten sich wahrscheinlich zu mehreren Wochen, mit denen man etwas deutlich Nützlicheres anfangen könnte – zum Beispiel spektakulären Sex mit einem tollen neuen Liebhaber.

»Alles klar, Chloe?«, fragte BB und sah mich neugierig an.

»Schlüssel, ja, hier«, sagte ich strahlend, öffnete die Tür und stolperte über den Koffer im Flur.

»Hast du die Klingel nicht gehört?«, fragte ich Bea verärgert, die seltsam gerötet aus dem Wohnzimmer kam.

»Nein, hab ich mit meine Zuzi gesprochen. Haben wir so

viel drüber zu sprechen.« In den zwei Jahren, die sie jetzt bei uns war, hatte ich Bea nicht so glücklich gesehen. Ihre etwas groben Gesichtszüge, die fast immer finster wirkten, hatten sich aufgehellt. Sie wirkte zufrieden. An ihrer Seite erschien eine hübsche Rothaarige.

»Ah«, sagte ich, »Sie müssen Zuzi sein, und das hier ist wohl Ihr Koffer?« Ich rieb mir das Schienbein.

»Danke, Sie mir erlauben wohnen in Ihre Haus«, sagte Zuzi und zog ihre sommersprossige Nase kraus. Bestimmt hatte ihr mal jemand gesagt, das sehe niedlich aus. Ich warf Bea einen warnenden Blick zu, aber sie blieb ungerührt. Ich sagte mir, das sei sicher nur ein sprachliches Problem; »ein paar Tage bleiben« und »wohnen« waren auf Tschechisch bestimmt dasselbe Wort. Ich nahm BB und Jessie mit in die Küche.

»Ich habe gestern noch jemanden kennengelernt, nachdem du weg warst«, sagte BB ganz aufgeregt, sobald wir am Küchentisch saßen, ich mit einer Tasse schwarzem Tee in der Hand, sie mit einem Fencheltee – anscheinend gut für das Lymphsystem. »Jeremy, Jeremy, Jeremy. Mir ist noch nie aufgefallen, was für ein schöner Name das ist. Und er ist großartig im Bett.«

Typisch, BB hatte jemanden abgeschleppt und war vorbeigekommen, um mir davon zu erzählen.

»Jessie«, sagte ich warnend und deutete mit einem Kopfnicken auf sie.

»Ach, mach dir keine Sorgen, Jessie ist meine allerbeste Freundin, ich erzähle ihr alles. Wir sind richtige Busenfreundinnen, nicht wahr, Schatz?«

Jessie stimmte gelangweilt zu.

»Geh doch mal nach oben, Süße, und guck, ob du bei Kitty ein Buch findest oder so, du langweilst dich doch hier nur mit uns«, sagte ich.

»Ich hab welche dabei«, sagte Jessie und klopfte an ihre schwere Schultertasche. Jessie war oft bei uns, und sie schien bei jedem Besuch noch mehr Dinge in unserem Gästezimmer zu lassen.

Ich wandte mich zu BB. »Und was ist mit *Sexuelle Enthalt-samkeit: das eigene Selbst lieben lernen?*«, fragte ich.

»Verstehst du nicht? Weil ich mich selbst liebe, kann ich jetzt auch einen anderen lieben«, sagte BB. »Na ja, vielleicht nicht lieben, aber mir wenigstens die Seele aus dem Leib ficken.«

Sie hat schon immer ein bisschen zu viele intime Details erzählt. Das Gesicht eines Engels, das Mundwerk eines Fisch-weibs. Auf Männer soll das angeblich einen gewissen Reiz aus-üben; die alte Geschichte: in der Küche wie eine Mutter, im Bett eine Nutte. Aber im Moment war sie eine Nutte in meiner Kü-che. Ihre Details sind immer ein bisschen unangenehm, zu viel gynäkologisches Fachwissen und insgesamt nicht das, was man von seinen Freunden wissen möchte. Die nächste Stunde war ich Opfer ihrer minutiösen Nacherzählung einer leidenschaft-lichen Nacht. Es reichte, um einem die Gedanken an Sex völ-lig auszutreiben, was in meinem fickerigen Zustand ja vielleicht nicht das Schlechteste war.

»Sein Schwanz ist wirklich klasse«, sagte sie, »ungefähr so lang«, sie deutete mit beiden Händen eine unwahrscheinliche Länge an, »und schön und dick. Die langen Dünnen kann ich echt nicht leiden, du etwa?«

»Ich weiß nicht mehr«, sagte ich, »ich kann mich kaum noch daran erinnern, wie ein Penis aussieht, geschweige denn, was man damit macht.«

»Jedenfalls«, fuhr sie ungerührt fort, »habe ich dadurch die Idee für mein nächstes Buch bekommen: *Wieder im Sattel – das Bekenntnis zur Sexualität.* Super, oder?«

BB nahm ihre Arbeit sehr ernst. Sie ging daran wie ein Uni-versitätsprofessor, der kurz vor einer wissenschaftlichen Ent-deckung steht. Ich bezweifle, dass Crick und Watson, als sie die Doppelhelix entdeckt hatten, so zufrieden mit sich selbst wa-ren wie BB beim Schreiben ihrer Ratgeber. Ihre Bücher waren ihre DNAs, jedes davon ein neues und wichtiges Puzzleteil in ihrem Bild vom menschlichen Leben und ihres eigenen Stau-nens. Und es war alles selbstausgedachter Unfug, ohne jegliche wissenschaftliche, soziologische oder psychologische Grundlage. Sie hatte nicht, wie ich während des Studiums, Jahre in der Therapie verbracht, Freud und Jung gelesen und in ihre eigene Psyche und die anderer geschaut.

Jetzt hatte sie ganz rote Bäckchen vor lauter Aufregung über ihr neues Projekt. Wenn sie aufgeregt ist, hat sie die nervtötende Angewohnheit, beim Sprechen mit dem Bein zu zucken. Ich würde ihr dann immer gern eine runterhauen und sie auf ihr Zimmer schicken. Wie so oft fragte ich mich, warum ich mich überhaupt mit BB und ihrem egozentrischen Unsinn abgab. Die Vergangenheit verband uns miteinander, unsere gemeinsame Geschichte und mein Sinn für Loyalität, mein Credo: »Einmal Freunde, immer Freunde.« Außerdem genoss ich, ehrlich gesagt, den Abglanz des Ruhms, der durch meine Bekanntschaft mit dieser berühmten, schönen und irgendwie bizarren Frau auf mich abstrahlte. Die Gesellschaft solcher Schönheit hat etwas Verführerisches, geradezu Hypnotisches, das einen zum Stillsitzen und Anhimmeln nötigt, weil man glaubt, dadurch gewärmt und ästhetisch bereichert zu werden. Nicht jede Schönheit hat diesen Effekt. BBs Ex, Jessies Vater, war ein absurd gut aussehender Schauspieler, der sich von Eric in Helvetica umbenannt hatte, weil er glaubte, das sei der Name eines schönen griechischen Gottes. Er und BB sonnten sich in der Spiegelung ihrer Schönheit wie Narziss. (*Der* war immerhin Grieche.) Eric/Helvetica war höchst überzeugend in der Rolle des liebeskranken Galans, nicht aber in der des treusorgenden Ehemanns und Vaters. Ich war mir immer sicher, wenn man ihn fragen würde, wovon er lebe, würde er sagen: »Ich bin schön«, als genüge das. Er war professionell schön. Ich fand diesen Typ Mann noch nie besonders attraktiv. Perfekte Männer haben etwas Asexuelles, sie sind so schaufensterpuppenhaft. Man würde sich kaum wundern, anstelle der Genitalien einen fleischfarbenen Plastikwulst zu finden.

Jedenfalls, Eric, oder Swissy, wie wir ihn unfreundlicherweise nannten, blieb nicht lange. Er sammelte schöne Frauen wie Trophäen, und wäre er nicht zivilisiert gewesen, dann hätte er sie sicher zur Schau gestellt wie Geweihe in Jagdhütten. BB war seiner ebenso schnell überdrüssig geworden, obwohl die Ehe fruchtbar gewesen war: BB hatte nicht nur Jessie geboren, sondern auch ihr erstes Buch geschrieben, *Seien Sie eine Geisha – Grundlagen und Regeln einer glücklichen Ehe*, in dem wir erfuhren, wie die perfekte Ehefrau zu sein hat. Es lief darauf hinaus, immer schön Essen zu kochen und ihm einen zu blasen, aber BB schaffte es, dreihundertfünfzig Seiten daraus zu machen, mit Bildern. Es wurde ein sensationeller Erfolg, und seitdem konnte sie nichts mehr falsch machen. »Seht ihr«, hatte sie gesagt, als das Buch erschien, »nicht nur schön, sondern auch klug.« Das war ihre Achillesferse: die Angst, nichts weiter vorweisen zu können als ein hübsches Gesicht.

»Und dann hat er mir, kurz bevor ich gekommen bin, den Finger in den Arsch gesteckt. Das war echt ein Hammer-Orgasmus«, fuhr sie fort. Aus dem Augenwinkel sah ich Greg in der Küchentür. Als er das O-Wort hörte, schnitt er eine Grimasse, vollführte eine spontane Pirouette und zog sich mit einer Geste zurück, die mir bedeuten sollte, ihn nicht zu verraten. Der Arme, er war nur kurz aus dem OP gekommen, um schnell etwas zu essen. Eine Minute später piepste mein Telefon: »Sag Bescheid, wenn die Luft rein ist.« Greg ist ein bisschen empfindlich, was die Details der sexuellen Großtaten anderer Leute angeht.

»One-Night-Stands finde ich ja immer super.«

»Du meinst, wenn du gerade mal nicht enthaltsam bist?«

»Genau.« Sie bemerkte die Spitze gar nicht. »Aber letzte Nacht, das war so großartig, ich glaube, ich muss nochmal mit Jeremy schlafen. Natürlich nicht nur mit ihm, immerhin habe ich was nachzuholen.« Sie machte eine Pause, seufzte übertrieben zufrieden und sagte: »O Chloe, ich genieße das immer so, hier in deiner Küche zu sitzen, nur du und ich, und über alles zu reden, wie früher. Ist das nicht toll, dass wir immer Freundinnen bleiben werden? Ich weiß gar nicht, was ich ohne dich machen würde. Und Jessie bewundert dich ja auch so.«

Es war immer das Gleiche. Immer, wenn ich gerade dachte, ich ertrage es keine Sekunde mehr, ergoss BB ihr strahlendes Licht über mich, machte mir Komplimente und – hielt mich ohne Aussicht auf Entkommen in unserer Freundschaft gefangen.

Als sie weg war, fühlte ich mich wie ausgepumpt. Ihr sexuelles Abenteuer hatte mir den Gedanken an ein eigenes versaut, und ich fand die Vorstellung von einer Affäre mit Iwan nun irgendwie geschmacklos. Ich saß am Küchentisch und starrte auf einen klebrigen Marmeladenfleck, der noch vom Frühstück übrig war. Eine Fliege entdeckte diesen Leckerbissen und lutschte an allen Ecken daran herum, auf diese widerliche Fliegenart. Kurz darauf kam eine zweite, missachtete die Delikatesse und setzte sich direkt auf die erste Fliege drauf. Die Vögel und die Bienen und die gottverdammten Fliegen. Koitierende Fliegen. Sie erinnerten mich an den blöden Witz von dem Indianerjungen, der wissen möchte, warum seine Schwester Springendes Reh heißt. Der Vater erklärt ihm, es sei Sitte, ein Kind nach dem zu benennen, was man nach seiner Geburt als Erstes sieht. »Warum fragst du, Fickende Hunde?« Kennen Sie schon? Toll. Ja, meine Laune war hin.

»Sie hat mich wohl mal wieder vergessen.« Jessie kam in die Küche.

»Ach was, Engelchen, natürlich nicht«, log ich schnell. »Sie wollte dir nur ein paar Sachen holen, dann kannst du hier übernachten. Wieso bist du eigentlich nicht in der Schule?«

»Mum hat vor lauter Jeremy vergessen, mich zu wecken, und als wir endlich alle aufgestanden waren, war es schon so spät, dass es sich gar nicht mehr gelohnt hätte. Ich brauche auch keine Klamotten, ich habe genug in meinem Zimmer … ich meine … in eurem *Gästezimmer*.«

Gott sei Dank hatte BB nur das eine Kind. Das war vor allem für mich ein Glück: Jessie war so oft bei uns, dass sie wie ein drittes Kind für mich war. Glücklicherweise mochte ich sie sehr, und so machte es mir nichts aus. BB würde die Höllenqualen der Geburt sicher nicht noch einmal durchmachen, die natürlich bei ihr viel, viel schlimmer gewesen war als bei irgendeiner anderen Frau in der Geschichte der Menschheit. Ihre Periode war selbstverständlich auch furchtbar, sie hatte als Mädchen immer schreckliche Schmerzen gehabt und konnte normalerweise einen Tag nicht zur Schule kommen. Diese Sorte Frauen lässt uns alle schlecht dastehen.

Ich ging hinaus, um BB unauffällig anzurufen und ihr zu sagen, dass sie ein paar Klamotten für Jessie bringen solle, ohne durchblicken zu lassen, dass sie sie vor lauter sexueller Erfüllung einfach vergessen hatte. Im Treppenhaus stieß ich mit einem Schatten zusammen.

»Ist sie weg?«, zischte Greg.

»Ja, gerade gegangen.«

»Ich sterbe vor Hunger, und ich muss wieder ins Krankenhaus. Mist. Wo ist sie hin?«

»Sie geht sich das Schamhaar in Herzform rasieren lassen, um ihrem neuen Liebhaber eine Freude zu machen.«

»Wie originell«, kommentierte Greg, »das hat Mary Quant schon in den Sechzigern für ihren Mann gemacht.«

Greg ist eine wahre Fundgrube an abseitigem Trivialwissen. Wobei das auch wieder nicht erstaunlich ist, denn es ist auch eine Möglichkeit, seinen Gedächtnismuskel zu trainieren. Manchmal ist es ganz nützlich, wenn einem zum Beispiel ums Verrecken nicht mehr einfällt, wer damals mit »1, 2, 3« einen Hit hatte (Len Barry, 1965).

»Und wie hieß Quants Mann?«, fragte ich.

»Alexander Plunkett-Green«, antwortete er.

»Ich mache dir ein Sandwich zum Mitnehmen«, sagte ich voller Bewunderung.

Greg war mit einem Huhn-Avocado-Tomatensandwich (Olivenöl, keine Butter – schlecht für den Cholesterinspiegel) wieder ins Krankenhaus gegangen; ich hatte BB über ihre mütterlichen Pflichten aufgeklärt, und Jessie las der Katze Janet etwas vor. Den Namen hatte Kitty ausgesucht; sie wollte ihr einen richtigen Namen geben, keinen doofen Katzennamen, den ein Mensch sich niemals gefallen lassen würde. Und so hieß sie jetzt Janet, nicht Miezi oder Samtpfötchen oder Muschi, sondern Janet Schiwago McTernan (sie hatte sowohl meinen als auch Gregs Nachnamen), und sie hatte, passend zu ihrem Namen, auch eine komplizierte menschliche psychische Störung. Janet war magersüchtig, wir konnten sie gerade mal dazu bringen, so viel zu fressen, dass sie am Leben blieb. Wenn sie gelegentlich doch mal etwas fraß, dann verschlang sie gleich riesige Portionen und erbrach alles wieder in einer stillen Ecke des Gartens. Der Tierarzt Nick war ein häufiger Gast in unserem Haus, er hatte Janet zu seiner speziellen Fallstudie erkoren. Seine neueste Theorie war, dass Janet sich für einen Teenie hielt und auch so behandelt werden sollte. Daher las Jessie ihr *Lob des Essens* vor, während Janet auf ihrem Schoß lag und sich verstohlen in dem kleinen Spiegel neben ihnen betrachtete. Was sah sie dort? Eine durch ihre Wahrnehmung verzerrte Riesenkatze, oder das kleine, eher zu dünne Kätzchen, das sie wirklich war?

Ich war ein bisschen deprimiert, das Hochgefühl des Morgens war im Laufe der Ereignisse des Tages gewichen. Aus dem Spiegel starrte mich eine müde wirkende Frau mittleren Alters an. Wer war sie? Ich erkannte sie überhaupt nicht, ich hatte das Gesicht eines jungen Mädchens erwartet. So kann's gehen, in einem Moment ist man jung und knackig und voller sexueller Energie, das Leben liegt vor einem; und schon im nächsten Augenblick schliddert man ins Alter, und das Fleisch wird labberig wie der Gummizug einer alten Trainingshose.

Von oben war eine Art Wimmern zu hören, und ich ging nachsehen. Die Geräusche führten mich zu Beas Tür, und als ich in ihr Zimmer schaute, sah ich, wie sie ihren Kopf zwischen Zuzis gespreizten Schenkeln auf und ab bewegte wie eine Katze, die ein Schälchen Milch aufschlabbert. Na ja, unsere Katze natürlich nicht, aber jede normale Katze. Eine Erinnerung kam wieder hoch: da muss ich elf Jahre alt gewesen sein. Ich war nach einem bösen Traum aufgewacht und zum Zimmer meiner Eltern geschlichen. Als ich hineinschaute, hörte ich komische Atemgeräusche und sah sie ausgestreckt auf dem Bett liegen. Ich stand in der Tür und schüttelte mich still vor Lachen und Ekel und Verlegenheit. Dasselbe tat ich jetzt und schlich mich wieder fort. Anscheinend taten es alle außer mir. Mein Telefon piepste, und die Worte, die ich da las, jagten mir einen wohligen Schauder durch den Körper: *Ich denke nur noch an dich und daran, dass ich dich wiedersehen muss. Iwan.*

Fünftes Kapitel

Chloe Schiwagos jüdisches Penicillin
Die ultimative Hühnersuppe mit Kneidlach

Für die Brühe
Ein frisches Suppenhuhn
1 Stange Staudensellerie
1 geschälte Karotte
2 Lorbeerblätter

4 schwarze Pfefferkörner
1 geschälte und geviertelte
Zwiebel
1 Handvoll frische Petersilie

Alle Zutaten in einen Topf geben und mit kaltem Wasser bedecken. Zum Kochen bringen und zweieinhalb Stunden auf kleiner Flamme köcheln lassen.

Huhn herausnehmen und beiseitestellen, Brühe durchseihen und das Gemüse wegwerfen. Brühe abkühlen lassen und das Fett abschöpfen. Wenn die Brühe zu wässrig ist, mit etwas gekörnter Hühnerbrühe aufpeppen.

Während die Brühe köchelt, die *Kneidlach* (Knödel) vorbereiten.

Grandma Bellas Kneidlach

1 Ei
25 g Geheimzutat
6 EL Brühe
75 g Matzenmehl, mittelfein
gemahlen

25 g geriebene Mandeln
1 EL gehackte Petersilie
oder Koriander
Salz und Pfeffer

Das Ei in einer Rührschüssel schaumig schlagen, Geheimzutat untermischen. Während des Rührens Brühe, Matzenmehl, Salz und Pfeffer, Petersilie oder Koriander mit einarbeiten. Die Mischung soll fest, aber geschmeidig sein. Mindestens eine Stunde im Kühlschrank kühlen. Dann zu kleinen Bällchen rollen. Die angegebene Menge ergibt etwa 15 walnussgroße Knödel.

Die *Kneidlach* in die Brühe geben, zusammen mit:
2 geschälten und in Scheiben geschnittenen Karotten
1 gewaschenen und in Scheiben geschnittenen Lauchstange
dem gekochten und zerkleinerten Huhn (ohne Haut und Knochen).
Mit Salz und Pfeffer nach Belieben abschmecken.

Topf wieder aufsetzen und 40 Minuten köcheln lassen.
Zum Servieren etwas frische Petersilie darüberstreuen.

Ergibt 6–8 Portionen.
Hilft nachweislich bei Herzschmerz, schlechtem Gewissen und allen schweren Krankheiten.

Greg amüsierte sich köstlich über die lesbischen Mätzchen des Au-pair-Mädchens. Er war geradezu in Hochstimmung; schließlich erregt einen Mann nichts mehr als die Vorstellung von zwei Frauen in Aktion.

»Schön und gut«, sagte ich, »aber Zuzi hat sich schon häuslich eingerichtet, sie hat ein gerahmtes Foto von ihrem Hund neben das Bett gestellt und macht keine Anstalten zu gehen.«

»Was für ein Hund denn? So ein großer, der alles ableckt?«

»Du bist ekelhaft.«

»Wer hat da nochmal genau was bei wem gemacht?«, fragte er.

»Herrgott, Greg!«

Ich kochte Hühnersuppe, Dad wollte zum Abendessen kommen, und Sammy hatte besuchsweise seine Zelte in der Stadt aufgeschlagen. Greg hatte darauf bestanden, dass das die perfekte Gelegenheit für den Hühnersuppenwettbewerb sei. Es würde sowohl seine als auch meine Suppe geben, und der Gewinner sollte nach Blindverkostung durch eine unabhängige Jury gekürt werden. Er hatte für seine Suppe Geheimzutaten verwendet und sich über das Gebräu gebeugt wie ein Schüler, der seinen Sitznachbarn nicht die Hausaufgaben abschreiben lassen will. Ich klebte einen Aufkleber mit der Aufschrift TOP SECRET an Gregs Suppentopf, während er zufrieden seiner wöchentlichen Beschäftigung nachging: Er überprüfte die Haltbarkeitsdaten sämtlicher Vorräte in der Speisekammer und warf alles Abgelaufene in einem eleganten Bogen, der jedem Basketballspieler zur Ehre gereicht hätte, in den Müll.

Iwans SMS hatte ich noch nicht beantwortet. Ich fühlte mich wie am Scheideweg und brauchte einen Weisen, der mir den rechten Weg zeigte. Natürlich brauchte ich keinen biblischen Fremden mit langem Haar und silbernem Bart, um mir zu sagen, was richtig war. Aber mein Leben, meine Arbeit und ich selbst langweilten mich kolossal. Ich sehnte mich nach einem großen Abenteuer, und mir war schmerzhaft bewusst, dass dies die letzte Chance sein könnte. Zu wissen, wie glücklich man im Vergleich zu anderen ist, hält einen ja nicht davon ab, noch mehr zu wollen. Außerdem wäre es natürlich ein bisschen unhöflich gewesen, Iwan überhaupt nicht zu antworten. *Vielleicht sehen wir uns ja mal wieder bei einer von Lizzies Partys.* Na also, höflich und freundlich und ohne ein Rendezvous vorzuschlagen. Ich wollte die Nachricht gerade losschicken, als der Teufel von meinem Körper Besitz ergriff und meine Finger tippen ließ: *Ich muss auch immer an dich denken und möchte dich gern sehen.*

»Du hast mir ja gar nicht erzählt, dass Lou und James sich getrennt haben«, sagte Greg.

Ich zuckte zusammen, und mein Finger sprang schuldbewusst von der »Senden«-Taste. »Hab ich ganz vergessen. Woher weißt du es?«

»Ich habe James zufällig im Park getroffen, mit einer jungen Frau, die er mir als seine Freundin vorgestellt hat.«

So viel zur Trennung auf Probe.

»Ach so, *Mann lässt Ehefrau wegen Jüngerer sitzen?* Boah, habe ich ja noch nie gehört«, sagte ich. (Ich gebe zu, dass mein Sarkasmus dick aufgetragen und ein bisschen dreist war – für eine Frau, die ihrem Verehrer gerade eine Art Liebesbrief des 21. Jahrhunderts geschickt hatte.)

»Komisch, ich habe immer gedacht, die beiden wären glücklich zusammen«, sagte Greg.

»Und wir? Sind wir glücklich?«

»Hmm, klar. Wo habe ich denn jetzt die Teebeutel hingetan?« Er stand mit geschlossenen Augen da, wie ein Teilnehmer einer Spielshow, der sich an die Dinge auf einem Fließband erinnern muss, um sie zu gewinnen. »Ach ja, in den Wischeimer.« Er sah sehr zufrieden aus und holte sie. Entzückend, ehrlich, aber nach siebzehn Jahren auch ein ganz klein wenig nervig.

Bea und Zuzi kamen in die Küche, von Kopf bis Fuß postkoital glühend. »Bleiben wir zum Essen und für Hühnersuppetest«, verkündete Bea, »und gehe ich dann mit meine Zuzi in eine Club in die Stadt.«

Ich zuckte halbherzig zustimmend mit den Achseln. Zwar wusste ich dank meiner Jahre in der Therapie, dass ich »Abgrenzungsprobleme« hatte, aber mir war immer noch nicht klar, wie ich damit umgehen sollte. Beruflich achtete ich verhältnismäßig streng darauf, dass die von mir gesetzten Grenzen eingehalten wurden, doch meine privaten Grenzen waren ungefähr so sicher wie ein Keuschheitsgürtel mit kaputtem Schloss.

»Supi«, sagte Greg zu Bea, »je mehr, desto besser. Ich brauche ein paar unparteiische Tester, du weißt schon, Leute, die nicht mit Chloe verwandt sind und sozusagen ein persönliches Interesse daran haben, dass sie gewinnt.«

74

Kitty, die wegen einer Erkältung schon wieder nicht in der Schule war, saß mit Janet in der Ecke und versuchte, sie zum Essen zu überreden.

»Leo und ich sind genauso mit dir verwandt wie mit Mummy«, sagte sie.

»Dir ist aber schon klar, was *Blindtest* heißt, oder?«, fragte ich gereizt. »Es weiß doch niemand, welche Suppe welche ist.«

Kitty stand auf, drehte eine Pirouette zur Besteckschublade und fing an, den Tisch zu decken. Sie hat die Show-Gene ihrer Großmutter geerbt. Einfache Tätigkeiten werden zu künstlerischen Darbietungen: Aus Gesichtwaschen und Zähneputzen wird ein kleines Ballett über eine schöne, junge Prinzessin, die aufwacht, sich anmutig die Augen reibt, sich räkelt und ihre Morgentoilette zelebriert. Oft drängen Schauspielerei und Tanz das, was sie eigentlich tun wollte, in den Hintergrund, sodass Kitty vieles nur oberflächlich erledigt.

Kurz zuvor hatte ich sie bei einer Vorstellung der Ballettschule tanzen sehen und hatte nicht nur ein bisschen feuchte Augen bekommen, sondern richtig geweint. Große Tränen waren mir über die Wangen gekullert. Das ist immer so, wenn ich meine Kinder etwas aufführen sehe, ich werde nie verstehen, wie die Augen anderer Mütter da trocken bleiben können. Leo hatte mit fünf Jahren bei einem Krippenspiel in der Schule den dritten Hirten von links gespielt, und ich hatte sechs Taschentücher verbraucht. Ich empfinde mein eigenes Kind auf der Bühne, weit weg von mir selbst, als unerträglich rührend. Bei Kittys Aufführung weinte ich wegen ihres Talents, weil ich sie so dafür bewunderte, dass sie Fähigkeiten hatte, die mir völlig abgingen. Jeder ist ein Individuum, aber wir sind auch die Summe der Individuen, die uns vorangegangen sind, das Ergebnis der Gleichung, die unsere Vorfahren aufgestellt haben. Kitty ist ein Höhepunkt der tänzerischen Begabung in unserer Familie; es hatte Generationen gedauert, bis diese Kunst perfektioniert war und in Kitty ihren endgültigen Ausdruck fand. Meine Mutter wäre so stolz gewesen, Kitty tanzen zu sehen. Wenn sie tanzt, sehe ich meine Mutter in ihr aufblitzen, in der Neigung ihres Kopfes, in einer Armbewegung.

»*Battement frappé, pas de bourrée*«, murmelte sie, als sie tanzend den Tisch deckte.

»Und, Zuzi, wie klappt es mit der Jobsuche?«, fragte ich beiläufig, als sei mir die Antwort vollkommen gleichgültig.

»Ist gut. Habe ich gefunden die Job in Restaurant.«

»Toll. Bekommst du da auch ein Zimmer?«

»Nein, bleibe ich lieber hier bei meine Bea. Sie sagt, macht sie glücklich, und wenn sie glücklich, ihr auch glücklich und ganze Familie glücklich.« Sie lächelte und warf Bea einen koketten Blick zu. »Und ich natürlich auch glücklich.«

Bea sah mich an, ohne mit der Wimper zu zucken, und forderte mich zu einer Reaktion heraus.

»Was ist besser? Bea lacht oder Bea weint?«, fragte sie, grinste übertrieben und zog dann die Mundwinkel herunter zu einer Karikatur des Jammers. Sie hatte sich verändert; ihre zusammengewachsenen Augenbrauen waren ordentlich gezupft, sicherlich dank Zuzis liebevoller Fürsorge. Außerdem trug sie neuerdings eine Krawatte, vielleicht ein Hinweis darauf, dass sie in dieser Beziehung die Rolle des Mannes spielte. (Warum müssen manche Lesben so tun, als seien sie Männer, und warum wollen ihre Partnerinnen das? Wenn Zuzi einen Mann wollte, hätte es sicher genügend Freiwillige gegeben.) Die Krawatte kam mir bekannt vor – ich hatte sie Leo zum Geburtstag geschenkt. Mein Grenzzaun war nicht nur morsch, er lag in Trümmern.

»Na ja, schau'n wir mal«, murmelte ich geschlagen. »Aber nur für den Anfang.«

Auf der anderen Seite des Zimmers zog Greg die Augenbrauen hoch und wackelte lüstern mit der Zunge. »Ich ziehe mich dann mal zur Nachmittagsschicht um. Bis später, und rühr meine Suppe nicht an.« Ich folgte ihm nach oben und stolperte über einen Schuh, der wie ein stummer Vorwurf allein herumlag. Seinen verlorenen Partner hatte Greg irgendwo versteckt. Er hat ungewöhnliche Füße: An beiden Füßen liegt der kleine

Zeh auf dem vierten, als wäre er zu faul, sich an dem ganzen Stehen und Gehen zu beteiligen. Als Kind hatte Greg sich wegen dieser kleinen Deformation geschämt und zum Ausgleich einen Schuhtick entwickelt. Er ist die Antwort von Queen's Park auf Imelda: Besitzer von einundfünfzig Paar Schuhen. Er kaufte sie in Secondhandläden im ganzen Land, und sie waren allesamt in einwandfreiem Zustand. »Ich trete in die Fußstapfen toter Männer«, deklamierte er munter. Ich finde es seltsam, dass er in den Schuhen anderer Männer herumläuft, und die Geschichten, die sie hätten erzählen können, sind mir unangenehm. Leo, der die Füße seines Vaters geerbt hat, (anscheinend gibt es das nur bei Jungs), lässt dieser Makel völlig kalt.

Sobald Greg gegangen war, schaute ich auf meinem Handy nach, ob Iwan geantwortet hatte, aber der Posteingang war leer. »Ist wahrscheinlich auch besser«, sagte ich mir. »Ich muss mich zusammenreißen, ich bin eine erwachsene, berufstätige Frau, und ich bin Mutter und Ehefrau.« Und wie ich so durch das Display scrollte, stellte ich fest, dass ich meine Nachricht an Iwan gar nicht abgeschickt hatte; Gregs Frage nach Lou und James war dazwischengekommen, als ich sie gerade senden wollte. Mein Finger schwebte unschlüssig über der Taste, als das Telefon klingelte.

»Hallo«, sagte ich etwas zu eifrig.

»Süße, hier ist Lizzie«, hörte ich ihre schroffe, selbstbewusste Stimme.

»Oh, hi.« Ich war schrecklich enttäuscht.

»Alles in Ordnung, meine Liebe? Du hörst dich an wie die Rezeptionistin beim Bestattungsunternehmer. Hühnersuppt ihr heute Abend?«, polterte sie weiter, ohne eine Antwort auf ihre Frage nach meinem Wohlergehen abzuwarten. »Ich dachte, da komme ich doch einfach auch vorbei, meine Ernährungsberaterin sagt, das ist genau der richtige Treibstoff für meinen Körper.« War sie ein Auto oder was? »So gegen acht, aber ich kann nicht lange bleiben, ich muss hinterher noch wohin, so ein privates Promi-Kunst-Dings.«

77

Ich versuchte ihr zu erklären, dass wir ein ganz normales Familienessen planten und keinen Tag der offenen Tür, aber aus irgendeinem Grund kann man BB nichts abschlagen. Das Wort »nein« liegt einem bereits auf der Zunge, und dann, ehe man weiß, wie einem geschieht, übernimmt eine unwiderstehliche Macht die Kontrolle, und das Wort »ja« plumpst heraus. Ich tröste mich damit, dass sie wegen ihrer Fähigkeit, sich Menschen zu Willen zu machen, früher als Hexe auf dem Scheiterhaufen gelandet wäre.

»So, Süße, ich muss los, wir kommen zu zweit!« Sie legte auf. *Sie* war es gewesen, die *mich* angerufen hatte, aber durch ihre Eile fühlte ich mich, wie immer, zurückgewiesen, als hätte ich sie von etwas Wichtigerem abgehalten.

Es war zehn vor fünf. »Mist, Gottesgeschenk!« Ich hastete ins Untergeschoss und kam gerade noch rechtzeitig, als er klingelte. Keine Zeit mehr, Iwan eine SMS zu schicken. Was theoretisch eine gute Sache war. Schluss mit dem Unsinn. Du lernst also auf einer Party einen Typen kennen, du stehst auf ihn, er steht auf dich. Na und? (Ich dachte nicht nur wie eine Fünfzehnjährige, auch meine Ausdrucksweise war entsprechend. Ja, ja, alles klar.) Ich strich mir das Haar glatt, band es mit einem Gummi zusammen, bezähmte meine ständige Angst, Essensreste zwischen den Zähnen zu haben, durch eine kurze Grimasse vor dem Spiegel und öffnete die Tür.

Gottesgeschenk stolzierte herein, drückte mir gerade ein bisschen zu lange die Hand und sah mir gerade ein bisschen zu lange in die Augen. Ich hatte das für klassische Übertragung gehalten – der Psychiater als Objekt der Begierde –, bis ich ihn besser kennenlernte und feststellte, dass er glaubte, jeder wäre ganz heiß darauf, mit ihm ins Bett zu gehen. Er sah zwar tatsächlich sehr gut aus, aber das fiel vor allem ihm selbst auf. Er kam durch den schmalen Flur herein, am Spiegel vorbei, und sonnte sich einen Moment lang ganz verliebt – und mit eingezogenem Bauch – in seinem eigenen Anblick, schnippte einen imaginären

Fussel von seinem makellosen Anzug und presste die Lippen auf eine irgendwie tuntige Weise aufeinander, als müsse er sich davon abhalten, seinen eigenen Körper mit Knutschflecken zu überziehen. Gottesgeschenk hatte eine Fernsehfirma, die nicht wegen der Qualität ihrer Sendungen bekannt war, sondern wegen der jungen, langgliedrigen Mädchen mit den vollen Lippen, die dort arbeiteten: fleischgewordene Sexpuppen. Der einzige Mann außer Gottesgeschenk war sein persönlicher Assistent Baz.

»Ich kann nicht zu eng mit den Mädels zusammenarbeiten«, hatte er mir schon ganz am Anfang erklärt. »Sie verlieben sich in mich, und dann wird's kompliziert. Dummerweise hat Baz sich auch ein bisschen in mich verguckt, fürchte ich.«

»Ich dachte, er ist mit einem Supermodel zusammen«, protestierte ich.

»Schon«, Gottesgeschenk beugte sich verschwörerisch zu mir, »aber er sieht mich immer so an.« Er kam nicht zur Therapie, um sich selbst verstehen zu lernen. Vielmehr wollte er »verstehen, warum sich immer alle Frauen in mich verlieben. Ich möchte besser damit umgehen lernen und nicht mehr so viele Herzen brechen.«

Sein wahres Problem war der Selbstbetrug; Gottesgeschenk war nur sehr flüchtig mit der Realität bekannt.

»Also«, sagte ich, als wir uns in unsere Sessel gesetzt hatten, »wie ist es Ihnen diese Woche ergangen?«

»Immer das Gleiche«, sagte er mit einem tiefen Seufzer. »Wir haben ein neues Mädchen im Büro, und sie hat mich die ganze Woche über angeflirtet.«

»Was genau hat sie denn gesagt?«

»Am ersten Tag hat sie gesagt, ich hätte ein schönes Hemd an. Am nächsten Tag hat sie gefragt, ob sie mir einen Kaffee bringen soll. Die Klassiker.« Er schüttelte den Kopf, als bedaure er seine unwiderstehliche sexuelle Anziehungskraft.

»Kann es nicht sein, dass sie einfach Ihr Hemd mochte? Und dass sie es als neue Angestellte angebracht fand, Ihnen einen Kaffee anzubieten?«, überlegte ich.

Gottesgeschenk lehnte sich zurück, hob die Hände, legte den Kopf leicht in den Nacken und zog die Augenbrauen hoch, als wollte er sagen: »Wer kann mir schon widerstehen?« Zwar sah er gut aus und war stets tadellos gekleidet, aber ich fand ihn überhaupt nicht anziehend. Er hatte diese nervtötende Angewohnheit, andauernd seinen Jackett-Kragen aufzustellen, was er auch jetzt tat. Dann schüttelte er traurig den Kopf. »Verstehen Sie das bitte nicht falsch, aber Sie sind eine Frau.«

Ich biss mir auf die Zunge, um nicht loszuschreien: »Danke für die Info, Kumpel, und ich habe jetzt ein paarundvierzig Jahre lang geglaubt, ich wäre ein Mann!« Stattdessen nickte ich und forderte ihn durch mein Schweigen zum Weitersprechen auf.

»Sehen Sie«, fuhr er fort, »Männer spüren es, wenn Frauen auf sie stehen. Das ist einfach so, und ich kann davon, weiß Gott, ein Lied singen.«

Inzwischen war ich ganz froh, dass ich Iwan keine SMS geschickt hatte. Gottesgeschenk brachte mich von der ganzen Sex-Idee wieder ab; er war sozusagen ein Männerkonzentrat, testosteronverseucht und zur Karikatur geworden. Seine Selbstverliebtheit war auch nicht so harmlos, wie man denken könnte: Er belästigte die Mädchen, die bei ihm arbeiteten, weil er überzeugt war, sie würden ihn dazu ermuntern, und dann nötigte er sie. Egal, wie gut er aussah, er war über vierzig und damit für die meisten zwanzigjährigen Mädchen unsichtbar, aber sie machten gerade den ersten Schritt auf der Fernseh-Karriereleiter und waren schlecht gegen seine Avancen gewappnet. Ich versuchte ihm zu helfen, aber es war noch nicht abzusehen, dass er seinen Selbstbetrug und seine Belästigungen je aufgeben würde.

Es wurde spät, ich musste noch die *Kneidlach* machen, die Matzeknödel für meine Suppe. Ich konnte sie nicht machen, wenn Greg zuschaute, denn sie waren die Geheimwaffe meiner jüdischen Kochkunst. Es lief alles auf eine einzige Zutat hinaus: Damit die Matzeknödel die richtige Konsistenz bekamen, locker und bissfest zugleich waren, brauchte man Schmalz. Ich hatte meins in einem Topf im hintersten Winkel des Kühlschranks versteckt. Greg holte ihn gelegentlich heraus und fragte, wieso eigentlich altes Fett den Kühlschrank verstopfe, und kam gar nicht auf die Idee, dass dies der Schlüssel zur Meister-Hühnersuppe war. Schmalz ist ausgelassenes Hühnerfett; man kocht es, um noch darin befindliche Fleischreste zu lösen, und seiht das klare Fett dann durch ein Musselintuch, um alle verbleibenden Partikel herauszufiltern. Das flüssige Gold, das man so erhält, wird in der bewährten Tradition der osteuropäischen Juden in das Matzenmehl geknetet, und die Knödel werden perfekt. Sie geben der Suppe, wenn sie richtig gemacht sind, einen ganz besonderen Geschmack. Wie könnte man von einem Nichtjuden erwarten, das zu wissen oder zu verstehen? So etwas muss man am Rockzipfel der Großmutter lernen, wie ich.

Grandma Bella, die Mutter meines Vaters, wurde in Vilnius geboren, der Hauptstadt Litauens. Sie kam im Sommer 1917 als junges Mädchen nach England, als im benachbarten Russland die Revolution anfing. Bella brachte ihre schon etwas betagten Eltern mit (sie war das Nesthäkchen der Familie), ein Wörterbuch Jiddisch–Englisch und einen Topf Schmalz. Irgendwie schafften sie es durch das kriegsgeschundene Europa, und fortan trug sie diesen Talisman aus Dankbarkeit für die sichere Reise und um dem Essen fern der Heimat den richtigen Geschmack zu geben in ihrer Handtasche mit sich herum. Ihre robuste braune Gladstone-Tasche mit zwei Griffen und einem Reißverschluss über dem dicken Bauch war eine wahre Fundgrube für Kinder: ein Lippenstift in einem goldenen Etui mit einem kleinen Spiegel darin, mit Edelsteinen besetzte Puderdosen, Kämme, ausgeblichene, sepiafarbene Familienfotos von Männern mit weißen Bärten und ernsten Gesichtern und von vollbusigen, spröden Matronen, und schließlich, gut eingeschlagen in eine Plastiktüte, damit nichts auslief, der Schmalztopf. Gelegentlich holte sie ihn heraus, strich mit einem kleinen Messer mit Elfenbeingriff, das sie immer dabeihatte, goldenes Fett auf eine Scheibe Brot und schob sie mir stückchenweise in den Kindermund.

Bella sah aus, wie eine Großmutter aussehen muss, was tröstlich war für ein Kind, dessen Mutter nicht wie eine Mutter wirkte. Klein, stämmig, weich und weißhaarig und auf eine besondere Weise schön: als sei die Schönheit der Jugend wie eine liebevolle Erinnerung in ihr Gesicht graviert, wie es bei manchen älteren Frauen ist. Das Alter hatte das erstaunliche Türkis ihrer Augen nicht getrübt; ihr Spitzname war *Bella mit die shayne Oigen*. Mein Vater hatte ihre Augen geerbt. Sie waren auch ihr Vermächtnis an mich, wobei meine weniger strahlten als das Original, als seien sie durch die Reproduktion verblasst.

Ihre Rundlichkeit störte sie, aber sie konnte dem Essen nicht widerstehen. In dem vergeblichen Versuch, die Folgen für ihre Figur abzuwehren, aß sie immer mit einem verächtlichen Gesichtsausdruck, als wollte sie die Welt und sich selbst davon überzeugen, dass es überhaupt keinen Spaß machte. Ich weiß noch, wie sie Kartoffelsalat löffelte, der vor Mayonnaise nur so triefte und in dem die Gürkchen glitzerten, und dabei mit gespieltem Ekel die Nase kräuselte. Sie nahm sich scheinbar widerwillig einen Nachschlag, schüttelte den Kopf und machte angeekelt »tss, tss, tss«.

Als ich dreizehn wurde – das Alter, in dem jüdische Jungen Männer werden –, nahm sie mich an die Hand und sagte: »Es ist Zeit.« Wir feierten meinen großen Schritt vom Mädchen zur Frau mit einem Zeremoniell in ihrer Küche, wo sie mich in die Kunst der perfekten Hühnersuppe mit *Kneidlach* einführte. Dabei erzählte sie mir Geschichten von ihrem Leben »zu Hause« und wie sie im Englischkurs für jüdische Einwanderer in einer kleinen Bibliothek im Londoner East End meinen Großvater kennengelernt hatte. (Er war einen Monat vor ihr aus Orjol in Russland nach London gekommen.)

Das Matzemehl fühlte sich zwischen meinen Fingern angenehm an, und ich hatte Grandma Bellas Stimme im Ohr: »Sanft, sanft, als wenn du Herbstblätter zwischen den Fingern zerreibst, nicht wie einen Schneeball zusammendrücken.«

»*Yo, motherfucker, you my bitch, you my ho.*« Ich wurde aus meinem Tagtraum geweckt; Leo war wieder zu Hause. Er kam in die Küche geschlendert und sang zu seinem iPod.

»Leo«, ermahnte ich ihn.

»*Yo, Mamma.*« Er schüttelte seine Hand; sie war zur Faust geballt, Zeigefinger und kleiner Finger waren ausgestreckt, und mit der anderen Hand griff er sich in den Schritt. Ein Hip-Hop-King in Schuluniform. Fast hätte ich ihn darauf aufmerksam gemacht, dass er weder schwarz war noch in einem New Yorker Ghetto lebte, als mir wieder einfiel, wie ich in dem Alter auftrat: mit knallrosa Haar und einem abgewetzten Ballkleid aus den 1890er Jahren. Seit der Ankunft des großen Gottes iPod waren Gespräche mit Leo schwierig geworden. Außerirdische, die zum ersten Mal auf die Erde kamen, würden sicher glauben, die Menschen wären durch weiße Ohrstöpsel, die über ein Kabel zu einem batterieartigen Gerät in ihrer Tasche führten, mit irgendeiner Kraftquelle verbunden. Vielleicht waren diejenigen, die ohne diese Kabel auskamen, die Herrinnen und Herren über die versklavten iPodianer. Über die Kabel vermittelten wir Anweisungen und überprüften ihre Handlungen. Wobei das nicht zu funktionieren schien, als ich Leo jetzt zu sagen versuchte, er solle sich waschen und umziehen.

Er schüttelte den Kopf und rief: »Ich versteh kein Wort!«

Ich zog ihm die Stöpsel aus den Ohren. »Schrei nicht so. In einer Stunde gibt es Abendessen, Grandpa und Onkel Meschugge kommen.«

»Cool,« sagte er. »*Fuck you man, fuck you.*«

»Wie bitte?« Es war zwecklos. Er hatte wieder eingestöpselt und verschwand auf Zehenspitzen, mit einem lustigen kleinen Hüpfer zwischen den Schritten.

Das Haus war erfüllt von den Geräuschen des frühen Abends: Der Fernseher plärrte, die Kinder stritten, Bea kicherte mit ihrer Zuzi, und Greg schrie am Telefon jemanden an. »Nein«, hörte ich ihn sagen, »ich fürchte, ich kann ihn nicht nächste Woche vorbeibringen, dann ist es nämlich zu spät. Warum? Weil ich den Computer bis dahin längst durchs Fenster geworfen habe, und dann liegt er auf der Straße, und die Autos fahren drüber, und dann bricht er in tausend Stücke, darum.« Er warf den Hörer auf die Gabel. Ich wartete. Er kam die Treppe herunter und hielt mir das kaputte Telefon hin. Ich nahm es wortlos entgegen, öffnete einen Schrank und reichte ihm ein neues. Wir hatten genügend Vorrat für die nächsten Monate oder so; es lagen noch fünf neue Telefone im Schrank. Es war zu einer Art Wettbewerb zwischen uns geworden, wer das billigste kaufte; Greg hatte mit einem Gerät für fünfzig Cent bei Ebay gewonnen. Sein Gemütszustand ließ sich in Telefonen messen. In unserem besten Jahr hatten wir nur ein Telefon verbraucht, im schlimmsten neunundzwanzig. Das war in dem Jahr, als Leo geboren wurde und Greg sich mit seiner Vaterrolle arrangieren musste, übernächtigt war und überwältigt von der Verantwortung. Und ich? Ich fraß meine Wut über sein unvernünftiges Verhalten in mich hinein, und sie rumpelte und pumpelte in meinem Bauch herum wie lauter Wackersteine. Trautes Heim, Glück allein. Ich beschloss, ein Bad zu nehmen, bevor die Suppenküche öffnen würde.

Sechstes Kapitel

Gregs Wildpilz-Risotto mit Salade Frisée aux Lardons

6 EL Olivenöl
1 große Zwiebel, gehackt
2 Knoblauchzehen, fein gehackt
2 Tassen Risottoreis
4 Tassen gemischte, frische
Wildpilze (Shiitake, Austern-
pilze, Portobello), gesäubert
und grob gehackt
60 g getrocknete Porcini-Pilze,
30 Min. in warmem Wasser
eingeweicht. Abtropfen lassen,
Wasser beiseitestellen.

Pilze trockentupfen und
kleinschneiden.
1 Tasse trockenen Weißwein
7–8 Tassen heiße Hühner-
oder Gemüsebrühe
(Brühe mit dem Pilzwasser
würzen)
30 g Butter
1 Tasse geriebener Parmesan
¼ Tasse gehackte glatte
Petersilie
Salz und Pfeffer

Gehackte Zwiebeln mit dem Olivenöl in einer großen, schweren Pfanne anbraten. Wenn die Zwiebeln braun werden, Knoblauch und Reis hinzufügen und rühren, bis der Reis mit einer Fettschicht überzogen ist. Wein hinzugeben und rühren, bis er aufgesogen ist. Dann nach und nach unter ständigem Rühren mit heißer Hühner- oder Gemüsebrühe auffüllen, bis die Flüssigkeit aufgesogen ist. Nach etwa 15 Minuten die gehackten Porcini-Pilze unterrühren.

Wenn der Reis *al dente* ist und die gesamte Gemüsebrühe hinzugefügt, frische Wildpilze hinzugeben. Nach einigen Minuten vom Herd nehmen und Pfeffer, Salz, Parmesan, Butter und Petersilie unterrühren. Die Zubereitung dauert etwa eine halbe Stunde; der Risotto soll feucht und cremig sein.

Salat
Einen Kopf Friséesalat waschen und kleinzupfen. Speckstreifen oder -würfel in einer Pfanne anbraten (ich nehme gern Serrano-Schinken, wenn welcher im Haus ist). Wenn der Speck braun ist, mitsamt dem Saft zum Salat geben. Mit Olivenöl, frischem Zitronensaft und Pfeffer anmachen (der Speck ist salzig genug) und servieren. Reicht als Hauptgericht für vier Personen.

»Mach mal einer auf!«, schrie ich. Es klingelte noch einmal. »Mann, dann geh ich halt.«
Greg war für den Rest des Abendessens zuständig und war in der Küche mit seinem Pilzrisotto mit *Salade Frisée aux Lardons* beschäftigt. Ich war in der Badewanne eingeschlafen und rannte jetzt zur Haustür, mit schrumpeliger Haut vom Einweichen, ein Handtuch um das nasse Haar geschlungen, ein anderes um den Körper, beide in diesem schmuddeligen Grau, das durch die nachlässige Waschtechnik von Au-pair-Mädchen entsteht. Ich öffnete BB die Tür. Neben ihr stand, mit dem Rücken zu mir, ein Mann. Er hielt einen Schlüssel in Richtung seines Wagens ausgestreckt und drückte auf einen Knopf, um zu überprüfen, ob er abgeschlossen hatte. Irgendwas an seinem Hinterkopf kam mir vertraut vor. Ich begrüßte die beiden. Er drehte sich um. Es war Iwan.
Meine Verblüffung und Freude darüber, ihn hier auf meiner Türschwelle zu sehen, wichen schnell dem Entsetzen über meinen Aufzug und der Frage *Was zum Teufel hat er mit BB?* Letzteres hätte ich beinahe laut gefragt, ich konnte mich gerade noch bremsen. Und warum musste BB zum ersten Mal in ihrem Leben eine Viertelstunde zu früh kommen? Sie hatte acht Uhr gesagt. Mein Herz hämmerte so, dass es mir fast aus dem Hals

gesprungen wäre und dann rot zuckend zwischen uns auf dem Boden gelegen hätte. Ich sagte: »Geht doch schon mal in die Küche, ich bin gleich fertig.«

Typisch, dachte ich wütend, als ich Kleider aus dem Schrank zog. BB hat garantiert gemerkt, dass er mir gefällt, und jetzt, wo sie wieder im Sattel sitzt, hat sie ihn sich geschnappt. Immer das Gleiche, das hat sie ja schon 1975 mit Matt Salmon so gemacht. Dann fielen mir zwei Dinge wieder ein. Erstens: Ich war verheiratet. Zweitens: Mein Mann war im Haus, reichte Iwan wahrscheinlich gerade die Hand und machte höflich Konversation. Drittens: Ich war nicht mehr in der neunten Klasse. (Ja, ich weiß, das sind drei Dinge.) Ganz hinten im Schrank fand ich das kleine Schwarze, von dem ich angenommen hatte, Bea hätte es verschlampt; ein tapferer, verlässlicher Freund aus Lycra, der mich an all den richtigen Stellen zusammendrückte und auseinanderschob. Ich sprühte Vivienne Westwoods *Boudoir* in die Luft und ging durch den Nebel (den Trick hat meine Mutter mir beigebracht), fuhr mir mit dem Kamm durchs Haar, legte Wimperntusche und Lipgloss auf, überprüfte mein Spiegelgesicht, nickte ihm grollend zu und ging dann unangemessen hektisch hinunter in die Küche.

Unterwegs ließ ich Sammy und Dad herein, die schon seit einer Weile unbemerkt geklingelt hatten. Sammy, der gerade erst aus Spanien gekommen war und eine Weile bleiben wollte, hatte *Pata Negra* dabei (einen Schinken, der besonders von weltlichen Juden geliebt wird. Sie genießen Schweinefleisch noch mehr als die Christen). Der Schinken war auf einer *Jamonera* befestigt, einem besonderen Holzständer, der den Schweineschenkel in genau der richtigen Position hielt, um Scheiben davon abzuschneiden. Sammy schwenkte ein bedrohlich wirkendes Messer wie ein Pirat.

»Mit Eicheln gefüttert, superlecker«, verkündete er. »Habe ich aus Sevilla mitgebracht.«

»Guten Tag«, sagte mein Vater und reichte mir die Hand, »ich bin dein Vater.«

Ich küsste ihn. »Bist du nicht der Mann, mit dem ich heute Morgen gesprochen habe? Du könntest mich ja eigentlich auch mal anrufen.«

»Ich will dir doch nicht auf die Nerven gehen, Schatz.« Er betrachtete Sammy und mich zusammen und strahlte. »Was habe ich für wundervolle Kinder.«

In der Küche saß die versammelte Mannschaft feierlich am Tisch. Da waren wir vier; Bea und Zuzi; Dad und Sammy; BB und Iwan; und Nick, der Tierarzt, der geblieben war, um mal zu schauen, ob ein gemeinsames Essen mit uns irgendeine Auswirkung auf Janet hatte. Ich mag es, wenn alle um den Tisch herumsitzen und mein Essen genießen; mein Drang, Leute zu füttern, ist vielleicht das Jüdischste an mir. Kitty war für die Organisation der Suppenverkostung verantwortlich. An jedem Platz standen zwei Schälchen, die mit A und B gekennzeichnet waren. Neben jedem Schälchen lagen ein Löffel, ein Blatt Papier und ein Bleistift, und in der Mitte des Tischs diente Leos altes Sparschwein als Wahlurne. Kitty hatte den Tisch mit flauschigen kleinen Küken geschmückt, ehemalige Ostertorten-Deko, die sie in einer Schublade gefunden hatte. Greg stand am Kopfende des Tisches wie ein Dirigent kurz vor der Ouvertüre. Auf sein Zeichen hin nahmen wir jeder einen Löffel zur Hand und probierten erst die Suppe aus der Schale A und dann die aus der Schale B.

»Dürfen wir nochmal probieren?«, fragte Dad, der eine fundierte empirische Antwort zu unserer Untersuchung beisteuern wollte.

»Ja«, sagte Greg, »aber seht zu, dass ihr den richtigen Löffel für die jeweilige Suppe benutzt.« Matzeknödel wurden im Mund herumgeschoben, Suppe vom Löffel geschlürft. Die Testesser schmeckten schmatzend nach, leckten sich die Lippen und warfen ihre Stimmzettel ein. Iwan schien sich über dieses bizarre Ritual gar nicht zu wundern. Unsere Blicke begegneten sich, er sah seitwärts zu BB und zuckte entschuldigend die Achseln. Wieder erstaunte mich seine Anziehungskraft, und ich musste mich zwingen, Ruhe zu bewahren.

Kitty hatte sich selbst zur Wahlhelferin ernannt und tanzte jetzt die Ziehung der kleingefalteten Zettel aus dem Sparschwein. Sie ließ jeden Zettel erst durch die Luft wirbeln, bevor sie ihn mit großer Geste auf dem Tisch glattstrich.

»Mann, Kitty, jetzt mach doch nicht so ein Theater«, beschwerte sich Leo. »Hör mit deinem bescheuerten Ballett auf und zähl die Scheißdinger einfach.«

Sie breitete die Zettel ungerührt in einer Reihe auf dem Tisch aus. Auf jedem einzelnen stand derselbe Buchstabe: B. Greg versuchte, darüber zu lachen, aber ich merkte, dass er ziemlich aufgebracht war.

»Warum? Warum?«, murmelte er, die Hand verzweifelt vors Gesicht geschlagen. Dad tätschelte ihm den Rücken, als wolle er sagen: Nimm's nicht so schwer. Ich versuchte, Greg einen Kuss zu geben. »Ich will kein Mitleid«, sagte er auf diese scherzhaft-tapfere Weise, die man an den Tag legt, wenn einem eigentlich nicht nach Scherzen zumute ist. Er hielt die Hand hoch, um mich abzuweisen, und schaute zu Boden. Ich folgte seinem Blick und stellte fest, dass noch mehr Salz in seine Wunde gestreut worden war. Janet, die Katze, hatte ebenfalls zwei Schälchen Suppe bekommen! Schale B war leer, Schale A unberührt.

»Na ja, immerhin wissen wir jetzt, dass Janet Hühnersuppe frisst«, sagte ich munter, um seine öffentliche Schmach zu mildern.

Nick schrieb emsig in sein Notizbuch, sein Spitzbart hüpfte aufgeregt auf und ab. »Sie will wie ein vollwertiges Familienmitglied behandelt werden«, sagte er. »Sie muss mit Ihnen zusammen fressen, was Sie auch essen.«

»Heureka!«, sagte ich.

Ich tischte den nächsten Gang auf und wies, um Greg ein wenig zu besänftigen, extra darauf hin, dass er ihn gekocht hatte. Greg stopfte einen Matzeknödel in ein Probenglas aus der Chirurgie. Mit den Problemen der Katze schien es aufwärts zu gehen, aber für Greg war die Grenze des Erträglichen erreicht. Jetzt konnte ihm nur noch die Wissenschaft helfen; offensichtlich wollte er eine Probe ans Labor schicken, um das Geheimnis ein für alle Mal zu lüften.

»Kann ich helfen?«, fragte Iwan, stand auf und kam zu mir an den Herd. Er senkte die Stimme. »Es tut mir so leid, Chloe, ich wusste nicht, dass wir zu euch gehen. Ich wollte überhaupt nicht mit Lizzie weggehen, aber irgendwie hat sie mich überredet.«

»Sie ist eine Hexe«, sagte ich, »sie kann einem ihren Willen aufzwingen.«

»Ja, das Gefühl hatte ich auch, aber es hört sich so albern an. Jedenfalls will ich dich nicht in deinem eigenen Haus in Verlegenheit bringen. Aber ich würde dich wirklich gern wiedersehen.« Seine Hand war auf dem Weg zu meinem Gesicht. Er schaute sie überrascht an und zog sie zurück, wie ein Kind, das man dabei erwischt, wie es der Mutter Geld aus dem Portemonnaie stiehlt. »Allein«, fügte er leise hinzu.

»Wo ist denn deine Frau?«

»Sie ist für ein oder zwei Wochen weg.« Er zuckte die Achseln. »Wir brauchen mal eine kleine Pause, ein bisschen Zeit zum Nachdenken.«

Hm, Trennung auf Probe. Und wie passte das jetzt zu Ruthies Regel? Ich würde sie fragen müssen.

Er kritzelte etwas auf einen kleinen Zettel und reichte ihn mir. »Das musst du rauskriegen«, sagte er geheimnisvoll.

Tvoi sup tschudo, kak i ty. Ponedelnik w 6 tschasow, 23 Potter Lane.

»Was ist das?«, fragte ich, »ein Rätsel?«

»Such dir jemanden, der Russisch kann. Der wird dir schon helfen.« Er lächelte, und unsere Blicke verfingen sich ineinander, als wollten wir uns jede Kontur unserer Gesichter einprägen. Einen Augenblick lang stand er ein kleines bisschen zu nah bei mir. Er duftete himmlisch; nach Seife und seinem ganz eigenen Duft, der mir irgendwie vertraut war. Jeder Mensch hat seinen

90

Geruch, den man anziehend oder abstoßend findet, genauso wie Familien ihren Geruch haben. Unser *Eau Familiale* traf einen schon, wenn man durch die Tür kam, und wir bemerkten sein Fehlen, wenn wir mal weg waren und jemand anders in unserem Haus gewohnt hatte. Leo hatte eine besonders feine Nase; er konnte sagen, welcher Gegenstand wem gehörte, wenn er nur daran roch. Aus dem Augenwinkel sah ich ihn genau das jetzt tun; er hob einen Schal vom Boden auf, roch daran und hängte ihn dann schweigend über Dads Stuhllehne.

Ich setzte mich neben Iwan an den Tisch.

»Hm, leckerer Risotto!«, sagte ich.

Alle machten anerkennende Geräusche und priesen Gregs Kochkunst.

»Jetzt seid doch nicht so gönnerhaft«, sagte er, immer noch verletzt wegen seiner Niederlage.

Ich spürte die Hitze von Iwans Körper neben mir. Unsere ganze Umgebung kam mir verschwommen vor, und der Klang all der plappernden und lachenden Stimmen war zu einem entfernten Rumoren geworden. Iwans Hände traten gestochen scharf aus dem Bild hervor, während er aß, und seine Lippen, Zähne und Zunge beim Kauen. Ich wollte ihn küssen, seinen Mund auf meinem Gesicht spüren und seine Hände auf meinem Körper.

»Chloe ... *Chloe*«, hörte ich eine vertraute Stimme rufen wie aus großer Entfernung, dann tauchte nach und nach ein Gesicht neben mir auf. Greg sah mich spöttisch an. »Ich muss zu einem Hausbesuch. Die bescheuerte Mrs Meagan – sie meint, sie hat einen Herzinfarkt. Sie war diese Woche schon dreimal in der Sprechstunde. Ist bestimmt gar nichts, aber ihr Mann ist ziemlich penetrant.«

»Gut, okay, alles klar.« Ich kam aus der Wärme meiner treulosen Vorstellungen in die Realität zurück.

»Chloe, Süße, wir müssen auch los«, sagte BB. Sie stand auf und strich sich mit den Händen am Körper entlang. Ihr chemisch blondes Haar sorgte für ein Gesichts-Lifting, so straff und hoch hatte sie ihren Pferdeschwanz gebunden. Irgendwie hatte sie es so hinbekommen, dass das tatsächlich schick aussah. »Komm, Iwan.«

Iwan protestierte: »Ach nein, ich glaube, ich bleibe noch …«, stand aber trotzdem auf, zog brav seinen Mantel an und folgte ihr hinaus wie ein Lamm seinem Schlachter.

Sammy und die Kinder hatten uns zugunsten des Fernsehers verlassen, Bea und Zuzi waren in die Nacht hinausgekichert, und Nick hatte sich ebenfalls verabschiedet und noch im Gehen »erstaunlich, ganz erstaunlich« gemurmelt. Dad summte vor sich hin, seine Hände bewegten sich wie in einem stummen Selbstgespräch, wie so oft, und mit den Füßen klopfte er den Takt zur Musik in seinem Kopf.

»Erzähl mir von deiner Affäre, Dad.«

Er seufzte, schenkte uns noch ein Glas Wein ein und wandte sich mir zu.

»Du erinnerst dich an Jürgen Geber?« Das war eine Feststellung, keine Frage.

Geber gehört zu unserer Familiengeschichte, seit ich denken kann. Die Geschichte, wie er und Dad sich kennengelernt haben, war eine der Erzählungen, die Sammy und ich bei jeder sich bietenden Gelegenheit noch einmal hören wollten. Dad war 1943 in die Armee eingetreten. Er war erst sechzehn und hatte das Geburtsdatum in seinem Pass und die Unterschrift seines Vaters gefälscht. Seinen Eltern hinterließ er eine Nachricht, in der er sein Vorgehen erklärte, als er sich eines Nachts aus dem schlafenden Haus stahl, um sich zur Ausbildung der *Fifth Armoured Division* anzuschließen. Ein Jahr später fand er sich in Italien wieder, als Funker in einem Panzer. Er sagte, Morsen sei eine ganz eigene Musik, und er lernte es schnell. Es war am fünfzehnten Juli, der Himmel war blau und wolkenlos, und Dad und seine fünf Panzerkameraden lagen auf dem Rücken in einem Wald bei Siena, eine höchst willkommene Ruhepause in ihrem Soldatenleben. Sie genossen einige Augeblicke sorgloser Entspannung, wie junge Männer sie brauchen; sie rauchten und erzählten einander von zu Hause, von den Mädchen, die sie gekannt und geliebt hatten, und von denen, die sie wiederzusehen hofften.

Nur der gemeinsame Einsatz verband sie miteinander, daheim wären sie sich niemals begegnet und schon gar nicht Freunde geworden. Jimmy, Berties bester Freund in dieser Zeit, war ein Maurer aus Croydon, der es lustig fand, ein Bein zu heben wie ein Hund und so laut wie möglich zu furzen. Bertie mochte ihn, denn er sang wie Frank Sinatra und hatte ein unerschütterlich heiteres Gemüt, und die beiden sangen und tanzten den anderen Szenen aus *Las Vegas Nights* vor. Unzählige summende und brummende Insekten gingen ihrer üblichen Beschäftigung nach, flogen auf der Suche nach Nektar von einer der spärlichen Blüten zur nächsten und verliehen dem Nachmittag eine Normalität, die ihn zu etwas ganz Besonderem machte. Einer der Männer stand auf, entfernte sich ein paar Schritte von den anderen, knöpfte seinen Hosenschlitz auf und pinkelte in hohem Bogen exakt über seine Kameraden hinweg. Die anderen applaudierten. Im warmen Sonnenlicht sangen die Insekten sie bald in den Schlaf. Alle bis auf Bertie, der sich nach der langen Zeit des Eingesperrtseins im Panzer über die Bewegungsfreiheit freute, sich streckte und in den Wald ging, weil er ein Geschäft zu verrichten hatte, bei dem er lieber allein sein wollte. Er hockte sich auf die trockene Erde und spürte den weichen, warmen Wind auf seinem nackten Gesäß.

Als er fertig war, ging er tiefer in den Wald hinein und genoss es, nach Monaten in der Gesellschaft rüpelhafter Soldaten einmal ganz für sich zu sein. Sein Kopf war erfüllt von der Musik, die immer an die Stelle von Einsamkeit und Stille trat. Er musste eine ganze Weile gelaufen sein; es wurde dunkel und er merkte, dass er sich verlaufen hatte. Erschöpft setzte er sich kurz unter einen Baum, um die Melodien zu sortieren, die in seinem Kopf entstanden waren, und um sich zu überlegen, was er als Nächstes tun sollte. Darüber musste er eingeschlafen sein, denn das Nächste, was er spürte, war die eiskalte Mündung eines Gewehrs an seinem Hinterkopf. »Ich weiß noch, dass ich ganz klar gedacht habe: Das war's dann also, das ist mein Ende, dabei hat es doch gerade erst angefangen. Es tat mir irgendwie leid, so, als ob ich jemand anderen beobachten würde und es nicht um mich selbst ginge.« Er wandte sich um und schaute einem etwa gleichaltrigen deutschen Soldaten in die Augen, in denen sich die Angst seines eigenen Blicks spiegelte. Die beiden jungen Männer zitterten; der Finger des Deutschen zuckte am Abzug. Sein Blick wich nicht von Berties Gesicht, und er murmelte immer und immer wieder: »Der Sohn einer Mutter.« Schließlich warf er sein Gewehr zur Seite und fing an zu weinen. »Wir waren kleine Jungs, zwei kleine Jungs, wir hatten Angst, waren allein und weit weg von zu Hause«, erzählte Bertie uns immer. Bertie nahm sein Gewehr und legte es feierlich neben das des Deutschen. Er streckte die Hand aus und stellte sich vor, als befänden sie sich auf einer Cocktailparty.

»Private Bertie Schiwago, Fifth Armoured Division.«

»Jürgen Geber, zweite Division, Deutsche Wehrmacht.« Der Deutsche gab Bertie höflich die Hand.

Mit Hilfe von Berties bruchstückhaftem Jiddisch und Jürgens Schulenglisch machten sie die ersten Schritte in eine Freundschaft, die bis zu Jürgens frühzeitigem Tod 1973 bestehen bleiben sollte.

»Ich konnte dich nicht töten«, sagte Geber. Sie setzten sich hin, Seite an Seite im Schatten eines Baumes, und teilten sich eine Zigarette. »Ich musste die ganze Zeit daran denken, dass du, wie ich, der Sohn einer Mutter bist. Als ob ich mich selbst töten würde. Ich habe immer vor mir gesehen, wie meine Mutter mich angeschaut hat, als ich in den Krieg gezogen bin. Sie hat mich festgehalten, und sie war so klein und so zerbrechlich, als könnte ich sie mit einer Umarmung erdrücken. Sie hat mich so intensiv angeschaut, als würde sie mit den Augen ein Foto von mir machen.«

94

Körperlich waren sie sich erstaunlich ähnlich, klein und stämmig mit welligem, dunklem Haar und blauen Augen. Jürgen war von seinem Regiment getrennt worden, als er vor feindlichem Feuer in Deckung gegangen war. Zwei Tage lang hielten die beiden sich im Wald versteckt. Sie schossen sich Kaninchen, die sie unsachgemäß häuteten und über offenem Feuer grillten. Nach diesen verkohlten und irgendwie pelzigen Mahlzeiten legten sie sich hin und erzählten sich ihre Lebensgeschichten.

»Ich wollte gar nicht zur Wehrmacht, sie haben mich gezwungen«, sagte Jürgen. »Was ist das für ein komischer Drang, für sein Land sterben zu wollen, egal, wofür es steht? Nationalismus ist immer schlecht, er bringt einem bei zu hassen, und dann bringt er einem bei, Hassen wäre gut. Sie erzählen uns lauter Lügen über Juden und vergleichen sie mit Ratten und zeigen uns Bilder von Rattenvernichtungen. Du sagst, du bist Jude, aber du bist ein Mann wie ich. Wir sind doch alle Menschen, mit Hoffnungen und Ängsten, Menschen, die lieben und geliebt werden wollen. Diejenigen, die diesen Krieg angezettelt haben, sind Verbrecher, aber das sieht man ihnen nicht an, sie verstecken ihre Gemeinheit in ihren Herzen und Köpfen und holen sie raus, wenn sie irgendwas davon haben.«

Dass die Gedanken der beiden jungen Männer sich so ähnelten, machte den Krieg komplett unsinnig. Bertie hätte ebenso gut als Jürgen geboren werden können und Jürgen als Bertie. Wer man war und wo man lebte, war reiner Zufall. Diese beiden Tage im Wald veränderten das Leben der beiden für immer; es lehrte sie, die Wahrheit zu suchen, die Gemeinsamkeiten aller Menschen zu sehen und selbständig zu denken. Sie hatten Angst, sich ihre Adressen aufzuschreiben; wenn sie gefunden würden, hätte man sie der Spionage oder Kollaboration bezichtigt. Daher komponierte Bertie jeweils ein kleines Lied, mit dessen Hilfe sie sich ihre Adressen merken konnten. Sie trennten sich am Abend ihres zweiten gemeinsamen Tages. Später hörte Bertie, dass Jürgen sich selbst ins Bein geschossen hatte, um als Invalide aus dem Krieg entlassen zu werden.

Nach mehreren Monaten im Militärkrankenhaus wurde er nach Hause geschickt. Bertie brauchte noch einen Tag, um den Weg zurück zu seinem Panzer zu finden. Er hatte seine Kameraden friedlich schlafend neben dem Panzer zurückgelassen und fand sie jetzt für immer in der Ruhe dieses Julinachmittags gefangen, im Schlaf erschossen.

Was für ein Gefühl muss es für einen Siebzehnjährigen sein, die Leichen seiner Kameraden zu finden? Bertie hatte ein furchtbar schlechtes Gewissen, dass er entkommen war, gepaart mit dem Unglauben darüber, dass ein triviales körperliches Bedürfnis ihm das Leben gerettet hatte. Er setzte sich auf einen Felsen und weinte. Als ihm bewusst wurde, in welcher Gefahr er geschwebt hatte, setzte sein Selbsterhaltungstrieb ein. Er ging zum Panzer und funkte um Hilfe. Dann suchte er die paar persönlichen Gegenstände seiner Kameraden zusammen und beschloss, sie den Angehörigen persönlich zu überbringen, wenn und falls er nach Hause kommen würde. Er setzte sich hinter den Panzer, wo er seine toten Kameraden nicht sehen konnte, wartete auf Hilfe und sang still vor sich hin:

Jürgen with an Umlaut
Geber with a G
Lives on Friedrichstraße
In apartment C
Building Number eighty
In Berlin, Germany

Ihm ging auf, dass wahrscheinlich Jürgens Regiment für den Tod seiner Kameraden verantwortlich war, und er spürte die bittere Ironie des Schicksals, das uns alle in der Hand hat. Als sie nach Ende des Krieges wieder zu Hause waren, hielten Jürgen und Bertie den Kontakt und nahmen über Briefe und Fotos am Leben des jeweils anderen teil. Aber sie sahen sich nie wieder, weil sie beide fürchteten, die Magie dieser zwei gemeinsamen Tage zu zerstören. Jürgen wurde Maler und schaffte es 1961 gerade noch vor der Errichtung der Mauer, aus Ostberlin zu fliehen. Bertie wurde Komponist. Sammy und ich hatten als Kinder *Jürgen with an Umlaut, Geber with a G* gesungen wie andere Kinder *Twinkle, twinkle little star.*

Dad beugte sich vor und ergriff meine Hand. »Dann erzähle ich dir jetzt den Rest der Geschichte«, sagte er. Ich muss ganz verdattert geguckt haben, denn Dad tätschelte mir beschwichtigend die Hand und lächelte. Er erzählte mir, dass Jürgens Witwe, Helga, im Herbst 1973 mit der traurigen Nachricht von Jürgens Krebstod nach London gereist war und Dad ein Gemälde von Jürgen gebracht hatte. Es zeigte einen jungen Mann in Uniform, der unter einem Baum lag und schlief; es war Bertie, wie Jürgen ihn vor all den Jahren in Italien im Wald gefunden hatte, erstaunlich detailreich und realistisch. Ich kannte das Bild gut; es hing in Dads Arbeitszimmer neben einem Foto von Sammy und mir mit den strahlenden Gesichtern glücklicher und behüteter Kinder. Dad hatte sich zu Helga hingezogen gefühlt, als sei er immer noch der junge Mann, der er damals im Wald gewesen war, und sie waren schnell ein Paar geworden. Sie trauerten gemeinsam, fühlten sich in ihre Jugend zurückversetzt und hielten durch ihre Beziehung die Erinnerung an Jürgen aufrecht. Helga war Jüdin und sehr schön. Als Dad sie kennenlernte, war sie Anfang vierzig, eine große, üppige Rothaarige, die ihn an Rita Hayworth erinnerte. Sie sprach perfekt Englisch, nur ihre Präzision und die Vokale ließen ihre Muttersprache erahnen.

»Wir treffen uns viermal im Jahr in Paris«, sagte Dad.

»Immer noch?«

»Ja, immer noch. Seit dreißig Jahren. Ich liebe sie. Jürgens Witwe zu lieben ist meine Art, ihm dafür zu danken, dass er mir vor all der Zeit das Leben geschenkt hat. *Geber* kommt von *geben.* Hätte Jürgen mir nicht das Leben gegeben, dann gäbe es mich jetzt nicht, und dich nicht und Sammy nicht.«

»Und was war mit Mum?«

Dad stand auf, ging ans Fenster und schaute hinaus in die Dunkelheit des Gartens. Er seufzte so, dass die kalte Scheibe beschlug, und fuhr sich mit der Hand durchs Haar. Es war immer noch dicht und wellig, aber im Laufe der Jahre weiß geworden. So ist das mit dem Alter, es nimmt einem die Farbe, macht Ecken und Kanten weicher, bis man gänzlich verblasst und verschwindet.

»Sie hat es herausbekommen. Ich fürchte, ich war so mit Helga beschäftigt, dass ich nicht sehr diskret war. Sie war furchtbar verletzt, und ich habe ihr versprochen, mit Helga Schluss zu machen. Das habe ich auch versucht, aber ich konnte es nicht. Deine Mutter hat geglaubt, ich hätte mich von Helga getrennt, hat mir offiziell verziehen und sich gerächt, indem sie ebenfalls eine Affäre hatte. Wie du mir, so ich dir, so hat sie immer gehandelt. Ich kann ihr das auch nicht vorwerfen.«

Mein eigener Gefühlsaufruhr kam mir plötzlich banal vor. Ich war drauf und dran, mit einem Typen ins Bett zu gehen, den ich auf einer Party kennengelernt hatte, und mein Dad kochte in einem brodelnden Kessel von Leben, Liebe, Ehre und Tod. Sein Leben schien episch, meins prosaisch.

Die Geschichte rührte mich, und ich sah meinen Vater, wie Kinder es selten tun: als Individuum, als Mann mit Erinnerungen, in denen ich keine Rolle spielte, ein Mensch mit eigenem Leben und eigenen Geheimnissen. Dieses Gefühl des Getrenntseins brachte mich ihm noch näher.

»Und warum lebst du jetzt nicht mit Helga zusammen?«, fragte ich.

»Wir leben beide unser Leben im jeweils eigenen Land«, sagte Dad, »aber vor allem wollen wir unsere gemeinsame Zeit nicht durch einen gemeinsamen Alltag trüben. Es gefällt uns gut so. Die Schriftstellerin Helen Rowland hat mal gesagt: ›Nach ein paar Jahren Ehe kann ein Mann eine Frau betrachten, ohne sie zu sehen, und eine Frau kann durch einen Mann hindurchgucken, ohne ihn anzuschauen.‹ Ich will nicht, dass Helga und mir das je passiert.«

Die Wohnungstür ging auf, Greg kam von seinem Hausbesuch zurück.

»Ich muss los«, sagte Dad und küsste mich, wie er das immer tat: auf den Mund, auf die Nase, auf die Stirn. Ich füllte ein paar Reste für ihn in Tupperdosen. Mir gefiel der Gedanke nicht, dass er allein kochte und aß, und jetzt, da ich von ihm und Helga wusste, wünschte ich mir, sie würden zusammenleben. Er nahm meine Hand und hielt sie mit beiden Händen fest.

»Nur weil *er* dich will, musst du dich noch nicht darauf einlassen«, sagte er.

Ich wurde rot, weil ich merkte, dass er Iwan meinte, und ich fragte mich, ob es für alle anderen auch so offensichtlich gewesen war.

»Das sagt Ruthie auch.«

»Kluge Frau, die Ruthie, war sie ja schon immer.«

Siebtes Kapitel

Aufgetakelte Fregatte

1 Frau über vierzig	1 Teil Mango
1 Portemonnaie mit	1 Teil Zara
Bargeld und/oder	1 großzügiger Schuss
Kreditkarten	Accessoires, Mode-
1 Teil Topshop	schmuck und Kosmetik

Die Frau mit Topshop, Mango und Zara vermischen. Keine Angst vor »unangemessener« Kleidung! Man ist immer so alt, wie man sich fühlt. Mit Modeschmuck und Accessoires verzieren und mit Kosmetikartikeln bemalen. Wenn Sie so weit sind, werfen Sie unauffällige und unsichere Blicke in Spiegel, Schaufenster und die Augen derer, denen Sie begegnen (insbesondere Männer).

Früh am nächsten Morgen weckte mich ein Hämmern. Ich schaute nach und entdeckte Sammy im Garten, wo er Zeltpflöcke in den Rasen schlug. Die Haare fielen ihm ins Gesicht, und die Anstrengung schien eine belebende Wirkung zu haben.

»Es ist mir zu muffig im Haus. Ich konnte überhaupt nicht schlafen, mit der Zentralheizung. Ist das okay, wenn Kitty, Leo und ich ein paar Nächte hier draußen übernachten?«

Ich klopfte ihm auf die Schulter, ging wieder hinein und fing widerwillig an, die Verwüstung vom Vorabend aufzuräumen. Zwischen den zusammengeknüllten Stimmzetteln fand ich Iwans Rätsel. Ich hatte es achtlos auf dem Tisch liegenlassen;

ich musste eindeutig noch das ein oder andere über das Fremdgehen lernen. Den beim Einschlafen gefassten Vorsatz, Iwan zu
vergessen, hatte ich bereits über den Haufen geworfen, und ich
überlegte, wer wohl Russisch könnte.

Später, als ich zwischen zwei Patienten kurz hinausging, stieß
ich beinahe mit der Taubenfrau zusammen. »Guckt euch die mal
an«, sagte sie zu den Tauben, die ihr um die Füße herumflatterten.
»Die will Ärger.« Sie reichte mir die Hand. Ich ergriff sie; sie war
überraschend weich, weiß und zart. Sie zog mich an sich und sah
mir direkt ins Gesicht. »Hab ich mir doch gedacht«, murmelte
sie geheimnisvoll. Sie drehte sich um und verschwand, von den
flatternden Vögeln begleitet, die Straße hinunter. Ich fühlte mich
schwach und seltsam exponiert und schaute ihr noch nach, als sie
und die Tauben längst nicht mehr zu sehen waren.

»Natürlich, der Delikatessenladen!« Plötzlich fiel mir das
Wolga ein, ein russischer Laden in der Nähe, auf der Salusbury
Road. Ich nahm die Abkürzung durch den Park. Der Spielplatz
war verlassen, bis auf eine Mutter mit ihren kleinen Zwillingen,
von denen sie einen lustlos auf der Schaukel anschubste. Auf
einer Bank saß ein einsamer Trinker mit einer Dose Bier in der
Hand und wippte mit geschlossenen Augen im Takt zu einer
Musik, die nur er hörte. Die meisten Bäume waren inzwischen
kahl, sie schwankten unter dem grauen Himmel wie Skelette,
denen die Kälte das Fleisch von den Knochen gezogen hatte.
Ich zog meinen Mantel enger zusammen. Als ich an Ruthies
Haus vorbeikam, ging die Tür auf, und ein junger Mann in
Lederkleidung kam die Vordertreppe herunter. Ich sah Ruthie
kurz, als sie die Tür hinter ihm schloss. Der junge Mann ging
an sein Handy. Ich hörte ihn sagen: »Bin in fünf Minuten da.«
Dann sprang er auf sein Motorrad und raste die Straße hinunter. Ruthie arbeitet manchmal von zu Hause aus, aber freitags
normalerweise nicht. Vielleicht war sie krank.

Ich war tatsächlich noch nie im Wolga gewesen, obwohl ich ein
paar Mal neugierig ins Fenster geschaut hatte. Es war nur ein

paar Schritte entfernt von unserem jüdischen Lieblingsrestaurant, Abe Green's Jewish Diner, wo wir relativ häufig hingingen, vor allem dann, wenn die Band von Abes Bruder Herbie spielte. Das Wolga war klein und düster, und wenn man die Tür öffnete, ertönte ein fröhliches kleines Glöckchen. Ich ging in den Gängen auf und ab und betrachtete die mir fremden Büchsen und Gläser mit kyrillischer Aufschrift. Es gab altmodische, handverpackte Süßigkeiten mit Bildern von Eichhörnchen darauf, schwere, dunkle, duftende Brotlaibe, einen Gefrierschrank voller Teigtaschen, die wie Wan Tan aussahen, und ordentlich gestapelte Flaschen mit Wodka.

»*Tschem ja mogu vam pomotsch?*«, fragte ein ernster Mann in den Fünfzigern in einer Ecke des Ladens. Er saß auf einem Hocker vor einem Regal mit durcheinandergeschichteten russischen Videos und Zeitungen. Im Mundwinkel hatte er eine seltsame Pappröhre von Zigarette hängen.

»Tut mir leid, ich verstehe kein Russisch.«

»Kann ich Ihnen helfen?«

Ich zeigte ihm meinen Zettel. Er lächelte, und die Sonne ging auf: Seine Zähne waren zum Großteil aus Gold. Er war jünger, als ich zunächst gedacht hatte, eher in meinem Alter, aber sein Gesicht kündete von einem härteren Leben. Er nahm die Zigarette aus dem Mund, zupfte sich einen Tabakkrümel von der Lippe, kam näher und stieß mich in die Rippen. »*Nu-ka, dewuschka*«, sagte er. »Soso.«

»Was steht denn da?«, fragte ich, plötzlich voller Angst, dass Iwan etwas geschrieben haben könnte, was für die Augen eines Fremden zu intim war.

»Deine Suppe ist ein Wunder, und du auch. Montag, sechs Uhr, 23 Potter Lane.« Er schaute mich intensiv an, sein Blick wanderte von dem Ring an meiner linken Hand in mein Gesicht, und ich hatte den Eindruck, er hatte sofort alles begriffen.

»Das Leben ist kurz«, sagte er sanft. Ich errötete, wurde aber durch das Piepsen meines Handys davor bewahrt, antworten zu müssen. Ein einzelnes Wort starrte mich an: *Und?* Es war

Iwan. Ich dankte dem Ladenbesitzer und verließ das Geschäft. Mein Herz hämmerte vor Aufregung, und ohne darüber nachzudenken, antwortete ich Iwan: *Code geknackt. Wir sehen uns dort.* Die Würfel waren gefallen.

Ruthie ging weder ans Festnetz-Telefon noch an ihr Handy, also klingelte ich an ihrer Haustür. Sie öffnete nicht. Das war seltsam und sah ihr gar nicht ähnlich; es war uns wichtig, dass wir einander immer erreichen konnten. Es beunruhigte mich, aber ich hatte einen Termin mit Grübel-Gina und musste mich beeilen; ich beschloss, mich später um Ruthie zu kümmern. Gina schien es in Bezug auf ihre bevorstehende Hochzeit besserzugehen.

»Alles bestens. Ich meine, ich liebe ihn wirklich, und es ist ja nicht so, dass ich nicht mit genügend Männern geschlafen hätte. Sie sind sowieso alle gleich. Bis auf Jim natürlich, der ist besser als die ganzen anderen. Ich meine, ich liebe ihn. Und darauf kommt es doch an, oder? All you need is love.«

Die Beatles! Aber so ist das wohl, wenn man verliebt ist; dann bekommt jeder Songtext eine tiefe Bedeutung, jedes Klischee überrascht einen mit seiner Weisheit. Greg und ich hatten zwei Lieder: Chaka Khans *I Feel For You* und Stevie Wonders *I Just Called To Say I Love You.* Kitschig, ich weiß, aber beide waren 1984 große Hits, und in dem Jahr haben wir uns kennengelernt. Was könnte wohl Iwans und mein Lied werden, *Duplicity*? Ich überlegte, was ich zu unserem Treffen am Montag anziehen sollte. Ich schaute Gina an und bewunderte ihren Zigeunerrock, den sie mit Rollkragenpullover, breitem Ledergürtel und Cowboystiefeln trug. Das war ein guter Look; vielleicht würde sie mir ja etwas ausleihen. Ich hatte schon den Mund geöffnet, um sie zu fragen, konnte mich aber gerade noch rechtzeitig bremsen. Ich war ihre Psychoklempnerin, verdammt nochmal, nicht ihre Freundin. Irgendwie entglitt mir die Sache. Bisher war ich immer stolz auf meine Arbeit gewesen und hatte sie gut gemacht. Es gab sogar eine Warteliste von Leuten, die zu mir in

Behandlung kommen wollten. Die Nachlässigkeit, mit der ich in letzter Zeit klempnerte, erschreckte mich. Vielleicht musste ich mal ein paar Wochen Urlaub machen.

Das sagte ich später auch zu Greg, nachdem wir Kitty, Leo und Sammy in das eiskalte Zelt verfrachtet hatten und die fast schon in Vergessenheit geratene Gemütlichkeit eines Wohnzimmers genossen, in dem ein Fernsehprogramm unserer Wahl lief.

»Ach was, dir geht's doch gut, Chloe. Wenn du arbeitest, geht es dir viel besser«, sagte er abschätzig.

Ich suchte nach Worten, um ihm meine Unruhe und meine Sehnsucht nach mehr zu erklären, ohne mein Geheimnis zu verraten. Außerdem wollte ich ihn fragen, warum er mich nicht mehr anfasste. Aber noch bevor ich den Mund aufmachen konnte, erzählte er mir, dass Mrs Meagan völlig gesund gewesen sei, als er am Vorabend bei ihr war.

»Die ist total bekloppt, wenn du mich fragst. Am besten schicke ich sie zu einem von deiner Truppe. Also, du weißt schon, einem richtigen, einem Psychiater.«

Das nervte mich wirklich: wenn er die Psychotherapie abkanzelte und nur die Psychiatrie gelten ließ.

»Psychiater sind wenigstens Ärzte«, sagte er jetzt, wie so oft mit der übertriebenen Geduld eines Mannes, der kleinen Kindern einfachste Dinge erklärt, »und es gibt konkrete Beweise, dass Medikamente Menschen heilen. Es ist deutlich weniger sicher, dass das auch mit Rumsitzen und Reden funktioniert.«

»Und da habe ich ihn dann umgebracht, Euer Ehren«, murmelte ich zur Vorbereitung auf meine Mordverhandlung und stampfte ins Schlafzimmer. Greg wäre doch selbst schuld, wenn ich fremdgehen würde; er trieb mich ja geradezu in Iwans Arme. Bevor ich einschlief, schickte ich Ruthie noch eine SMS: »Wo bist du und wie geht's dir? Kaffee im Park um elf? Greg ist ein Oberarsch.« Ich war zu wütend, um an Abkürzungen zu denken.

Kitty und Leo mussten irgendwann in der Nacht vor der Kälte ins Haus geflohen sein. Ich fand sie am Morgen schlafend aneinandergeschmiegt in Kittys Bett, wie zwei verwaiste Hundebabys auf der Suche nach Geborgenheit. Ich war immer noch sauer auf Greg. »Jetzt weiß ich, was unser Lied ist«, dachte ich, als ich den Wäschekorb leerte und die Maschine anstellte: *After the love has gone.* In stummer Wut aß ich vier Scheiben Toast. »Verschwinde aus der Küche!«, rief ich mir laut zu, um nicht noch mehr zu essen, und ging ins Untergeschoss zu meinen beiden Samstagmorgen-Patienten. Gekränkt von Gregs Geringschätzung meines Berufs, zwang ich mich zur Konzentration. Mein erster Patient war Fuchsteufels-Frank. Er entschuldigte sich, dass er zu spät kam, und begründete es damit, dass er noch vor der ersten Briefkastenleerung einige Beschwerdebriefe an verschiedene Institutionen schreiben musste. Ich war erstaunt, wie sehr er Greg ähnelte und darüber, dass mir das noch nie aufgefallen war. Er hatte ein Wut-Tagebuch geführt, und heute stellte ich fest, dass ich einige seiner Wut-Anlässe durchaus nachvollziehen konnte: Sprechautomaten an Telefon-Hotlines; absurde Bahnpreise, bei denen eine Hin- und Rückfahrt billiger war als eine einfache Fahrt; Autofahrer, die auf der mittleren Spur der Autobahn herumtrödelten. Plötzlich hatte ich das Gefühl, er habe recht; manchmal war rasende Wut die einzig mögliche Reaktion.

Ruthie stand schon in der Schlange, als ich ins Café kam. Sie hatte dunkle Ringe unter den Augen, ihr Haar hing schlapp herunter, und sie trug eine unfassbare neongrüne Jogginghose und ein lila Sweatshirt. Ich holte mit übertriebener Geste meine Sonnenbrille aus der Tasche und setzte sie auf. Ruthie lachte.

»Croissant, Chloe?« Ich schüttelte den Kopf, als hätte sie mir einen Schierlingsbecher angeboten. Es waren noch vierundfünfzig Stunden bis zu meinem Date mit Iwan, und nach dem Toast-Fiasko am Morgen hatte ich beschlossen, bis dahin zu fasten.

Wir setzten uns an den einzigen freien Tisch. Neben uns saßen die Zwillinge, die ich am Tag zuvor im Park gesehen hatte, mit ihrem Vater. Sie tauchten ihre klebrigen Finger zuerst in den Zuckertopf, dann in den heißen Kakao, der vor ihnen stand, leckten sich die Finger und wischten sie sich dann gegenseitig im Gesicht, im Haar und an den Kleidern ab. Gleichzeitig schlugen sie lautstark mit den Löffeln auf den Tisch. Der Lärm der Löffel befriedigte ihr Mitteilungsbedürfnis aber offenbar nicht, und so schrien sie außerdem noch aus voller Kehle »peng, peng, peng!«

»Freddie, Charlie, hört auf«, sagte der Vater und wedelte mit seiner *Financial Times* vergeblich in ihre Richtung, als wären sie lästige Fliegen. Sein Blick begegnete meinem, und er zuckte die Achseln, als wolle er sagen »Kinder – was will man machen? Aber was bin ich doch für ein toller Hecht, dass ich sie meiner Frau abnehme!« Bestimmt ließ er seine Frau heute mal ausschlafen, auf diese gönnerhafte Weise erwerbstätiger Männer, deren Frauen zu Hause blieben.

So geht es, wenn man Kinder hat: Man kommt aus dem Krankenhaus nach Hause, das kostbare Bündel ängstlich an den mütterlichen Busen gedrückt, und plötzlich steht dort eine riesige Anzeigetafel. Alles, was beide Partner bislang, ohne darüber nachzudenken, einfach getan haben, wird sorgfältig darauf verzeichnet: wer wem zuletzt eine Tasse Tee gekocht hat, wer die Betten gemacht hat, wer die meisten Windeln wechselt, wer einkaufen gegangen ist, wer die Spülmaschine ausgeräumt hat … Ständig bezieht man sich auf diese imaginäre Tafel. »Ich habe ihn letzte Woche fünfmal gebadet!« Zwar führen die Frauen ebenso pingelig Buch wie die Männer, aber die Männer verlangen außerdem Anerkennung und Lob, weil sie es »für uns« tun. »Ich bringe dir mal eben den Müll raus«; »guck mal, ich habe dir die ganzen Blätter im Garten weggefegt.« Garantiert war der Mann am Nebentisch so einer: »Ich nehme dir jeden Samstagmorgen die Kinder ab«, obwohl seine Frau sie sonst jeden Tag zu Hause betreute, die müde wirkende Frau, die eins von ihnen gestern lustlos auf der Schaukel angeschubst hatte, ebenso wie an zahllosen weiteren vergangenen und zukünftigen Tagen.

»Ruthie, du siehst nicht gut aus. Ist alles in Ordnung?«, fragte ich.

»Ich habe nur die Arbeit so satt. Irgendwie verbringe ich meine gesamte Zeit damit, die Probleme anderer Leute zu lösen. Ich komme mir vor wie eine Vogelmutter, die andauernd vorgekautes Essen in gierige und unersättliche Schnäbel stopft. Keiner macht mehr irgendwas selber. Und wenn ich das gerade mal nicht mache, dann sitze ich in diesen sinnlosen Meetings, wo die Zeit stillsteht. Ich könnte genauso gut bei Shell oder in einer Keksfabrik arbeiten; das, was Spaß gemacht hat und kreativ war, mache ich überhaupt nicht mehr.«

»So ist das wohl, wenn man einen Job über eine längere Zeit hat«, sagte ich. »Führungspositionen sind überall gleich.«

»Das langweilt mich alles so«, sagte Ruthie und putzte sich die Nase. »Meetings mit Wichtigtuern, die sich gern reden hören und ihre Sätze mit ›Das klingt vielleicht ein bisschen verrückt, aber wollen wir nicht …‹ anfangen. Oder Phrasen wie ›jetzt mal so ins Unreine gesprochen‹. Und dann macht irgend so ein Mäuschen, eine Wendee oder so mit unnötig vielen Es im Namen, mit ihrer Mickymaus-Stimme eine belanglose Bemerkung, und die Männer gucken sie an, als wäre sie Einstein. Dabei weiß man ganz genau, dass sie in Wirklichkeit nur drüber nachdenken, wie sie sie vögeln können, ohne dass ihre Frauen dahinterkommen.« Sie drehte sich erschöpft das Haar zu einem Knoten und steckte ein Plastikmesser hindurch, um es festzuhalten. »Vielleicht sollte ich einfach die Brocken hinschmeißen und frei arbeiten. Das Problem ist nur, dass ich überhaupt keinen Bock habe, irgendwelche Z-Promis zu interviewen, die dafür berühmt sind, dass ihnen die Titten aus dem Designerfummel hängen. Ich weiß nicht, ob ich mich überhaupt noch für Zeitschriften interessiere …«

Das war das Problem beim Erwachsenwerden. Man kämpfte jahrelang darum, die Leiter hinaufzuklettern, bloß um dann festzustellen, dass einem die Aussicht von da oben nicht besonders gefiel. Dann hatte man drei Möglichkeiten: oben bleiben und die Aussicht trotzdem bewundern, wieder ganz nach unten rutschen oder eine andere Leiter zum Hinaufklettern suchen.

»Noch ein Grund zum Jammern, und dann höre ich auch auf, versprochen«, fuhr Ruthie fort. »Außerdem leide ich nämlich echt unter IHMM. Alles an Richard macht mich wahnsinnig; wie er sich immer räuspert, bevor er was sagt, und dass er mich nie anguckt, wenn ich mit ihm spreche, und dass er mir nie zuhört und dass er immer bei den Zehn-Uhr-Nachrichten seine Zahnseide rausholt und sich die Zähne sauber macht.« Sie strahlte mich an. »So, fertig *gekwetscht*.«

(*Kwetschn* ist ein besonders nützliches jiddisches Wort, das *jammern* oder *sich beklagen* bedeutet. Ich weiß nicht, wie man ohne Kwetschn durchs Leben kommen soll. Ruthie und ich hatten schon vor langer Zeit ein virtuelles Kwetschatorium eingerichtet, in dem wir uns Tag und Nacht auskotzen konnten; die Schönheit des Kwetschatoriums lag darin, dass es durchgehend geöffnet war.)

Auf der gegenüberliegenden Seite hielten ein Mann und eine Frau in unserem Alter über den Tisch hinweg Händchen. Er fütterte sie mit kleinen Croissant-Stückchen, und sie kicherten über irgendeine Intimität.

»Guck dir die beiden mal an«, flüsterte ich. »Meinst du, sie sind verheiratet?«

»Bestimmt«, sagte Ruthie und machte eine Kunstpause. »Aber nicht miteinander.« Sie leckte den Schaum vom Rand ihrer Tasse und fügte hinzu: »Und wann ist nun dein Schäferstündchen?«

Ich hielt den Blick gesenkt und wischte akribisch mit einem schmuddeligen Taschentuch, das ich in meiner Handtasche gefunden hatte, übergeschwappten Kaffee auf.

»Es steht dir ins Gesicht geschrieben«, sagte sie selbstgefällig.

»Montag.« Leugnen war zwecklos, sie kannte mich zu gut. »Was soll ich anziehen?«

»Deine schäbigste Notunterhose, damit du nicht gleich beim ersten Date mit ihm ins Bett gehst.«

Ich muss ganz entsetzt ausgesehen haben, denn sie fügte hinzu: »Jetzt guck nicht so schuldbewusst. Man muss nicht von seinem Mann verprügelt werden, um ein berechtigtes Interesse an einem anderen zu haben. Kein Sex ist Grund genug. Aber sei bloß vorsichtig.«

Weitere Diskussionen blieben mir erspart, weil mit einem Schwung kalter Luft Sephy und Kitty voller Vorfreude hereinkamen. Ich hatte ihnen Wochen zuvor versprochen, mit ihnen shoppen zu gehen.

»Kinder, wie die Zeit vergeht …«, murmelte ich Ruthie zu und fügte mich in mein Schicksal. (Ich sage immer wieder Termine zu, die noch weit entfernt sind, weil ich mir einfach nicht vorstellen kann, dass das besagte Datum überhaupt je kommt.)

»Boah, ey, das war so krass …«

»Die ist echt voll scheiße, die hat Molly und Anna so auf ihre Party eingeladen, dass ich das voll gehört habe!« Kitty und Sephy schnatterten auf der Rückbank, jeder Satz endete in einer aufsteigenden Kadenz. Zu viel amerikanisches Fernsehen. War es heute noch in Ordnung, wenn Eltern ihren Kindern den Mund mit Seife auswuschen, überlegte ich, und wenn nicht, konnte ich sie dann wenigstens mit den Köpfen zusammenstoßen?

Wir fuhren mit der Rolltreppe in den Girlie-Himmel hinunter, jedenfalls für die beiden, und für mich in die Hölle. Topshop an einem Samstagnachmittag, was hatte ich mir denn dabei gedacht? Ich hatte die denkbar schlechteste Laune, die Sorte, bei der man auch noch selbst schuld ist. Ich überließ die Mädchen ihrem Schicksal und plumpste ins Café, mit noch einem Kaffee und einem Artikel über »Die Pubertät verstehen«, den ich für *Psychotherapy Today* schreiben sollte. Dann und wann kamen Sephy und Kitty zu mir und wirbelten mit ihren hübschen Mädchenkörpern vor mir herum, um mir dieses oder jenes Teil vorzuführen. Ich schaute an ihnen vorbei und entdeckte genau den Rock, den Gina getragen hatte. Wenn sie das konnte, durfte ich das auch. Sie war schließlich nur ein paar Jahre jünger als ich. Na ja, fünfzehn. Trotzig suchte ich mir die Einzelteile von Ginas Outfit aus verschiedenen Ecken des Ladens zusammen und probierte es an. Ein gelangweiltes, kaugummikauendes Mädchen, das bei den Umkleidekabinen Dienst hatte, schaute mich von oben bis unten an. Einen Augenblick lang fürchtete ich, sie würde gleich die Security rufen und mich hinauswerfen lassen, weil ich es wagte, in meinem Alter noch solche Kleidung anzuziehen.

Sie trug supermodische, sehr tief geschnittene Hüftjeans, und als sie sich umdrehte, sah ich ihren dicken Po hervorquellen. Seit wann galt das Maurerdekolleté eigentlich als hip? Am liebsten hätte ich sie bei den Gürtelschlaufen gepackt, ihr die Hose hochgezogen und sie angeschrien: »Ich kann deinen Po sehen!« Ich betrachtete mich im Spiegel. Eigentlich sah ich ziemlich flippig aus, ohne zu sehr zu wirken wie eine Frau, die mit einer Unmenge Katzen und stapelweise alten Zeitungen in einer Dachmansarde haust.

»Ich hab ja erst gedacht, was brezelt die Alte sich mit solchen Klamotten auf, ey, aber sieht echt super aus, oder?«, hörte ich die Verkäuferin zu ihrer Kollegin sagen, die sich ihr Kaugummi aus dem Zungenpiercing pulte.

»Ich bin noch hier«, sagte ich und rauschte an ihnen vorbei.

Dieser Laden war echt toll; ich beschäftigte mich mit Stiefeln und Gürteln, Tüchern und Make-up. Das Mädchen an der Kasse wirkte, als würde sie gleich nach meinem Personalausweis fragen, damit ich nachwiese, dass ich unter einundzwanzig war, aber stattdessen lächelte sie, packte meine Einkäufe in eine Tüte und sagte: »Da freut sich Ihre Tochter bestimmt drüber.« Sephy und Kitty warteten ungeduldig an der Tür, ihr Bedarf war längst gedeckt. Ich hatte meine Topshop-Tüte vor Kittys neugierigen Augen in einer anderen Tüte versteckt.

»Jetzt komm schon, Mum, wir warten schon ewig, und wir haben echt Hunger.«

»Als ich ein Kind war, Kitty, taten Eltern das, was sie wollten, und die Kinder mussten sich damit arrangieren.« Kitty verdrehte die Augen.

»Hör auf damit«, sagte ich, »ich habe stundenlang im Auto gesessen, während meine Mutter auf dem Bürgersteig langweilige Unterhaltungen mit langweiligen Leuten führte. Ansonsten wurde ich zum Tee zu ihren langweiligen Freunden geschleift, die für Sammy und mich nichts zum Spielen hatten, und die Erwachsenen haben nur geredet und geredet. Du und Leo, ihr tut nie irgendwas, was ihr nicht wollt. Stattdessen verbringe ich einen Großteil der Zeit damit zu tun, was ihr wollt.«

»Zum Beispiel?«

»Zum Beispiel endlose Folgen dieser bescheuerten Talkshow schauen, in der Paare sich anschreien.«

»Hör doch auf Mum, das guckst du doch gern! Du willst immer wissen, ob sie sich schlagen. Das gilt nicht. Was noch?«, fragte Kitty.

»Dir und Leo bei irgendwelchen Computerspielen zugucken, in denen es nur darum zu gehen scheint, wie vielen Leuten man innerhalb kürzester Zeit mit immer tödlicher werdenden Waffen den Kopf wegpustet. Das ist nicht fair, nie bin ich dran, mal das zu tun, was *ich* will.«

»Ja, na ja, es war ursprünglich meine Idee, zu Topshop zu gehen«, sagte Kitty. Das war natürlich der Knackpunkt meines Vortrags. Wir taten, was sie von Anfang an gewollt hatte.

»Denn mal los«, polterte ich und schob sie zur Tür hinaus.

»Warte mal«, sagte sie, »was ist denn in der Tüte?«

Mist.

»Nicht viel, ein bisschen Kleinkram. Na los, auf geht's!« Glücklicherweise wurden die beiden durch einen Jungen abgelenkt, der draußen vorbeiging.

»Urst süß«, sagte Kitty und knuffte Seph in die Seite.

Meine Verständnislosigkeit musste mir ins Gesicht geschrieben sein.

»Urst süß, du weißt schon, total schnuffig«, erklärte sie.

111

»Ach, du meinst, was wir in grauer Vorzeit mal ›sehr gut aus-
sehend‹ genannt haben?« Mir wurde klar, dass ich trotz meiner
neuen Kleider eine sehr, sehr alte Frau war.

Achtes Kapitel

Ruthie Zimmers Rezept für einen Seitensprung

1. Lass dich nicht auf eine Affäre mit jemandem ein, der weniger zu verlieren hat als du.
2. Gesteh niemals: Die Suppe, die du dir einbrockst, musst du schon allein auslöffeln.
3. Erzähl es niemandem: Dein Freund hat einen Freund, erzähl es ihm nicht.
4. Bezahl nie mit Kreditkarte.
5. Verlieb dich nicht in deinen Liebhaber, wenn du nicht vorhast, seinetwegen deinen Mann zu verlassen.
6. Leugne und lüge.
7. Überleg dir vorher, ob du mit den Schuldgefühlen leben kannst.
8. Hinterlass keine sichtbaren Spuren.
9. Schluck nur beim ersten Mal, dann brauchst du es nie wieder zu tun, aber er glaubt immer, du könntest es wieder tun. (Dies bezieht sich auf alle Beziehungen zu Männern, nicht nur beim Fremdgehen.)
10. Willige niemals in einen Vaterschaftstest ein.

Am Montagmorgen wachte ich auf und spürte ein warmes Kribbeln der Vorfreude, gefolgt vom warmen Kribbeln von Blut. Ich hatte meine Tage bekommen. Typisch. Jetzt musste ich doch meine schäbige Notunterhose anziehen, und nicht den erotischen Hauch von Spitze, den ich entgegen Ruthies Rat ausgewählt hatte. Die Verfassung einer Frau lässt sich am Zustand ihrer Unterwäsche erkennen. Blutung, ausbleibende Blutung, Pilzinfektion, Fehlgeburt: alles an unseren Slips abzulesen. Die Macht der Unterhosen war so groß, dass ich sogar eine Glücksunterhose hatte, einen roten Bikini-Slip aus Satin mit Bändern an der Seite. Ich spürte den vertrauten, dumpfen Schmerz im Unterleib und betrachtete meinen unschön aufgeblähten Bauch. »Danke, Kumpel«, sagte ich zu dem Gott, an den ich nur glaubte, wenn etwas schiefging.

Kitty zuckte schuldbewusst von ihrer Kommode zurück, als ich in ihr Zimmer kam. »Was versteckst du denn da?«, fragte ich.

»Nichts«, log sie. Sie muss sich diese übellaunige Heimlichtuerei, das Geburtstagsgeschenk der Natur an jede Dreizehnjährige, erst noch aneignen. Lügen stehen ihr immer noch in großen Buchstaben ins Gesicht geschrieben. Ich warf ihr meinen strengen »Du hast doch wohl nichts zu verbergen«-Blick zu.

Sie brach sofort zusammen und gestand: »Ich habe mir einen BH gekauft.« Ehrlich, unter Folter wäre sie zu nichts zu gebrauchen.

Er war klein und rosa mit aufgestickten roten Rosen um die Körbchen. Ich betrachtete ihren schmalen Kinderkörper mit der flachen Brust und sah ihr dann ins Gesicht. Ihr kamen die Tränen, und ich nahm sie in den Arm.

»Warum hast du es denn so eilig, Liebes?«, fragte ich.

»Alle haben schon einen, und es ist so ätzend, dass ich so klein bin und überhaupt keinen Busen habe!«

»Ich weiß, Schatz. War bei mir genauso. Mein erster BH war von Lucky Check, die hatten wir damals alle. Sie waren aus Gingan, und es gab sie auch in ganz kleinen Größen. Meiner war lila mit Weiß, Größe 65 A, mit einem kleinen, dreieckigen Loch in der Mitte, durch das man den Daumen stecken konnte, um den BH runterzuziehen.«

Wir haben unsere BHs damals andauernd runtergezogen, einerseits um zu zeigen, dass wir einen hatten, andererseits, damit er nicht bis zum Hals hinaufrutschte, denn wir hatten ja gar keine Brüste, die ihn hätten festhalten können. Die sieben Stadien der Frau: BH, Blutung, Haarentfernung, Sex, Ehe, Kinder und Wechseljahre. Und dann natürlich das achte Stadium, der alte Wichtigtuer, der Tod.

Ich küsste Kitty, sagte ihr, dass sie den BH behalten könne, und brachte sie zur Schule. Wie üblich ignorierten mich die anderen Mütter am Schultor. Langsam glaube ich wirklich, dass irgendein Zauber mich buchstäblich unsichtbar macht, sobald ich einen Fuß aufs Schulgelände setze. Entweder das, oder ich werde wieder zu dem plumpen, unscheinbaren Mädchen auf dem Schulhof, mit dem niemand spielen will. Ich sehe all die anderen Mütter lachen und plappern, sie glucken in Grüppchen zusammen, in die ich einfach nicht mehr hineinpasse, rufen einander zu »Wir sehen uns im Café, wie immer« oder: »Denk dran, Molly kommt heute mit zu euch.« Es ist ein Club, in dem ich nicht Mitglied bin, aber ich habe noch nicht herausbekommen, warum.

»Du weißt doch, wie das ist, manche Leute mag man einfach, andere nicht«, hatte Ruthie einmal gesagt, als wir über die Eltern anderer Kinder sprachen und warum wir uns bei ihnen so fehl am Platze fühlten. Ich nickte. »Na ja, die können uns eben nicht leiden. Keine Ahnung, warum und wieso. Ist aber so.«

»Aber wir sind doch nett!«

»Wir sind schon okay, aber wir sind anders. Wir beschäftigen uns mit anderen Dingen als damit, ob Jimmys Kostüm fertig ist und ob wir der kleinen Sophie nicht doch lieber ein Unterhemd anziehen sollen, wo sie doch schon ein bisschen hustet. Wir sind als Mütter einfach anders.«

»Du meinst unsere wohlmeinende Vernachlässigung gegenüber ihrem Überbetüddeln?«

»Ja, ich glaube, das macht ihnen Angst. Kindererziehung ist eine Art Wettbewerb, und damit sie alles richtig machen, müssen wir ja wohl alles falsch machen.«

Ich wollte aber trotzdem, dass sie mich mochten, und suchte immer wieder verkrampft und kriecherisch nach Möglichkeiten, mich einzubringen. Perverserweise machte ich mir gleichzeitig einen Spaß daraus mitzuzählen, wie viele Mütter mich an einem Tag demonstrativ übersehen konnten. An diesem Morgen war ich so unsichtbar, dass Mollys Mutter mich tatsächlich anrempelte, als sie durch mich durchlaufen wollte. Annas Mutter hatte mich versehentlich kurz angelächelt, aber sie hatte kaum die Spitzen ihrer Mundwinkel angehoben, da riss sie sich zusammen und hielt sie an Ort und Stelle.

Auf dem Nachhauseweg sah ich Sammy mit der Taubenfrau sprechen. Sie saßen nebeneinander draußen auf den Stufen zu ihrer Souterrain-Wohnung, als würden sie sich schon ewig kennen. Sammy schließt schnell neue Freundschaften, oft mit den unwahrscheinlichsten Leuten. Das Geländer war mit farbenfrohen Stofffetzen dekoriert, und sie saß da, wie sie immer saß, die Beine gespreizt, als wolle sie damit etwas sagen, und ließ das erstaunliche Weiß ihrer Unterhose hervorblitzen. Vielleicht hatte ihre Verrücktheit ihr die Flecken eines normalen Frauenlebens erspart? Ihr Bild blieb mir im Kopf wie eine Anklage.

»Dieser Russki Iwan ist irgendwie nicht mein Typ«, sagte BB etwas später am Telefon. »Der ist eher die Sorte Kanake, auf die du früher gestanden hättest. Russisch liegt mir wohl nicht.« Politische Korrektheit lag BB ebenfalls nicht.

»Wieso hast du ihn denn dann mitgebracht? Und was ist überhaupt mit Jeremy, Jeremy, Jeremy?«

»Er war ein paar Tage nicht in der Stadt. Und man muss ja was essen.«

»Dann hast du mit ihm geschlafen?«, fragte ich so lässig wie möglich.

»Mit Iwan? Nee, der ist doch verheiratet.« BB schlief nicht mit verheirateten Männern. Das war ihre einzige Regel, total unlogisch angesichts ihres allgemeinen schlechten Benehmens, aber unter den gegebenen Umständen war ich ihr dafür dankbar. Schließlich ist sie eine Hexe, und Iwan hätte keine andere Möglichkeit gehabt, als mit ihr ins Bett zu gehen, wenn sie das gewollt hätte.

»Ich treffe mich heute Abend mit Jeremy«, sagte sie. »Wir gehen zu einer Filmpremiere. Übrigens, Jessie kommt für ein paar Tage zu euch, könntest du Bea bitten, sie mit Kitty zusammen von der Schule abzuholen? Ich muss los, vielleicht rufe ich Ende der Woche nochmal an.«

»Ich kann's kaum erwarten«, murmelte ich und legte auf.

Eins musste ich noch erledigen, bevor ich mich mit Iwan traf, nämlich: mich für eine Lüge entscheiden. Ich wollte keine Freunde mit hineinziehen – was also sollte ich erzählen, wo ich an einem Montagabend um sechs Uhr hinginge? Ich war im Bad und legte letzte Hand an mein Make-up, als Greg hereinkam. Ich fühlte mich schlank und sexy, wenn auch ein bisschen benommen und schwach vor Hunger.

»Gut siehst du aus, Chloe«, sagte er. Ich warf mich in einer theatralischen Ohnmacht zu Boden.

»Haha, sehr witzig«, sagte Greg. »Siehst du, ich gucke dich wohl noch an.«

Er hob die Klobrille hoch, um zu pinkeln. Ich hatte es so satt gehabt, dass er und Leo immer so schlecht zielten, dass ich eine Zielscheibe an die Rückwand der Toilettenschüssel gemalt hatte; Jungs brauchen nur ein Ziel, dann wollen sie es auch treffen, und so gehörten vollgepinkelte Badezimmer in unserem Haus glücklicherweise der Vergangenheit an. Pipi passati.

Leo quetschte sich herein. »Siehst cool aus, Mum«, schrie der iPodianer mir ins Ohr.

»Rock sehr sexy«, sagte Zuzi und nickte anerkennend, als sie auf dem Weg nach draußen noch schnell einen Blick in den Badezimmerspiegel warf. Bea stand in der Tür und sah sie eifersüchtig an.

»Wo hast du denn die Klamotten her?«, fragte Kitty. »Die sind von Topshop, oder, das hattest du also in der Tüte! Echt, du bist doch kein Teenie mehr. Dad, du wirst sie doch so nicht vor die Tür lassen!«

»Sie sieht doch toll aus«, sagte Greg.

»Wo gehst du denn hin, Mum?«, fragte Kitty argwöhnisch.

Sie setzte sich auf den Badewannenrand und hielt meinen Blick im Spiegel fest.

»Möchte vielleicht noch jemand reinkommen?«, fragte ich, als Janet auf Kittys Schoß sprang. Es wurde langsam voll im Bad.

»Ich gehe mit dem Chefredakteur von *Psychotherapy Today* ein Glas Wein trinken, wir müssen über einen Artikel sprechen. Ich denke, so gegen neun bin ich wieder da.« Na also, es flutschte einfach so aus mir raus, wie eine in Alufolie verpackte Fertiglüge aus der Kiste mit den *Lügen für jede Gelegenheit*. Ich war wohl doch die geborene Betrügerin.

Ich machte noch schnell meine Latein- und Englisch-Hausaufgaben (in Wirklichkeit waren es natürlich nicht meine, hätten es aber gut sein können), erinnerte Bea daran, den Kindern etwas zu essen zu machen, und ging.

Im Übrigen, rechtfertigte ich mich auf dem Weg zur U-Bahn vor mir selbst, *gehe ich ja nur etwas mit ihm trinken. Nur weil eine Frau mit einem Mann etwas trinken geht, geht sie ja noch nicht gleich fremd.*

Raindrop stand an seinem üblichen Platz vor der Station und verkaufte die Obdachlosenzeitung. Sein Alleinstellungsmerkmal war es, beim Verkaufen zu singen: Er schmetterte unmelodisch *Raindrops keep falling on my head*, egal, wie das Wetter war. Und damit war sein Repertoire auch erschöpft. Er zwinkerte mir mit seinen kummervollen braunen Augen zu, als ich mich von meinem schlechten Gewissen loskaufte. *It won't be long till happiness steps up to greet me.* Er schien heute nur für mich zu singen.

Die Potter Lane war eine dunkle, schmale Gasse, die von der Beak Street abging, eine Straße, in der Jack the Ripper sich bestimmt wohl gefühlt hätte. Ich drückte die schwere Eichentür von Nummer 23 auf und befand mich in einem der Privatclubs, von denen es in Soho so viele gibt. Dieser hier hatte eine Art verblichene Eleganz: schiefer Fußboden, abgewetzte Sessel und Regale voller Bücher. Überall hingen gerahmte Cartoons, in

Petersburger Hängung vom Boden bis zur Decke. Erst dachte ich, Iwan sei noch nicht da, und wollte schnell zur Toilette, um einen letzten Blick in den Spiegel zu werfen, aber dann sah ich ihn in einem Ohrensessel vor einem prasselnden Kaminfeuer sitzen. Er stand auf und begrüßte mich, nahm meine Hand, presste sie mit altmodischem Charme an seine Lippen und sah mir dabei tief in die Augen.

»Was für ein hübscher Club. Was ist das hier? Was sind das alles für Cartoons? Kann hier jeder rein, oder muss man Mitglied sein? Ich kenne den Laden gar nicht«, plapperte ich. Iwan legte mir einen Finger auf die Lippen und zog mich auf ein Sofa. Gott, war der Mann sexy. Ich holte tief Luft, um mich wieder zu fassen.

»Ich bin ein bisschen aufgeregt«, sagte ich einfach.

»Ich weiß«, sagte er. »Ich auch.«

Er trug einen sehr gut geschnittenen dunklen Anzug mit einem weißen T-Shirt statt Hemd und Krawatte. Iwan war glattrasiert, und ich bemerkte zum ersten Mal eine kleine Narbe, die seine linke Augenbraue durchbrach. Beim Sprechen strich er sich immer wieder mit der rechten Hand das dunkle Haar zurück. An den Schläfen war es leicht ergraut; eine sehr attraktive Art der Zeit, sich bemerkbar zu machen. Er beugte sich vor, nahm ein kleines Päckchen aus der Aktentasche neben sich und reichte es mir. Es war ein Russisch-Englisches Wörterbuch.

»Für zukünftige Rätsel«, sagte er. Wir gingen dazu über, unsere Lebensgeschichten voreinander auszubreiten, und ich erwischte mich dabei, lauter niedliche, kokette Anekdoten zu erzählen, die mich interessant und entzückend aussehen ließen, wie ein Koch, der dem Gast mit lauter reizenden *amuse-bouches* den Mund wässrig macht.

»Und dann, als ich fünf war«, hörte ich mich sagen, »habe ich geglaubt, ich sei ein uneheliches Kind des Königshauses, das meinen Eltern auf die Türschwelle gelegt wurde, damit sie es großziehen. Nachts lag ich wach und wartete darauf, dass meine richtigen Eltern mich holen kämen.«

119

Iwan war Karikaturist, was auch erklärte, warum wir hier saßen: auf einem weichen Sofa des Londoner Cartoonisten-Clubs. Er hatte seine Frau, Becky, während seines Aufbaustudiums in Leningrad, heute wieder St. Petersburg, kennengelernt. Sie studierte Russisch und war für ein Jahr an seine Uni gekommen. Iwan veröffentlichte damals Karikaturen in dem sowjetischen Satiremagazin *Krokodil*, wurde aber hinausgeworfen, nachdem er eine Karikatur von Breschnew als Hund gezeichnet hatte, der an Margaret Thatchers Leine hing. »Völlig verrückt, so was zu zeichnen, aber ich war so enttäuscht von meinem Land und habe die Lügen nicht mehr geglaubt, die sie uns erzählt haben.«

Um den unvermeidlichen Repressalien zu entgehen, heiratete er Becky schnell und floh.

»Als ich jung war, habe ich nicht zu denen gehört, die immer in den Westen wollten«, erklärte er. »Mir hat jeder, der nicht sowjetischer Staatsbürger war, schrecklich leidgetan. Ich habe wirklich geglaubt, unser Land wäre das beste Land der Welt. Jetzt verstehe ich natürlich, warum sie es uns so schwer gemacht haben, ins Ausland zu reisen; da hätten wir ja sofort gesehen, wie hart unser Leben im Vergleich war und was sie uns für Lügen erzählten.« Heute zeichnete er Karikaturen für die *Times*. Er hatte BB kennengelernt, weil sie ihn gebeten hatte, ihr Buch über Enthaltsamkeit zu illustrieren.

Er nahm meine Hand, seine Haut fühlte sich warm und erregend an.

»Chloe, ich möchte nicht dein ganzes Leben durcheinanderbringen. Deine Kinder gehen noch zur Schule, meine sind schon aus dem Haus.« Das Terrain wurde mit jedem Augenblick gefährlicher, ich rechnete fast damit, dass hinter seinem Kopf in Neonbuchstaben *Danger* aufleuchten würde. Ich nickte und schaute nervös auf die Uhr. Es war halb neun. Wenn ich um neun zu Hause sein wollte, würde ich mich beeilen müssen.

»Wollen wir Ende der Woche zusammen essen gehen?«, schlug Iwan vor und half mir in den Mantel. Ich wollte ihm einen Kuss auf die Wange geben, spürte aber stattdessen seine

120

Lippen auf meinen. Ich verlor mich in seinem Mund, und mein ganzer Körper wurde von seinem erhitzt, wie ein Kaminfeuer einen wärmt, wenn man aus der Kälte kommt. Es war Jahre her, dass ich so empfunden hatte, dass ich so willig war, mich hinzugeben und körperliche Nähe zu erleben, und so überzeugt, jedes Klischee über Liebe und Anziehungskraft beschreibe genau meine Gefühle. Als wir uns voneinander lösten, sah ich mein Verlangen in seinen Augen gespiegelt, und er drückte mir einen Zettel mit den zwar noch nicht verständlichen, aber langsam vertraut werdenden Schnörkeln in die Hand. *Ty mne otschen i otschen nrawischsja. Prichodi ko mne na uschin, w pjatnizuw 8 tschassow, 125 Sankt Peterburg Plays.*

Ich konnte es gar nicht erwarten, in die U-Bahn zu steigen und mein neues Wörterbuch herauszuholen, um die Botschaft zu entziffern, was sich allerdings schnell als hoffnungslos erwies. Ich würde wieder zu meinem Gewährsmann im Wolga gehen müssen. Nun schwebte ich nicht mehr nur in der Nähe eines Abgrunds, meine Zehen hingen schon gefährlich darüber.

And if this ain't love, why does it feel, why, why does it feel so good?, summte ich auf dem Weg zum Bahnsteig. Doch dann schlug meine Laune plötzlich von Hochstimmung in ein flaues Gefühl um. Im Waggon stritt sich ein Pärchen, es klang wie Portugiesisch. Ich verstand sie zwar nicht, aber ihre Körper erzählten die Geschichte verständlich genug. Sie war in der Sitzecke zusammengesunken, ihm abgewandt, und er rückte ihr auf die Pelle, flehte und bettelte um Verzeihung. Sie starrte mit kaltem, unnachgiebigem Blick aus dem Fenster in die Nacht, und ihre körperliche Abwendung von ihm schuf einen Abstand zwischen ihnen, der mit dem stetigen Fahren des Zuges noch zu wachsen schien. Seine Stimme wurde lauter, je länger seine Bitten unerhört blieben, und an der nächsten Haltestelle stieg er aus. Ihr Blick folgte ihm, sie verdrehte den Kopf, als wir weiterfuhren, um einen letzten Blick auf ihn zu erhaschen. Dann schaute sie wieder aus dem dunklen Fenster, und ich sah im

Spiegelbild, wie ihr Tränen über die Wangen liefen. Am Anfang ein Kuss, und am Ende ist Schluss.

Ich dachte daran, wie Greg und ich uns kennengelernt hatten, an einem kalten Novemberabend 1984. Mein Uni-Freund Geoff hatte gerade nach drei glücklichen Jahren mit mir Schluss gemacht, und ich war immer noch in dem Stadium, in dem ich alte Fotos von uns beiden anschauen wollte, mir dabei auf anmutige Weise ein weißes Spitzentaschentuch unter die Augen drücken und mich ansonsten in Selbstmitleid und dem erhöhten Alkoholkonsum suhlen, der so oft mit gebrochenen Herzen einhergeht. In Wirklichkeit litt ich weniger an gebrochenem Herzen als an verletzter Eitelkeit; Geoff war mir schon lange langweilig geworden, aber der Mistkerl hatte es zuerst gesagt und die Beziehung beendet. Meine Freunde konnten das Ammenmärchen über meinen Kummer schon nicht mehr hören, und BB, die gelegentlich mit einem Jazz-Saxophonisten schlief, hatte mich gezwungen, mit ihr ins Ronnie Scott's zu gehen. Ich konnte Jazz nicht leiden, schon gar nicht dieses Freejazz-Zeug, das an dem Abend gespielt wurde und sich anhörte wie ein ganzes Zimmer voller aufgebrachter Fliegen. Ich bahnte mir gerade einen Weg aus dem heißen, verrauchten Raum, als ich Greg bemerkte, der mit einem Glas Bier in der Hand an der Bar stand. Sein Haar war lang und zottelig, und er trug hautenge, schwarze Jeans. Er hatte lange Beine, ein Grübchen in der linken Wange und einen kleinen Knackarsch. Wir fingen an, uns über die Musik hinweg anzuschreien.

»Ich dachte immer, ich wäre ein uneheliches Kind des Königshauses«, rief ich gerade, als eine vorbeikommende Kellnerin uns zum Schweigen brachte.

»Lass uns hier rausgehen«, sagte Greg, nahm meine Hand und führte mich in den Regen hinaus. Wir stellten fest, dass wir beide gern im Regen spazierengingen, und wurden klatschnass, weil wir nur gelegentlich zum Knutschen in einem Hauseingang haltmachten, bis das Bedürfnis nach Privatsphäre uns in seine Wohnung trieb, wo wir die ganze Nacht durchvögelten.

»Ich habe noch nie jemanden so sehr begehrt«, sagte er in

einer kurzen Pause, »aber ich habe immer darauf gewartet, dass es mir mal passiert.«

Er fühlte sich so gut an, und ich legte meinen Kopf auf seine Brust, als sei ich endlich zu Hause. Wir blieben eine Woche lang im Bett, ließen die Vorhänge zugezogen und gingen höchstens mal kurz in die Küche, um etwas zu essen zu holen.

Irgendwann mussten wir leider aufstehen und die Zügel unseres Lebens wieder in die Hand nehmen. Ich war damals im Praktikumsjahr und absolvierte die vorgeschriebene Therapie bei Mr Jolly. *Jolly* bedeutet zwar vergnügt, aber das war er nicht. (Zum ersten Mal war ich ihm in der Pubertät begegnet, als meine Eltern mich zu ihm geschleppt hatten. Es war in dem Jahr, als Grandma Bella starb und ich Panikattacken hatte und hysterisch weinte, wenn mein Vater das Haus verließ. Bei meinem ersten Besuch hatte Mr Jolly mich auf einen kleinen Stuhl vor einen Resopaltisch gesetzt und mir einen Tintenklecks nach dem anderen vorgelegt; ich hatte meine Deutungen, »Schmetterling«, »Monster mit Hörnern«, »Sich küssendes Paar«, danach ausgewählt, für wie verrückt er mich halten sollte. Später malte ich ein Bild vom Mann im Mond. »Ah«, nickte er weise, »Papa Mond geht zu Mama Mond, um Babys zu machen.« Ich weiß noch, dass ich dachte, aber nicht sagte: »Nein, du Idiot, es ist der Mann im Mond. Wenn Mum und Dad ficken wollen, können sie das auch zu Hause tun.« Nach diesem nicht gerade vielversprechenden Anfang war es wie eine Ironie des Schicksals, dass ich ihm Jahre später zugeteilt wurde, als ich die Ausbildung zur Psychotherapeutin machte.)

»Nur weil sich etwas vertraut anfühlt, muss es noch nichts Gutes sein«, sagte er, als Greg und ich frisch verliebt waren. Mr Jolly rollte die Vokale im Mund herum, als genieße er etwas Süßes. Er schaute mich eindringlich über seine kleine Hornbrille hinweg an, und seine auf Hochglanz polierten Schuhe standen akkurat nebeneinander, als sei ihr Standort genau ausgemessen und auf dem Boden markiert. »Mama Schuh und Papa Schuh stehen nebeneinander, um Babys zu machen«, dachte ich gehässig. Ich konnte ihn nicht leiden. *Er* war mir vertraut und definitiv nichts Gutes. Daher ging ich nicht mehr zu ihm, sondern stattdessen zu Mrs Kleinman, die sehr viel besser zu mir passte. Drei Jahre später heirateten Greg und ich.

Als ich aus der U-Bahn-Station kam, lief mir Lou über den Weg. Sie hatte zwei Flaschen Wein dabei, die sie schnell in einer Tasche versteckte, als sie mich sah. Wir hatten nach ihrer Trennung von James zwar bereits telefoniert, aber jetzt sah ich sie zum ersten Mal. Sie hatte sich an die Verhaltensregel für frisch getrennte Frauen gehalten und sich die Haare schneiden und radikal neu stylen lassen.

»Da denkt man, man hat alles, und dann stellt man plötzlich fest, dass man gar nichts hat«, sagte sie, und drehte einen Ring an ihrem kleinen Finger herum. »Es kommt mir vor, als hätte ich alles verloren.«

Ich wusste nicht, wie das mit »allem« war, aber sie hatte auf jeden Fall einige Pfunde verloren. Sie sah sensationell aus – jedenfalls ihre Figur. Ihr Gesicht weniger. Vergesst Atkins, das Effektivste ist immer noch die Trennungsdiät. Schon deswegen war ich versucht, nach Hause zu rennen und Greg aus meinem Leben zu werfen.

»Das Schlimmste ist, dass es alles so ein Klischee ist. Maree sieht sogar so aus wie ich beziehungsweise wie ich vor zwanzig Jahren. Ich wusste gar nicht, dass er jemanden kennengelernt hat. Ich dachte, wir geben uns nur ein bisschen Raum«, fuhr sie fort. Ich nahm sie in den Arm, weil ich nicht wusste, was ich sagen sollte.

»Das wird wieder, Lou«, sagte ich. »Du brauchst nur ein bisschen Zeit. Wer weiß, vielleicht ist das alles nur ein kleiner Ausrutscher.«

»Er ist mit ihr zusammengezogen und hat sich ein Motorrad gekauft. Arschloch. Wir hatten ein gemeinsames Leben, Chloe, es war vielleicht nicht perfekt, aber es war unseres.«

»Wie geht's den Kindern?«

»Sie sind stocksauer«, sagte sie achselzuckend. »Warum musste er alles kaputt machen? Warum konnte er nicht einfach eine kleine Affäre haben und die Klappe halten?«

Ich trennte mich vor dem Haus von ihr, das einmal ihr Zuhause gewesen und jetzt zu ihrem Gefängnis geworden war, das sie in der Vergangenheit gefangenhielt; jedes Buch, jedes Bild, jede Kaffeetasse eine Erinnerung an das Leben mit James, die vier Kinder die lebende Verkörperung dessen, was ihre Liebe geschaffen hatte.

»Es ist einfach so«, sagte Ruthie weise, als ich sie am nächsten Tag auf ein schnelles Mittagessen traf, »dass die Leute immer so ein absurdes Bedürfnis haben zu beichten, als wäre alles wieder in Ordnung, wenn sie ihre Schuld bei jemandem abladen, der sich dann ebenfalls scheiße fühlt. Wenn du untreu sein willst, halt die Klappe und trag die Konsequenzen. Gesteh bloß nicht: *Die Suppe, die du dir einbrockst, musst du schon allein auslöffeln.*«

Wir hatten über Lou und James gesprochen.

»Ist das Regel Nummer zwei?«, fragte ich.

Sie lachte. »Soll ich vielleicht ein kleines Handbuch schreiben? Regel zwei führt direkt zu Regel drei.«

»Die da lautet?«

»Erzähl es niemandem. Es gibt sogar ein jüdisches Sprichwort, das heißt: ›*Dein Freund hat einen Freund; erzähl es ihm nicht.*‹«

»Du zählst aber nicht, oder? Dir irgendwas nicht zu erzählen wäre ja, wie es mir selbst nicht zu erzählen.«

Tatsächlich hatte ich ihr kaum etwas von meinem Treffen mit Iwan erzählt. Ich versuchte, stark zu sein und ihm zu widerstehen. Es war nicht leicht, ich konnte an nichts anderes mehr denken als an ihn, und seine letzte SMS hatte gelautet: *Ich kann es gar nicht erwarten, dich im Arm zu halten.*

Greg hatte gute Laune gehabt, als ich am Abend zuvor nach Hause gekommen war.

»Ich habe sie ausgetrickst«, sagte er und hielt mir einen Brief über Park-Knöllchen unter die Nase. »Vom Stadtrat, die haben keine Ahnung, was sie tun sollen, sie wissen nur, dass das Gesetz auf meiner Seite ist.«

Als wir im Bett lagen, versuchte ich, unser nichtvorhandenes Liebesleben aufs Tapet zu bringen und ein richtiges Gespräch zu führen, statt immer nur so unpersönliche, die eher unter Geschäftspartnern üblich waren. *Hast du mit dem Handwerker gesprochen? Denkst du dran, den Zahnarzt anzurufen?* Aber an seinem ruhiger werdenden Atem merkte ich schnell, dass er eingeschlafen war. »Wahrlich, ich sage euch«, murmelte er, schnarchte einmal laut auf und wurde still.

Neuntes Kapitel

Wolodjas sibirische Pelmeni

2 Tassen Mehl	3 Eier
1 Tasse Milch oder Wasser	500 g gemischtes Gehacktes
½ TL Salz	1 Zwiebel
1 EL Pflanzenöl	Salz, Pfeffer

Hackfleisch mit gehackter Zwiebel, Salz und Pfeffer vermengen. Um die Mischung weicher zu machen, einen Schuss Milch hinzugeben. Beiseitestellen. Mehl mit Eiern und Milch, Salz und Öl zu einem glatten Teig verrühren. Auf einer gemehlten Oberfläche kneten, bis der Teig elastisch ist. Aus etwas Teig eine Wurst formen (knapp 3 cm Durchmesser). In Scheiben schneiden (je knapp 3 cm dick). Jedes Stück ca. 1,5 mm dick ausrollen. Mit einem Glas oder einer Tasse (ca. 5 cm Durchmesser) runde Stücke aus dem Teig ausstechen. Auf jedes Teigstück einen Teelöffel Hackfleisch geben und zu Halbmonden falten. An den Rändern zusammendrücken. Pelmeni können eingefroren und später gekocht oder sofort zubereitet werden. Salzwasser in einem großen Topf zum Kochen bringen und die Pelmeni ins kochende Wasser legen. Zwanzig Minuten unter gelegentlichem Rühren kochen.
Pelmeni mit Butter, saurer Sahne oder Essig servieren.

Mein neuer Freund Wolodja, der Besitzer des Wolga, hatte es aufgegeben, mir das russische Alphabet beibringen zu wollen, und erklärte mir stattdessen, wie man sibirische *Pelmeni* macht. Das waren die mit Rind- und Schweinefleisch gefüllten Wan-Tan-ähnlichen Dinger, die ich bei meinem ersten Besuch im Gefrierschrank gesehen hatte.

»Bei uns zu Hause in Tomsk«, sagte er, »treffen sich alle Frauen am Ende des Sommers und machen Hunderte von Pelmeni. Als ich ein Kind war, hat meine Mutter mich auf einen Stuhl gesetzt, mir ein dampfendes Glas Tee und einen Löffel Marmelade gegeben und mich mir selbst überlassen, während die Frauen gearbeitet haben. Ich saß da und schlürfte meinen Tee und hörte sie tratschen und singen, mit geröteten Gesichtern, wenn sie um die Wette Pelmeni machten. Sie wickelten sie in Papier ein und legten sie in den Schnee; unser gesamter Garten war im Winter eine einzige Tiefkühltruhe. Wenn man Hunger hatte, nahm man sich einfach eine Handvoll, kochte sie in Wasser und aß sie mit saurer Sahne oder Essig. Köstlich. Hier, nehmen Sie welche mit nach Hause und probieren Sie sie.«

Er packte mir ein Paket ein, tat es in eine Tüte und sagte: »Selbstgemacht schmecken sie natürlich noch besser.«

»Lustig, dass jede Kultur ihre Teigtaschen hat«, stellte ich fest.

»Sie spenden Trost und machen satt. Futter für die Seele.«

»Ja, Essen kann schon tröstlich sein«, sagte ich und dachte an Grandma Bella, die mir immer irgendwelche Leckerbissen in den Mund gestopft hatte. »Meine Tochter Kitty nennt das ›Gefühle wegessen‹.«

Ich hatte einen Mordsschrecken bekommen, als ich den Laden betrat und Wolodja mit Bea und Zuzi Tee trinken sah. Die drei saßen um einen kleinen Tisch im hinteren Bereich des Ladens herum und diskutierten in gebrochenem Englisch.

»Ich wusste gar nicht, dass ihr euch kennt«, sagte ich verdattert.

»Wir arbeiten an der Verbesserung der tschechisch-russischen Beziehungen«, sagte Wolodja lächelnd. »Deswegen zanken wir uns über die Bücher, die wir gelesen haben.«

»Das ist unser Leseclub«, erklärte Bea.

»Genau«, sagte Wolodja. »Wir streiten uns gerade über *Anna Karenina*.« Er zeigte mit dem Finger auf Zuzi. »Sie sagt, es geschieht Anna recht zu sterben, weil sie ihren Mann betrogen hat, aber ich glaube, dass Leute vor lauter Leidenschaft ganz hilflos werden können und jeder Liebe nehmen muss, wenn er sie kriegen kann.«

»Ihr Russen, immer so voll mit große Hitze, Leidenschaft hier, Leidenschaft da«, protestierte Zuzi, das hübsche Gesicht vor Wut ganz gerötet. »Leidenschaft tut weh andere Leute!«

»Anna Karenina hat den Fehler gemacht, ihre Liebe zu Wronskij nicht geheimzuhalten. Sie hätte heimlich, still und leise fremdgehen können, ohne jemanden zu verletzen«, mischte ich mich ein.

Wolodja schaute mich wissend an.

»Jedenfalls«, sagte er, »sind wir mit diesem Buch jetzt fertig.« Er nahm ein Buch vom Tisch. »Jetzt lesen wir das hier.«

Doktor Schiwago. Wie passend.

»Aber das haben Sie doch bestimmt alles schon mal gelesen?«, fragte ich. (Als ich achtzehn war, vertiefte ich mich einen ganzen Sommer lang in die russischen Klassiker, weil ich vor pubertärem Verlangen, Antworten auf all die großen Fragen des Lebens zu finden, nur so brannte und außerdem endlich meine Wurzeln kennenlernen wollte. *Doktor Schiwago* war aus naheliegenden Gründen der erste auf meiner Liste gewesen.)

»Nein, habe ich nicht«, sagte Wolodja, »und die beiden tun so, als hätten sie es auch nicht gelesen; sie tun ja auch so, als würden sie kein Russisch verstehen.« Er schaute sie spöttisch an und fügte hinzu: »*Na samom dele, wy wsjo ponimajetje.*«

Bea und Zuzi blickten ihn finster an.

»Was heißt das?«, fragte ich.

»Er sagt: ›In Wirklichkeit ihr versteht alles‹«, sagte Zuzi und merkte erst dann, dass sie seine Behauptung damit bestätigte. Sie schnalzte gereizt mit der Zunge.

»Wirklich, keiner von uns hat *Doktor Schiwago* gelesen«, sagte Bea, »also verraten Sie nicht, was passiert.« Sie nahm Zuzi am Arm, und die beiden gingen. Es war offensichtlich, dass Zuzi sich nicht nur in meinem Haus eingenistet hatte, sondern auch in der Nachbarschaft.

»Haben Sie wieder eine Nachricht zu übersetzen?«, fragte Wolodja, als die beiden weg waren. »Keine Angst«, fügte er angesichts meines besorgten Gesichtsausdrucks hinzu, »ich tratsche nicht.«

»Tut mir leid, dass ich Sie noch einmal bitten muss, Wolodja.«

»Quatsch, wir Russen lieben Verschwörungen.« Er schaute auf Iwans Nachricht und lachte.

»Was steht da?«

»*Ich mag dich wirklich sehr. Abendessen bei mir, Freitag, acht Uhr, 125 St. Petersburgh Place.* Passen Sie bloß auf, Chloe. Russische Männer tun alles, um ihren Willen zu kriegen, vor allem dann, wenn es um Liebe geht.«

»Was er wohl kocht?«, überlegte ich. Dann dämmerte mir, dass es vermutlich weniger ums Essen ging. Wenn ich hinging, würde ich mit ihm schlafen.

In einem Anfall von *Carpe Diem* schickte ich Iwan eine SMS und sagte zu. Es waren nicht mal mehr zwei Tage bis dahin, und so musste ich meine Vorbereitungen irgendwo dazwischenschieben. Erste Station: nachhaltige Haarentfernung bei Absolutely Gorgeous auf der High Street. Im Wartebereich saßen noch vier oder fünf weitere Frauen, alle in meinem Alter. Wir alle kämpften den ehrbaren Kampf um unsere schwindende Schönheit, aber ich überlegte, ob das der einzige Grund war, warum wir hier waren. Ein guter Ehemann hatte sich früher dadurch ausgezeichnet, dass er »einen in Ruhe ließ«, aber was damals ein Kompliment gewesen war, war nun eine Beschwerde, und jetzt blieb uns, die wir nach körperlicher Zuwendung hungerten, nichts anderes übrig, als für Massagen und Gesichtsbehandlungen zu bezahlen, damit uns überhaupt mal jemand anfasste. Dabei wussten wir natürlich ganz genau, was für ein kläglicher Ersatz das für die intime Berührung eines Mannes war, der einen wirklich begehrte und den man ebenfalls begehrte. Wenn Schönheitsbehandlungen nicht mehr reichten, war der nächste Schritt, sich einen Liebhaber zu nehmen.

Meine Kosmetikerin hatte einen starken südafrikanischen Akzent und trug eine enge, weiße Bluse mit dem Namensschild »Jacquee« auf der linken Brust. Sie hatte die irritierende Angewohnheit, »Echt?« zu fragen, egal, was ich sagte.

»Könnten Sie mir auch die Augenbrauen machen?«

»Echt?«

Ich sagte so wenig wie möglich und nickte, als sie mich fragte, ob ich diese Spezialbehandlung meiner Bikinizone wolle, ohne zu wissen, dass das einen »Brazilian« bedeutete. Sie wischte mich flink ab, wie eine Mutter ihr Baby, wenn sie ihm die Windeln wechselt, goss heißes Wachs über meine intimsten Körperteile und riss mir dann nahezu jedes einzelne Haar da unten raus, sodass nur eine schmale Landebahn in der Mitte stehenblieb. »Echt?« Ich war zu entsetzt, um zu schreien, und schickte mich schweigend in ihre weiteren Dienste, Augenbrauen zupfen, Beine wachsen und Ähnliches. Ich fühlte mich wie ein Huhn, gerupft und küchenfertig. Gott sei Dank hatte meine Haut noch ein, zwei Tage Zeit, um von Feuerrot wieder auf das übliche Winterblass runterzukommen.

Ich freute mich darauf, mich ein bisschen hinzulegen, um mich von diesem Trauma zu erholen, aber zu Hause in der Küche fand ich BB und Jessie vor. BB öffnete den Kühlschrank, durchstöberte ihn und setzte sich dann wieder, ohne etwas herausgenommen zu haben. Wir haben alle diesen Drang, in die Kühlschränke der anderen zu gucken; das machen wir schon seit über dreißig Jahren. Anfangs verschlangen wir den jeweiligen Inhalt mit der Unbekümmertheit junger Mädchen, die noch wachsen. Jetzt, wo wir nicht mehr wachsen wollten, genossen wir nur noch stellvertretend mit den Augen.

»Gut siehst du aus«, sagte ich zu Jessie, die ein neues Top trug und weniger gehetzt wirkte als sonst.

»Ach, sie, guck mich erst mal an«, sagte BB und drängte Jessie zur Seite, um sich selbst in mein Blickfeld zu schieben. »Sehe ich nicht toll aus? Ich habe mir das Fett aus dem Po absaugen und es in Lippen und Wangen einspritzen lassen.«

Ihr Mund war zu einem künstlichen O aufgeworfen. Er sah aus wie ein Mund, der nur dann glücklich ist, wenn er einen großen Penis zwischen den Lippen hat. Aber das war wahrscheinlich genau das, was sie wollte, jetzt wo sie mit Jeremy wieder im Sattel war.

»Mmm, sehr schön«, sagte ich pflichtschuldig. »Aber musst du nach dem Fettabsaugen nicht erst mal enthaltsam sein?«

»Nein, nein«, sagte sie, »die Medizin ist heute schon sehr weit, ich habe nur zwei kleine Einschnitte, einen an jeder Pobacke, die kann ich leicht mit Schnellfickerhöschen verdecken, die sind im Schritt offen.«

Hätte ich doch gar nicht erst gefragt.

»Ich gehe dann mal in mein Zimmer«, sagte Jessie hastig. »Ich meine, nach oben.« Aber wir hätten das Gästezimmer ebenso gut *Jessies Zimmer* nennen können. In der letzten Woche hatte sie die meisten Nächte hier verbracht, und jedes Mal, wenn sie kam, packte sie erst mal ihre Tasche aus, sodass Regale und Schubladen nun mit ihren Sachen gefüllt waren. Ein paar Tage zuvor hatte ich sie und Sammy auf dem Bett sitzend erwischt, über eine Farbtafel gebeugt, weil er ihr angeboten hatte, ihr das Zimmer neu zu streichen. Sie hatten nicht daran gedacht zu fragen, ob sie das dürften, und mir war auch erst später in den Sinn gekommen, dass sie das hätten tun sollen. Wie konnte ich von anderen erwarten, dass sie meine Grenzen akzeptierten, wenn ich sie nicht einmal selbst wahrnahm?

BB schwadronierte weiter über Zelltherapie, irgendein neues Verfahren, bei dem die eigenen Zellen im Labor vermehrt werden und man sie wieder eingespritzt bekommt, und das soll einem dann den Glanz der Jugend zurückbringen.

»Du musst echt mal zu Rasa Rastumfari gehen«, sagte sie jetzt. »Weißt du was, ich schenke dir eine Behandlung bei ihm zum Geburtstag. Er kommt aus Afghanistan und hat eine Warteliste von zwei Jahren.«

»Und der soll mir das Fett im Körper herumschieben?« Ich heuchelte Interesse.

»Er ist der weltweit führende Experte für Darmspülungen. Echt der beste. Wenn man bei ihm war, ist man hinterher von außen und innen blitzblank. Da ist es geradezu ein Verbrechen, keinen Analsex zu haben.«

»Klingt wie ein guter Grund, gar nicht erst hinzugehen«, sagte ich. »Übrigens war Analverkehr bis 1967 tatsächlich strafbar.«

»Du bist ja so was von prüde«, sagte sie. Plötzlich waren ihre Augen von schwärmerischer Erinnerung umflort. »Heute Nacht, als Jeremy gerade in mich eindringen wollte, da …« Ich steckte mir die Finger in die Ohren und sang lauthals, um die Details nicht hören zu müssen. BB schlug mich mit der *Celebrity Today*, die sie schlauerweise so gefaltet hatte, dass ich das ganzseitige Bild von ihr sehen musste.

»Du siehst irgendwie anders aus, Chloe. Was hast du gemacht?« Sie taxierte mich gründlich.

Ich wurde rot; selbst BB hatte das Leuchten des bevorstehenden Seitensprungs bemerkt, das mich erfüllte. Aber es dauerte glücklicherweise nicht lange, bis sie das Gespräch wieder auf sich selbst gelenkt hatte.

In der Nacht konnte ich kaum schlafen; die Aufregung des Kindes vor Weihnachten vermischte sich mit den Sorgen der Erwachsenen, bevor sie unrecht tun. Ich lag da neben dem unruhig schlafenden Greg und hatte in einer Endlosschleife meine eigene Version von *Anatevka* im Kopf:

Wenn ich einmal fremdgeh
O je widi widi widi widi widi widi bum …

Und natürlich brach nach einigen Stunden der Tag an. Ich schloss mich im Badezimmer ein und inspizierte meine Bikinizone. Die Rötung war weitgehend abgeklungen, und ich sah mehr oder weniger normal aus, wenn auch ein bisschen kahl. Glücklicherweise interessierte mein Mann sich nicht weiter für meinen nackten Körper; ein aufmerksamerer Mann hätte sich vielleicht gefragt, was ich vorhabe. Ich betrachtete kritisch mein Gesicht und schraubte eine Dose Augencreme auf (die ungefähr ihr Gewicht in Gold gekostet hatte). Der Deckel glitt mir aus den Fingern und fiel zu Boden. Ich kroch auf allen vieren herum und fand Verschiedenes unter einem kleinen Schränkchen: eine einzelne Socke, drei Kugelschreiber, zwei Staubmäuse, einen Knopf und … eine Tube GreyAway, zum Überdecken grauer Haare. Das Retro-Design im Stil der Fünfziger zeigte eine Frau mit rotem Lippenstift, die bewundernd zu einem Mann mit glänzendem, schwarzem Haar aufschaut.

Frischen Sie Ihre natürliche Haarfarbe mit GreyAway *auf und werden Sie wieder jung! Die Rezeptur mit Melanin-Ersatzstoffen schenkt Ihnen auf denkbar einfache Weise Ihre Jugend zurück: keine Handschuhe, keine Tönung, kein Problem. Schlagen Sie der Zeit ein Schnippchen und fühlen Sie sich wieder jung und Herr Ihrer selbst!*

Ich hatte Gregs Geheimnis entdeckt. Anscheinend war ich nicht die Einzige, die die Midlife-Crisis hatte. Wer hätte das gedacht, dass mein sachlicher Mann Angst vor dem Grauwerden hatte? War Melanin die Quelle seiner Potenz und seiner Leidenschaft, wie das Haar auch Samsons Kraftquelle gewesen war? Lag der Verlust seines Begehrens im Verlust von Melanin begründet? Ich legte die Tube wieder dahin zurück, wo ich sie gefunden hatte.

Später, als Greg in seinen neuen, knallroten Schuhen schon fast zur Tür hinaus war, sagte ich ihm, ich hätte abends eine

Konferenz im Royal College of Psychotherapists. Die Lüge kam mir so sanft und flüssig über die Lippen, wie Honig von einem Löffel tropft. »Wird bestimmt spät«, fügte ich noch hinzu, ganz beeindruckt von meiner Durchtriebenheit.

Fuchteufels-Frank brachte eine Schachtel Korrespondenz mit den Gaswerken mit, um sich dafür zu rechtfertigen, dass er dem Gasmann am Vortag eine reingehauen hatte. Es war eine komplizierte, aber irgendwie vertraute Geschichte von vereinbarten und nicht eingehaltenen Terminen und zu viel bezahlten und nicht zurückerstatteten Gebühren.

»Das war einfach unerträglich. Da hätte jeder andere genauso reagiert«, sagte er.

Ihm stand eine Anzeige wegen versuchter Körperverletzung bevor, und das machte ihn nur noch wütender.

Gentleman Joe war den Großteil der Sitzung über in Tränen aufgelöst. »Ich möchte doch nur mit einer netten Frau zusammensein und Kinder haben«, sagte er, »ist das denn zu viel verlangt?« Er tat mir so leid, dass ich kurz davor war, ihn mit einer alleinstehenden Freundin zu verkuppeln, die die letzten zwanzig Jahre erfolglos mit der Suche nach Mr Right verbracht hatte. Ich merkte vorsichtig an, dass es vielleicht nicht sehr geschickt sei, diese Bedürftigkeit allzu deutlich vor sich herzutragen; potenzielle Partner riechen den schweren Duft der Verzweiflung und nehmen Reißaus wie vor einem Stinktier.

Ich wollte mich gerade fertigmachen, als Dad anrief und mir erzählte, dass ihm zu Ehren eine Gala in der Royal Albert Hall stattfinden würde.

»Das ist ja großartig, Dad, ich bin so stolz auf dich!«

»Das machen sie bestimmt, weil sie denken, ich kippe demnächst tot um«, sagte er munter. Ich sah mich ängstlich nach etwas Hölzernem um, auf das ich klopfen konnte; ich fand nichts und klopfte mir stattdessen an den Kopf. Ich konnte es nicht leiden, wenn Dad über seinen Tod scherzte.

135

»Helga kommt auch. Vielleicht könnt ihr euch bei der Gelegenheit ein bisschen kennenlernen?«

»Das wäre toll, Dad. Ich kann's gar nicht fassen, dass du sie so lange geheimgehalten hast.«

»Und was ist mit dem Russen?«, konterte er.

»Nichts«, log ich.

»Ha, erzähl mir doch nichts. Shakespeare zufolge bin ich ein weiser Vater.«

»Was meinst du?«

»Er hat geschrieben ›Das ist ein weiser Vater, der sein eignes Kind kennt‹.«

Anstelle einer Antwort sang ich meine Version von *Anatevka*.

Ich hatte mich für Jeans entschieden. Es sollte ja nicht so aussehen, als würde ich mir zu viel Mühe geben. Dass ich die Jeans extra gekauft und dafür schockierende hundertfünfzig Pfund bezahlt hatte, tat dabei nichts zur Sache. Mit der Rechnung von der Kosmetikerin und den ganzen neuen Klamotten wurde dieser Seitensprung langsam zu einer teuren Angelegenheit. Und dabei *war* ich noch nicht einmal fremdgegangen. So gesehen wäre es jetzt Verschwendung gewesen, es bleibenzulassen, aber ich kämpfte immer noch mit meinem Gewissen. Sollte ich oder sollte ich nicht? Ich hatte versucht, Schnick-Schnack-Schnuck mit mir selbst zu spielen, aber schnell festgestellt, dass die rechte Hand sehr wohl weiß, was die linke vorhat, ob sie als Stein, Schere oder Papier anfängt. (Greg und ich spielten es immer fünfmal; wenn es um etwas Großes ging einundzwanzigmal. So trafen wir große und kleine Entscheidungen, und wir hatten schon Jahre zuvor einen Vertrag unterzeichnet, dass das Ergebnis von Schnick-Schnack-Schnuck niemals, unter keinen Umständen, angefochten werden durfte. So war es gekommen, dass wir in Queen's Park wohnten, zwei Kinder hatten und sogar dass Greg einmal eine Woche lang mit einem halben Schnäuzer herumlief.)

Kitty war zum Tee bei einer Freundin, daher kam ich ohne ihren prüfenden Blick aus dem Haus. Allerdings saß Sammy auf der Mauer vor dem Haus, betrachtete den Nachthimmel und sah mich ins Auto steigen. Er pfiff anerkennend. Der St. Petersburgh Place geht von der Moscow Road in Bayswater ab. Ich fand es ganz clever, dass Iwan gewissermaßen eine Möglichkeit gefunden hatte, weiterhin in Russland zu wohnen, war aber nicht sicher, ob ich in der London-Straße in Moskau wohnen wollen würde, falls es eine gab. Andererseits habe ich mich immer staatenlos gefühlt; zu Hause war immer da, wo ich gerade war. Ich stellte fest, dass die ehemalige russisch-orthodoxe Kirche in der Moscow Road von den Griechen zur griechisch-orthodoxen Kirche umfunktioniert worden war. Es war wie in Byzanz; hätte nur noch gefehlt, dass sie die Straße in Athens Street umbenannt hätten.

Gar zu schnell stand ich vor Iwans grüner Tür. Ich bekam kaum Luft, mein Herz hämmerte, und mir wurde speiübel. Wenn man sich vorher schon so schlecht fühlte, konnte dann etwas Gutes dabei herauskommen? Ich rannte die paar Stufen zur Straße wieder hinunter, schnorrte eine Zigarette von einem Passanten und ging rauchend vor Iwans Haus auf und ab. Ich hatte aufgehört zu rauchen, als ich mit Kitty schwanger war, und die ungewohnte Nikotinzufuhr stieg mir schnurstracks in den Kopf. Es fühlte sich an wie nach langer Zeit einen alten Freund wiederzusehen, aber nach ein paar Zügen fiel mir wieder ein, dass dieser Freund falsch gewesen war. Ich zertrat die Kippe auf dem Gehweg und musste mir dann einen Kiosk suchen, um Pfefferminzbonbons zu kaufen. Was für ein würdeloser Rückfall.

Mein Handy klingelte. Es war Kitty; sie war gerade nach Hause gekommen.

»Mir geht's nicht gut, Mum«, sagte sie, plötzlich wieder wie ein kleines Kind. »Ich habe Kopfschmerzen, und mir ist schlecht.«

»Tut dir der Nacken weh? Was ist mit deinen Augen, wenn

du ins Licht guckst? Hast du irgendwo rote Flecken?« Das Gespenst Hirnhautentzündung, das still und heimlich Menschenleben forderte wie ein professioneller Killer, lag auf der Lauer.

»Nein, das geht alles. Aber ich habe Bauchschmerzen. Wann kommst du nach Hause?«

»Erst spät. Wo ist denn Daddy? Gib ihn mir mal, dann kümmert er sich um dich.«

Greg versprach, sich liebevoll um sie zu kümmern; mit anderen Worten, sie wie eine Tochter zu behandeln, nicht wie eine Patientin.

Wieder erhob sich die grüne Tür zwischen mir und meiner Zukunft. Ich klingelte. Iwan öffnete im Bademantel: Seide, Paisley-Muster, die Sorte, die man bei Harrods sieht und an echten Gentlemen vermutet, wenn sie beim Frühstück, das ihnen der Butler gebracht hat, die Zeitung lesen. Ich bemerkte, dass er wunderschöne Füße hatte, nicht so wie Gregs komische Hacksen. Ich zog meine Jacke fester um mich und war schockiert, dass er mich so überfiel. Hätte er den Abend nicht wenigstens angezogen beginnen können? Wir wussten beide, worum es hier ging, aber es wäre doch ein bisschen höflicher gewesen, so zu tun, als wäre das Ergebnis unseres Treffens nicht schon längst entschieden, bevor es überhaupt angefangen hatte. Ich drehte mich um und rannte. Und hörte seine Stimme hinter mir.

»Warte, Chloe!« Und dann seine Schritte, als er barfuß hinter mir herlief. »Warum läufst du denn weg?«

»Bademantel«, sagte ich.

»Und? Bin ich abgehauen, als du mir im Handtuch die Tür aufgemacht hast?« Er hüpfte auf und ab, weil die Gehwegplatten so kalt waren.

»Das war was anderes, ich habe nicht mit dir gerechnet.«

»Es tut mir leid. Ich bin nach dem Baden eingeschlafen. Ich wollte dich natürlich angezogen begrüßen. Jetzt komm bitte mit rein, setz dich und trink was, und ich ziehe mir derweil was an.«

Ich folgte ihm demütig ins Haus. Er führte mich in ein Wohnzimmer mit hoher Decke, wo eine Flasche Wodka in einem Eiskühler parat stand. An einer Wand hing ein großer persischer Teppich, an den anderen standen Bücherregale oder hingen Iwans Cartoons. Die schweren, mitternachtsblauen Samtvorhänge waren zugezogen, und im Kamin prasselte ein Feuer. Das ganze Zimmer war auf Verführung eingerichtet.

»Du machst das öfter«, beschuldigte ich ihn.

»Ich bin neunundvierzig, Chloe. Es mag dich schockieren, aber ich bin keine Jungfrau mehr.«

»Hau ab, geh dich anziehen.« Ich scheuchte ihn fort, als er mich an sich ziehen wollte. Als er weg war, fühlte ich mich einsam und wünschte mir, ich hätte es nicht getan. Ich ging im Zimmer umher, nahm Dinge in die Hand und stellte sie wieder ab, wie ein Hund, der sich erst ein paar Mal um seine eigene Achse drehen muss, bevor er sich hinlegen kann. Ich hatte nicht damit gerechnet, mich besonders für Becky zu interessieren. Ihre Hauptaufgabe war es, einfach zu existieren, damit Regel eins eingehalten wurde. Jetzt überwältigte mich das Bedürfnis, alles über sie zu erfahren. War sie dünner als ich, hübscher, größer oder kleiner, älter oder jünger? Ein paar Antworten fand ich auf einem Foto auf dem Kaminsims. Ich vermied es, die beiden Teenager auf dem Bild anzusehen, und konzentrierte mich auf die kleine Frau, die mich aus dem Bild anstarrte. Sie schien eine der Frauen zu sein, deren gutes Aussehen nur ein flüchtiges Geschenk der Jugend ist; mit den Jahren war ihre Blüte verblasst und hatte eine unscheinbare Frau hinterlassen, die irgendwie etwas Enttäuschtes hatte. Braune Haare, braune Augen, nicht weiter bemerkenswerte Figur. Neben ihr stand ein etwas jüngerer Iwan. Und im Gegensatz zu ihr war er heute noch attraktiver als damals, wie es bei Männern manchmal eben ist. Seine Falten machten sein Gesicht interessant und verliehen ihm diesen sexy verlebten Ausdruck, den ich so unwiderstehlich fand.

Ich spürte seine Hände auf meinen Schultern, und er drehte mich zu sich um. Sein Aufzug war immer noch eindeutig provisorisch: steinfarbene Chinos, ein T-Shirt mit Bob Dylan vorne drauf und keine Schuhe. Er reichte mir ein Schnapsglas mit eisigem Wodka und erhob sein eigenes Glas.

»Lass uns auf die russische Art trinken. Der erste Toast geht auf *snakomstwo*, auf die Bekanntschaft, in unserem Fall darauf, dass wir uns besser kennenlernen.« Er sah mir so tief in die Augen, dass ich das Gefühl hatte, er berühre meinen nackten Körper. »Hier«, sagte er und reichte mir ein Stück Schwarzbrot.

»Erst trinkt man den Wodka, und dann riecht man einmal kräftig an dem Brot und isst es.« Der scharfe Geruch milderte das Brennen des Wodkas und erfüllte mich mit einer fröhlichen Wärme. Iwan ließ sich das Brot aus Moskau schicken. »Man kriegt es hier auch, aber sie kriegen nie den richtigen Geschmack und die Konsistenz hin.« Wir setzten uns aufs Sofa vor dem Kamin.

»Als Zweites trinken wir auf *sa krassiwych schenschtschin*, auf die schönen Frauen, und besonders auf eine. Auf dich.«

Er strich mir das Haar aus dem Gesicht und schaute mich so an, dass ich rot wurde wie ein Schulmädchen kurz vor dem ersten Kuss. Ich roch etwas Köstliches: Er hatte eindeutig Abendessen gekocht, aber wir würden es ebenso eindeutig nicht essen. Wir waren dazu bestimmt, uns aneinander gütlich zu tun.

Er berührte mich; seine Finger strichen zart die Kontur meiner Wange nach und blieben dann auf meinen Lippen liegen, als wollten sie mir sanft sagen, dass ich still sein sollte. Er strich mir über den Mund und hob mein Kinn an, beugte sich über mich und küsste mich. Ich atmete ihn ein, den erregenden und ungewohnten Duft eines Mannes, dessen Körper ich noch nicht kannte. Ich hatte Herzklopfen vor Schuldgefühlen, schlechtem Gewissen und Erregung. Gott, was roch er gut; nach Moschus und verbotener männlicher Frucht. Seine Lippen waren weich, und er küsste wunderbar. (Schlechte Küsser, hatte ich festgestellt,

140

waren meist auch schlechte Liebhaber. In meiner verdorbenen Jugend war ich den Weg von schlechten Küssen zu schlechtem Sex aus Höflichkeit allzu oft bis zu Ende gegangen. Denn wenn man es sich nach dem Küssen anders überlegte, konnte man das schlimmste Etikett von allen angehängt bekommen: verklemmt.) Mein ganzer Körper ging in diesem Kuss auf, wölbte sich Iwan entgegen und wollte ihm so nah wie möglich sein. Ich wollte mich in ihm vergraben. Ich liebe es, wenn Männer wissen, wie man eine Frau auszieht. Keine unbeholfenen Ellbogen im Gesicht oder Haare in Reißverschlüssen und Knöpfen. Iwan streifte mir in Windeseile die Kleider vom Leib. Zum ersten Mal seit siebzehn Jahren sah ich mich splitterfasernackt vor einem Mann, mit dem ich nicht verheiratet war. Dann entfernte er den gesamten Schmuck, den ich täglich als Teil meiner Rüstung anlegte: Ringe, Armreifen, Uhr, Ohrringe, selbst das kleine Halskettchen; alles musste runter.

»Schmuck ist ein Zeichen für die Ketten der anderen Männer, die du gekannt hast«, sagte er, »und ich will dich für mich allein, ohne deine Vergangenheit.«

»Woher weißt du, dass ich das nicht selbst gekauft habe?«

»Hast du?«

»Nein.«

Ich war zu befangen, um ihm in die Augen zu sehen, als ich ihn auszog. Mit zitternden Fingern knöpfte ich ihm die Hose auf, und als ich seine warme Haut spürte, übermannte mich die Leidenschaft. Er neigte den Kopf über meine Brust, und ich war verloren, ließ mich ganz in meine Gefühle fallen. Unsere Körper verschlangen sich ineinander, meine weiche Haut rieb sich an seiner haarigen, harten. Sein Mund wanderte an meinem Körper hinunter. Endlich schwiegen all die aufgeregten, lärmenden Stimmen in meinem Kopf, als ich mich ganz meinen Empfindungen hingab. Ich existierte nur noch in diesem Moment, küsste und wurde geküsst, flüsterte, berührte und entdeckte das neue Terrain mit meinen Händen, meiner Haut und meinem Mund. Er lachte laut auf, als er kam, und ich schlang meine Beine fester um seine Taille, weil ich ihn für immer in mir behalten wollte.

Danach lagen wir eng umschlungen beieinander in diesem faul-zufriedenen Nachglühen, das ich so lange nicht mehr erlebt hatte.

»Du bist genauso, wie ich mir dich vorgestellt hatte«, sagte Iwan. Er schälte mit einem kleinen Messerchen akribisch einen Apfel und fütterte mich scheibchenweise. Das Messer hatte einen Elfenbeingriff und erinnerte mich an das, mit dem Grandma Bella immer Schmalzbrote geschmiert hatte. (Er hatte vergessen, den Ofen auszuschalten, und das Abendessen war schon Stunden zuvor verbrannt.)

»Was meinst du?«

»Weich, seidig und sexy. Ich möchte die ganze Nacht mit dir schlafen.«

Irgendwann mussten wir eingenickt sein, aber glücklicherweise weckte mich nicht die Sonne, sondern die ohrenbetäubende Sirene und das Blaulicht eines Polizeiwagens. Es war zwei Uhr. Iwan lag neben mir und schlief. Das Feuer war bis auf ein paar glimmende Reste beinahe erloschen; die noch flackernden Überreste der erlebten Leidenschaft.

»Leidenschaft und Leiden haben auch im Russischen die gleiche Wurzel«, hatte Iwan mir zuvor erzählt.

Ich hoffte, dass eins nicht notwendigerweise auf das andere folgte, aber wenn ich nicht bald nach Hause ginge, würde einiges Leid bevorstehen. Ich suchte meine Kleider zusammen, hinterließ einen sanften Kuss auf Iwans Schulter und schlich mich in die Nacht hinaus.

Ich fühlte mich sehr sinnlich, war ganz erfüllt davon, jemanden berührt zu haben und berührt worden zu sein. Die körperliche Intimität mit Iwan hatte etwas in mir geöffnet und mich verletzlich gemacht. Plötzlich wurde mir bewusst, wie lange ich mich selbst unter Verschluss gehalten und im eigenen Saft geschmort hatte; mein Körper war nur der Behälter für mein Gehirn gewesen. Und ich merkte, wie sehr mich Gregs körperliche

Missachtung verletzte. »Kein Wunder, dass ich im Bett eines anderen gelandet bin«, dachte ich, um mich vor mir selbst zu rechtfertigen. Es war so viel einfacher und weniger schmerzhaft, die Schuld jemand anderem zuzuweisen. Ich eilte zum Auto, stieg ein und fuhr schnell nach Hause.

Unterwegs überlegte ich mir Ausreden dafür, dass ich so spät kam. Ich hatte eine alte Freundin getroffen, und wir waren noch zu ihr gegangen; hatten uns verquatscht und die Zeit vergessen. Würde das gehen? Als ich bei der Taubenfrau vorbeifuhr, sah ich sie aus dem Fenster schauen; ihr weißes Gesicht und das lange, graue Haar wurden von einer Lampe erleuchtet. Sie schien den Kopf zu schütteln, drehte sich um und verschwand aus meinem Gesichtsfeld. Ich kam mir vor wie ihr unartiges Kind, das zu spät nach Hause kam, und sie, meine Mutter, wartete voller Sorge. Mein eigenes Haus war dunkel, es schlief. Meine Untreue hatte mich verändert, ich fühlte mich wie eine Fremde, als hätte ich meinen Platz in diesem Haus verwirkt, das von der Vortäuschung einer glücklichen Familie warm gehalten wurde. Sammy saß reglos im Schneidersitz auf dem Wohnzimmerboden und meditierte mit geschlossenen Augen, sein Atem ging tief und gleichmäßig. Ich setzte mich ihm gegenüber und beobachtete ihn. Er öffnete langsam die Augen und sah mich an, ohne etwas zu sagen. Nach einer Weile stand er schweigend auf, nahm mich bei der Hand und führte mich in die Küche.

»Wo warst du, Chloe?«

Ich fing mit der Konferenz und der »Alte Freundin getroffen«-Geschichte an, aber das nahm er mir nicht ab. Er schüttelte den Kopf. »Siehst du, deswegen habe ich nie geheiratet. Ich glaube einfach nicht daran, dass der Mensch monogam leben kann. Jedenfalls nicht in unserer Gesellschaft, das ist das Gesetz des hundertsten Affen.«

»Wie bitte?«

»Na ja, du weißt ja, dass der menschliche Körper aus einzelnen Zellen besteht.« Ich nickte. »Und jeder von uns ist außerdem eine Zelle der gesamten Menschheit. Und deswegen hat alles, was einer von uns denkt oder tut, Auswirkungen auf die Gesamtheit. Das kennst du doch, Chloe, Jung nennt es das kollektive Unbewusste, eine ›Einheit‹, zu der wir alle gehören.«

»Ja, aber ich verstehe immer noch nicht, was das mit Affen oder mit Monogamie zu tun hat.«

»Das Gesetz des hundertsten Affen ist ein spontaner Sprung im kollektiven Unbewussten, der stattfindet, wenn eine kritische Masse erreicht wird.«

»Und das heißt?«

Sammy kreuzte die Beine unter seinem Stuhl und beugte sich verschwörerisch zu mir, sein Geschichtenerzählergesicht war dicht vor meinem.

»In den fünfziger Jahren gab es auf einer Insel vor Japan eine Affenkolonie. Sie aßen gern Süßkartoffeln, mochten aber den Sand nicht. Und dann fand ein Affe heraus, dass sie viel besser schmeckten, wenn man sie vorher wusch. Es dauerte nicht lange, da wuschen alle Affen auf dieser Insel ihre Süßkartoffeln. Etwas später fingen andere Affen auf anderen Inseln überall auf der Welt, die überhaupt keinen Kontakt zu den ersten kartoffelwaschenden Affen hatten, auch damit an. Die Theorie lautet, dass mit dem hundertsten Affen auf der ersten Insel, der seine Kartoffeln vor dem Fressen wusch, eine kritische Masse erreicht war, die sich auf das kollektive Unbewusste der Affen auf der ganzen Welt auswirkte. Genauso hält niemand mehr sein Eheversprechen. Ich glaube, sobald das hundertste Paar es gebrochen und mit anderen geschlafen hat, wurde es unvermeidlich, dass alle anderen das auch tun.«

»Himmel, was für eine Theorie.«

»Jedenfalls sieht man daran, dass es wichtig ist, was jeder Einzelne tut, denn es kann das Verhalten von jedem auf der ganzen Welt beeinflussen. Gandhi hat gesagt: ›Sei selbst die Veränderung, die du in der Welt sehen willst.‹ Ich möchte nicht heiraten, weil ich nicht sicher bin, dass ich in der Lage wäre, mein Eheversprechen zu halten.«

»Der Witz ist doch, dass du, wenn du verheiratet und treu wärst und andere deinem Beispiel folgen würden, die Entwicklung umkehren könntest. Das könnte das Gesetz des hundertsten Sammy werden.«

»Sari«, korrigierte er mich. Er schüttelte den Kopf. »Die Entwicklung scheint im Moment zu stark zu sein. Guck dich doch nur mal an.«

Ich wurde rot und schämte mich, dass mein Vergehen für ihn so offensichtlich war.

»Gandhi hat auch gesagt: ›Lebe jeden Tag, als wäre es dein letzter‹«, verteidigte ich mich.

»Aber du suchst etwas bei jemand anderem, das du nur in dir selbst finden kannst.«

Erst Ruthie, dann Dad und jetzt auch noch Sammy; anscheinend waren alle gleichzeitig Philosophen und Psychotherapeuten.

»Kann man nicht einfach mal ein bisschen Spaß haben?«, jammerte ich.

»Es betrifft noch andere, Chloe, nicht nur dich.«

Da hatte er natürlich recht. Das war das Problem am Erwachsenwerden, Heiraten und Kinderkriegen. Man hatte die Verantwortung für alles Mögliche, und nichts von dem, was man tat, betraf nur einen selbst. Man brauchte keine hundert Affen, es reichte völlig aus, selbst herumzuaffen, um einen ordentlichen Schaden anzurichten. Noch seltsamer war es, dass dieses Wissen mich nicht davon abhielt. Ich hatte das Gefühl, lange genug brav und verantwortungsbewusst gewesen zu sein, und konnte es gar nicht erwarten, Iwan wiederzusehen. Ich schälte mir eine Banane und aß sie demonstrativ. Sammy lachte.

»Egal, was du tust, ich hab dich lieb«, sagte er.

»Ich weiß. Ich auch. Also, dich, meine ich.«

Sammy schnitzte mit einem Messer an einem kleinen Stück Holz herum. Sein Tipi war voll mit seltsamen Tieren, die er aus Treibholz machte.

»Und wenn du wirklich glücklich verheiratet bist?«, sagte er plötzlich.

»Was meinst du?«

»Kann doch sein, dass das hier eine glückliche Ehe ist.« Er streckte die Arme in einer Geste aus, die die Küche, das Haus, mein Leben umfasste. »Weißt du, du suchst etwas Besseres, bist unzufrieden mit deinem Leben, dabei hast du genau das, wonach die meisten Leute suchen.«

Ich zuckte die Achseln. »Glück liegt im Auge – und im Herzen – des Betrachters. Es ist so subjektiv.«

»Auch wieder wahr«, sagte er und schaute mich von oben bis unten an. »Aber weißt du was, objektiv betrachtet sehe ich dir an, dass es toller Sex gewesen sein muss.«

»War es auch. Sensationell.«

Er ging hinaus in den Garten zu seinem Zelt und war bald in der Dunkelheit verschwunden. Ich hätte mich gern zu ihm gesellt, aber die Novemberluft hielt mich davon ab. Stattdessen duschte ich so leise wie möglich in der Dusche im Keller, um mich von der Sünde reinzuwaschen, bevor ich hinaufging und wie eine Schlange ins Ehebett glitt. Wohin würde das alles führen? In diesem Moment war ich einfach zu glücklich, um mich darum zu sorgen.

Zehntes Kapitel

Beas Halupki (Kohlrouladen)

1 Kopf Kohl
1 ¼ Pfund Gehacktes vom
Rind oder Lamm
Salz und Pfeffer
1 Ei
1 TL Petersilie
½ Tasse gehackte Zwiebeln

1 Knoblauchzehe, gehackt
½ Tasse gekochten Reis
2 Dosen gehackte Tomaten
1 EL Zucker
1 EL Essig
1 ¾ Tassen Wasser

Den ganzen Kohlkopf 10–15 Minuten kochen.

Blätter vorsichtig vom Kopf lösen. Fleisch, Salz und Pfeffer, Ei, Petersilie, Knoblauch, Zwiebeln und Reis miteinander vermengen.
Fleischmischung zu Kugeln rollen und in Kohlblättern zu Päckchen verpacken.

Den Boden einer Bratpfanne mit Kohlblättern auslegen. Rouladen darauflegen, die Enden nach unten geschlagen.

Gehackte Tomaten, Zucker, Essig und Wasser vermischen. Über die Kohlrouladen geben und zugedeckt bei mittlerer Hitze 1 ½ Stunden schmoren lassen.

Ergibt 4–6 Portionen.

Himmel, fühlte ich mich am nächsten Tag großartig! Nicht einmal das schlechte Gewissen konnte mir das wunderbare Gefühl verderben, einen Körper zu bewohnen, der kurz zuvor der Lust gedient hatte. Diese Beine, Arme, Lippen und Hände; sie hatten das getan, wozu sie gemacht waren. Endlich, schienen sie zu sagen, ist dir wieder eingefallen, wofür wir da sind. Zum ersten Mal seit einer Ewigkeit hatte ich das Gefühl, dass mein Körper mir gehörte. Ich hätte gern wie Kitty die verliebte Prinzessin gegeben und zum Aufwachen einen Räkeltanz aufgeführt. Stattdessen summte ich »I feel pretty«, als ich das Frühstück machte, und ignorierte die erstaunten Blicke, die meine ungewohnt gute Laune am Morgen hervorrief.

»Du hast eine SMS bekommen, Chloe«, sagte Greg und nahm mein Handy. Ich schaffte es gerade noch, mich nicht mit einem Rugby-Tackling auf ihn zu stürzen, um es ihm abzunehmen. Stattdessen schützte ich Lässigkeit vor, sagte »Gib mal rüber«, und ließ es in meine Tasche gleiten.

»Wann bist du denn gestern nach Hause gekommen?«, fragte Greg. Er sah – ebenso wie Bea, Zuzi, Kitty und Leo – erwartungsvoll zu mir auf. Sammy kam gerade aus dem Garten herein und blieb in der Tür stehen, und Janet, die Katze, hielt mitten in der Bewegung inne, eine Pfote in der Luft, und wartete auf meine Antwort.

»So gegen eins«, log ich.

»Nein, stimmt das nicht«, sagte Bea. »War ich in die Küche um halb zwei und für mich und meine Zuzi eine Glas Orangensaft geholt. Da Sie waren noch nicht zu Hause.«

Sie und Zuzi sahen sich verschwörerisch an und kicherten, als durchlebten sie noch einmal das, was zu ihrem nächtlichen Durst geführt hatte.

»Sorry, Torquemada, dann muss es kurz danach gewesen sein«, sagte ich und floh vor den Großinquisitoren in meiner Küche in den Keller.

Ich vermisse dich. Iwans SMS schien mich zu streicheln. Ich fragte mich, wie Leute überhaupt Affären haben konnten, als es noch keine Handys und kein Internet gab. Beides war so perfekt geeignet für heimliche Beziehungen, dass man sich kaum vorstellen konnte, sie wären für irgendetwas anderes erfunden worden. Datenautobahn, große Geschäfte, ha! Wahrscheinlich hatte sich das alles ein fremdgehender Nerd ausgedacht.

Ich betrachtete mein Gesicht im Spiegel. Meine Stirn sah aus wie ein missratenes Hochzeitsbanner: *Just fucked*, schien dort zu stehen. Ich strahlte: Meine Augen lächelten, meine Wangen waren rosig, meine Lippen voll. Ich lebte wieder. Seit Tagen hatte ich kaum etwas gegessen, und diese hartnäckigen sieben Pfund, die sich geweigert hatten, meine Hüften zu verlassen, waren einfach dahingeschmolzen. Vergesst die Zelltherapie, um Frauen muss sich nur mal einer richtig kümmern.

Der Himmel war noch nie so blau gewesen, und die Vögel hatten noch nie so hübsch gesungen. Nachdem ich mit meinen ersten Patienten fertig war, ging ich durch den Park und sah Ruthie in der Ferne unter einem Baum stehen und mit dem jungen Mann in Leder sprechen, den ich neulich aus ihrem Haus hatte kommen sehen. Warum war sie nicht bei der Arbeit? Irgendetwas ging vor; ich würde sie später einem gnadenlosen Kreuzverhör unterziehen müssen. Wir wollten alle zu einem Quiz-Abend in Kittys und Sephys Schule gehen. Es war das einzige Schulereignis, zu dem Greg je mitging, denn es bot eine großartige Möglichkeit, sein Gedächtnis zu überprüfen – jede Menge Trivia-Fragen, die ganze Allgemeinbildung; wusste er noch alles, oder hatte die beginnende Alzheimerkrankheit schon alle Antworten aus seinem Gehirn gelöscht, eine nach der anderen? Ich hatte ihn morgens in der Badewanne erwischt, wie er mit seinen komischen Zehen den Wasserhahn bediente und das durchnässte Buch *Wissen Sie Bescheid?* durchblätterte. Wenn ja, dachte ich unwillkürlich, dann könnte er mir ja vielleicht sagen, was ich mit Iwan und überhaupt mit meinem Leben tun sollte.

Ich überlegte, was sich an diesem Abend, als ich gerade gehen wollte, in der Küche so ungewohnt anfühlte, und dann fiel es mir auf: Es war der Anblick von Bea, die tatsächlich mal etwas tat, was in ihrer Stellenbeschreibung stand. Sie machte den Kindern *Halupki*, eine tschechische Spezialität, zum Abendessen. Wahrscheinlich war es eher Zuzis Abendessen, und ihr war erst im letzten Moment eingefallen, dass meine Kinder auch noch da waren.

Die Kinder mochten es nicht besonders, wenn Greg und ich ausgingen. Leo hatte zwar kein besonderes Interesse daran, mit uns zu sprechen, aber es war ihm lieber, wenn wir im Haus waren und zur Verfügung standen, wenn ihm danach zumute war, und Kitty wollte immer noch gern ins Bett gebracht werden. »Es ist eure Elternpflicht, euch um mich zu kümmern«, sagte sie dann, »also ist es auch eure Pflicht, mich ins Bett zu bringen.« Dem ließ sich schwerlich etwas entgegensetzen, aber ich hatte immer das Gefühl, im eisernen Griff einer professionellen Manipuliererin zu stecken, deren Fähigkeiten über Generationen hinweg perfektioniert worden waren. Diesmal kamen wir leicht davon; Kitty war damit beschäftigt, den Tanz der Kohlköpfe für Zuzi zu choreographieren, und Leo hatte sich mit dem Telefon im Bad eingeschlossen. Er hatte Kitty zwar zur Geheimhaltung verpflichtet, aber sie hatte mir trotzdem erzählt, dass er beschlossen hatte, sich eine Freundin zu suchen. Im Moment arbeitete er sich alphabetisch durch alle Mädchen in seiner Klasse, rief die an, die es auf seine Shortlist geschafft hatten, und führte ein Vorstellungsgespräch mit ihnen.

Greg und ich gingen schweigend zur Schule. Es hatte geregnet, und durch die abendliche Kälte war der Gehweg vereist. Ich musste mich bei ihm einhaken, um nicht auszurutschen. Wir gingen genau im Gleichtakt, unsere Füße liefen im Gegensatz zum Rest unserer Körper immer noch synchron. Trotz der körperlichen Nähe fühlte ich mich geistig immer weiter weg. Das ist das eigentliche Problem des Fremdgehens, dachte ich. Es geht weniger um den Sex mit einem anderen, sondern vielmehr um das, wofür er steht: die Übertragung der Intimität mit dem eigenen Mann auf die Intimität mit einem anderen. Deswegen war Sex so wichtig für Beziehungen; er erhielt die Nähe und das Zusammengehörigkeitsgefühl. Ohne Sex war ich in Versuchung geraten, mir dieses Gefühl anderswo zu suchen.

Ich schlug sämtliche Rekorde: Sechs Mütter ignorierten mich, bevor ich auch nur in der Schulaula ankam.

»Herzlichen Glückwunsch«, sagte Ruthie, als ich es ihr erzählte. »Warte mal«, fügte sie dann anklagend hinzu, zog mich in eine stille Ecke und betrachtete mich prüfend. »Du hattest Sex.«

Ich wurde rot.

»Mein Gott. Und, wie war's?«

»Spektakulär«, sagte ich.

»Ich will einen minutiösen Bericht. Später.«

Wir vier hatten einen Tisch für uns. Niemand, schien es, wollte in unserem Team sein. Der Quiz-Abend war eine ernste Angelegenheit, und es sah so aus, als hätten ein paar der Quizzer deutlich eifriger trainiert als Greg. Die Leute am Nebentisch wärmten sich auf; einer stellte den anderen Fragen über die aktuelle Regierung.

»Die nehmen das vielleicht ernst«, sagte ich und deutete mit einem Kopfnicken auf den Tisch, an dem jetzt tatsächlich einer der Teilnehmer aufstand und auf und ab hüpfte, während er stakkatoartig Antworten von sich gab, als würde diese körperliche Vorbereitung ihn für die bevorstehende Aufgabe fit machen. Ruthie flüsterte: »Manche gehen über Leichen, um zu gewinnen!«

»Richtig so«, sagte Richard und legte auf seine korrekte Weise Stifte und Papier vor uns aus.

Ich beugte mich verschwörerisch vor. »Passt auf Schummel-Charles auf, er läuft immer im Raum herum und lauscht bei allen anderen, um die Antworten dann seinem Team weiterzusagen.«

»Ich habe gehört, er hat letztes Jahr Unterricht im Lippen-
lesen genommen«, sagte Greg.

Das Quiz fing an, und Ruthie und mir wurde es erwartungsgemäß bald langweilig. Wir kritzelten einander Nachrichten
und kicherten wie dreißig Jahre zuvor im Physikunterricht. An
den Nachbartischen machten die Leute »psst« und warfen uns
böse Blicke zu, und so versuchten wir, die Sache mit dem nötigen Ernst anzugehen.

Unter welchem Namen ist die Mungobohne auch bekannt?
Schummel-Charles musste meinen selbstgefälligen Gesichtsausdruck bemerkt haben, denn er betrachtete mich genau. Ich
schrieb *Jerusalembohne* auf einen Zettel und zeigte ihn den anderen. Die nächste Frage war für Richard ein Klacks: *Welche griechische Siegesgöttin gab einer berühmten Marke ihren Namen?*
Vor lauter Aufregung sagte er laut *Nike.* Ich stellte fest, dass
Schummel-Charles noch einen Komplizen hatte: einen Mann
auf der anderen Seite des Raums, der, die Augen fest auf Richard
gerichtet, Charles irgendetwas signalisierte wie ein Buchmacher
auf der Rennbahn. Wir würden vorsichtiger sein müssen. Bei
den nächsten beiden Fragen kam Greg zum Zug: *Welche Lizenz
kostete 37 Pence, als sie 1988 abgeschafft wurde?* Er lachte, weil
es so einfach war, und schrieb *Hundehalterlizenz.*

Was bedeutet das Wort holokrin?, lautete die nächste Frage.
Die Frau am Nebentisch sah mich und Ruthie an, hielt sich die
Hand vor den Mund und flüsterte laut: »Ich weiß, ich weiß,
das ist, als Hitler im Krieg die ganzen Juden umgebracht hat.«
Ruthie und ich sahen uns ungläubig an.

»Es gab mal eine Umfrage unter amerikanischen Schülern,
ob sie wissen, was der Holocaust ist. Ungefähr vierzig Prozent
haben gesagt, das sei ein jüdischer Feiertag«, sagte Ruthie so
laut, dass sie sie hören musste. »Immerhin weiß sie, was der
Holocaust war, auch wenn sie glaubt, er hieße holokrin.« (Greg
wusste die richtige Antwort, *Sekrete absondernd, in denen sich
die Zellen der Drüse völlig aufgelöst haben.*)

Ich wusste alle Antworten auf Kochfragen, Ruthie deckte die

Promis ab, und Greg und Richard teilten den Rest unter sich auf. Wir gewannen. Aus allen Ecken des Raumes strömte uns Abneigung entgegen, die sich in der Nähe unseres Tisches zu einem Strudel des Hasses verdichtete. Ich stand auf, um den Preis entgegenzunehmen: eine Flasche Wein. Ungeachtet der Anfeindungen gefiel mir das Gewinnen durchaus.

Phil, der Vater von Kittys Klassenkameradin Molly, stand hinter dem Tapeziertisch. Er sah an mir rauf und runter. »Ihr Mann muss ein glücklicher Mann sein, hoffentlich hat er ein Auge auf Sie.« Ich lächelte schwach. Offenbar verströmte ich Pheromone, die von meiner Umgebung registriert wurden. Phil war übergewichtig, bekam langsam eine Glatze und hatte ein seltsam knitterfreies, rotes Gesicht. Er trug einen marineblauen Blazer mit Goldknöpfen und eine gestreifte Krawatte mit irgendwelchen Abzeichen, die davon kündeten, dass er ein sehr wichtiges Mitglied eines sehr wichtigen Clubs war. Kitty und Sephy hatten einmal bei Molly übernachtet und hatten erzählt, dass Phil, oder »die Bruchrechnung«, wie sie ihn seitdem nannten, Molly und ihrem Bruder Fred zusätzliche Matheaufgaben stellte. Wenn sie fertig waren, unterschrieb er sie mit Datum und Uhrzeit und korrigierte sie mit roter Tinte. Wenn sie zu viele Fehler gemacht hatten, bekamen sie am Sonntag keine Süßigkeiten, dem einen Tag, der normalerweise dafür vorbehalten war. Kitty und Sephy mussten ihre Betten dort selbst beziehen und hatten weitere Einladungen erwartungsgemäß ausgeschlagen. Molly hatte sich daraufhin mit Anna, einer anderen Freundin, gegen sie verbündet.

»Die Bruchrechnung kann ja den Blick gar nicht von dir wenden«, sagte Ruthie, die hinter mir aufgetaucht war, und nickte in Phils Richtung.

»Habe ich auch schon gemerkt. Habe ich einen Aufkleber auf dem Rücken, ›Für einen kleinen Seitensprung zu haben‹?«

Ruthie drehte mich um und nickte. »Ja, hast du.«

Sie zog mich in eine Ecke. »Also, wie war es mit Iwan?«

»Wunderbar.«

»Ihr habt hoffentlich Kondome benutzt«, sagte Ruthie.

Ich antwortete nicht.

»Chloe, um Himmels willen, du weißt doch gar nicht, was er sonst so macht, abgesehen von allem anderen.«

»Wir haben aufgepasst«, log ich.

»Na super, du weißt doch, wie man die Leute nennt, die mit der Aufpassen-Methode arbeiten?«

Ich starrte sie an.

»Mummy und Daddy.«

»Oh, haha. Da mache ich mir keine Sorgen, mein Zyklus ist so durcheinander, ich glaube, ich komme in die Wechseljahre.«

Sie schaute mich streng an.

»Okay, versprochen. Von jetzt an Kondome. Also, falls wir es nochmal machen.«

»Ihr macht es sowieso nochmal«, sagte Ruthie und betrachtete mich prüfend.

Ich betrachtete sie ebenso prüfend. Sie sah nicht gut aus.

»Bist du erkältet?«, fragte ich.

»Nein, ich glaube, irgendeine Allergie. Ich muss mal eben aufs Klo, bin gleich wieder da.«

Als sie weg war, erzählte ich Mollys Mutter anbiedernd, ich fände ihr Outfit *wun-der-schön*. Es entsprach dem unauffälligen, aber hübschen Stil etwas älterer Frauen. Immer noch modisch, aber *altersgemäß* für eine Frau über vierzig. Langer, brauner Samtrock, dazu passender Pullover mit V-Ausschnitt, der ein sehr diskretes Dekolleté zeigte, ein darauf abgestimmtes Tuch lose um den Hals gelegt, und braune Stiefel mit *vernünftigem* Absatz. Alles ein bisschen zu sehr Ton in Ton. Sie war sorgfältig, aber dezent geschminkt und adrett frisiert und geföhnt. Ich sah auf meinen zu kurzen Jeansrock hinunter, meine Cowboystiefel und meine abgewetzte Jeansjacke. Meine Hand fuhr hinauf zu dem Bleistift, der mein Haar in einem unordentlichen Knoten hochhielt. Meine Lippen waren grellrot angemalt, meine Wimpern stark getuscht, und ich hatte eine Laufmasche in der Strumpfhose. Mollys Mum hauchte ein kaum hörbares »danke« und entfernte sich von mir, als hätte sie Angst, sich etwas einzufangen. Sie begrüßte lieber Annas Mum mit einem überschwänglichen »Am Dienstag nach der Schule gehen wir alle bei Janice Kaffee trinken.«

Greg und Richard standen an der Bühne und unterhielten sich mit Claire und Ian, den einzigen anderen Eltern, die mit uns sprachen, da sie ebenfalls Außenseiter waren. Neben ihnen stand ein anderes Grüppchen. Eine der Frauen hielt sich ängstlich neben ihrem Mann, und wann immer sie den Mund öffnete, um etwas zu sagen, brachte er sie zum Schweigen; entweder, indem er sagte: »Du kriegst das immer durcheinander, lass mich das erzählen«, oder indem er einfach die Hand hob und genervt die Augen schloss. Mit jeder Abfuhr schien sie noch weiter in sich zusammenzusinken, als hoffe sie, sich endlich in einem Mauseloch verkriechen zu können, wo ihr niemand mehr den Mund verbieten würde. Ich beobachtete sie und kam zu dem Schluss, dass die Ehe die Persönlichkeit ganz schön unterdrücken konnte, vor allem dann, wenn ein Partner sehr viel stärker war als der andere. Eine Affäre entfernt ein Paar voneinander und ermöglicht es der Seitenspringerin, sich selbst wiederzufinden. Dank meiner Begegnung mit Iwan fühlte ich mich von Greg befreit, und meine eigene Persönlichkeit war wiederhergestellt; aber ein Teil von mir sehnte sich nach der *Einheit* einer Ehe ohne Geheimnisse.

Als Ruthie von der Toilette zurückkam, lachte sie über meinen vergeblichen Versuch, mich bei Mollys Mum einzuschmeicheln. Ich fragte sie nach dem Ledermann, aber sie wich aus und sagte, er sei ein Kurier gewesen, der ihr etwas aus der Redaktion gebracht habe, und dass sie jetzt, wann immer es gehe, zu Hause arbeite. Es klang zwar alles ganz plausibel, aber irgendetwas an ihrem Verhalten machte mir Sorgen, auch wenn ich es nicht genau benennen konnte. Sie schien aufgekratzt und redselig, und mir fiel auf, dass sie recht viel trank.

»Gott, ist das öde hier«, sagte sie ein bisschen zu laut. »Lass uns irgendwo anders noch was trinken gehen.« Sie ging zu Richard und Greg hinüber. »Auf, Männer, lasst uns verschwinden.«

Weder Richard noch Greg drehten sich um. Die merkwürdige Alchemie, die uns für andere Mütter unsichtbar machte, schien auf unsere Männer übergesprungen zu sein.

»Siehst du«, sagte Ruthie zu mir, »er hört mir nie zu, nie.« Ich dachte, sie macht einen Witz, aber ihr Ton war seltsam. Richard musste es auch gehört haben, denn er wandte sich schnell um, seine Miene spiegelte irgendwas zwischen Verwirrung und Sorge.

»Warum hörst du mir eigentlich nie zu, hä?«, fragte Ruthie und schrie dabei fast. Andere Eltern sahen zu uns herüber und rückten näher, wie Haie, die Blut gerochen haben. Richard legte ihr den Arm um die Schulter.

»Das tue ich doch, Schatz, das weißt du doch«, sagte er leise. Er schaute sich unruhig um und versuchte, sie in eine Ecke zu führen.

»Ich weiß gar nicht, was es da zu gucken gibt«, schrie Ruthie eine Frau an, die begierig den Kopf nach vorn gereckt hatte. »Hört Ihr Mann Ihnen etwa zu? Meiner mir nämlich nicht«, sagte sie, ohne der Frau die Gelegenheit zum Antworten zu geben. »Wenn ich von der Arbeit komme, steckt seine Nase in einem Buch. Er hebt nicht mal den Kopf, um mich zu begrüßen oder zu fragen, wie mein Tag war. Wenn ich ihm erzählen würde, dass ich gerade ein tödliche Diagnose bekommen habe, würde er mich nicht einmal angucken.« Die Frau sah schnell betreten zur Seite, und es wurde ganz still im Raum. Richard und ich wechselten besorgte Blicke, ich legte den Arm um Ruthie und führte sie weg. Diesmal wehrte sie sich nicht; sie legte mir den Kopf auf die Schulter und weinte leise. Draußen versteckten wir uns im Dunkeln in einem Seiteneingang und lauschten den Stimmen, die sich voneinander verabschiedeten, und startenden Autos. Die Lichtkegel der Scheinwerfer streiften uns, langsam fuhren die Wagen hinaus, der kalte Kies auf der Einfahrt knirschte unter den Reifen.

»Ich will doch nur, dass er mir zuhört und mit mir spricht«, sagte Ruthie leise.

»Nicht weinen, Süße, ich bin doch da. Warum bist du denn so außer dir?«, fragte ich.

Richard und Greg standen im Haupteingang und starrten in die Dunkelheit.

Sie schüttelte den Kopf. Die Aufgekratztheit von vorher war aus ihrem Gesicht gewichen, sie sah erschöpft aus. Zum ersten Mal sah man ihr ihr Alter an; Enttäuschung hat diese Wirkung.

»Ich bin so müde, Chloe.«

»Lass uns morgen früh in Ruhe darüber reden«, sagte ich. Sie nickte.

Wir traten hinaus und gingen zu unseren Männern. Richard kam uns entgegen, nahm Ruthie am Arm und brachte sie zum Auto.

»Was war das denn?«, fragte Greg auf dem Nachhauseweg.

»Ich weiß es nicht genau. Einsamkeit in der Ehe, nehme ich an.« Ich drückte ihn an mich und spürte, wie er dem Reflex widerstand, mir auszuweichen.

»Warum haben wir nie Sex?«, fragte ich leise.

»Bitte?«, fragte er, als hätte er mich nicht gut verstanden.

»Ach, nichts«, sagte ich.

Elftes Kapitel

Greg Mc Ternans Apfel-Space-Cake für Diabetiker

250 g Mehl	15 g Süßstoff
1 TL Backpulver	2 Eier
1 TL Natron	1 Tütchen Vanillezucker
1 Prise gemahlener Zimt	70 g Rosinen
1 Prise gemahlene Muskatnuss	1 EL zerbröseltes Haschisch
1 Prise Salz	(oder mehr, je nachdem, wie
355 ml ungesüßtes Apfelmus	stoned man werden möchte)

Ofen auf 190 °C vorheizen (Gas Stufe 5).
Kastenform einfetten. Mehl, Backpulver, Natron, Zimt, Muskatnuss, Vanillezucker und Salz miteinander vermengen und beiseitestellen. Eier mit Süßstoff schaumig schlagen. Apfelmus und Haschisch unterrühren. Mehlmischung hinzufügen und alles zu einem glatten Teig verarbeiten. Rosinen einkneten. Den Teig in die Kastenform geben und bei 190 °C etwa eine Stunde lang backen. Mit einem Zahnstocher prüfen, ob der Kuchen gar ist.

Am nächsten Tag beim Kaffee im Park Café sagte Ruthie: »Wir sprechen sofort über meinen Auftritt gestern Abend. Aber erst will ich alles über Iwan hören. Ihr seht euch wieder, oder?«

»Gott, ja, es war viel zu toll, um gleich wieder damit aufzuhören.« Ich betrachtete sie; sie wirkte wieder wie immer.

»Pass bloß auf«, sagte sie. »Du bist verheiratet und hast Familie.«

»Glaubst du, irgendjemand ist wirklich glücklich verheiratet, Ruthie?«

»Kommt drauf an, was du mit glücklich meinst«, sagte sie.

»Wenn damit *das* gemeint ist, dann ist es okay, damit kann ich leben. Aber wenn es möglich ist, wirklich glücklich verheiratet zu sein, du weißt schon, so eine stürmische Ehe, wie barfuß am Strand laufen, dann will ich so eine. Ich ertrage den Gedanken nicht, dass es solche Ehen gibt, aber meine nicht so ist.«

Ruthie legte mir die Hand auf den Arm wie eine Mutter, die ein unvernünftiges Kind tröstet. Sie sah müde aus. »Ich wäre schon froh, wenn mein Mann wenigstens gelegentlich Notiz von mir nehmen würde.« Ein paar Augenblicke lang saßen wir schweigend da.

»Vielleicht wäre es besser, mit jemandem verheiratet zu sein, der oft weg ist«, überlegte ich, weil ich an Dads Beziehung mit Helga dachte. »Das wäre doch die beste Ehe: wenn der Mann nicht da ist. Dann braucht man sich nicht selbst leidzutun, weil man keinen Mann hat, aber man muss sich auch nicht dauernd mit ihm herumschlagen.«

»Tja, wir hätten Soldaten heiraten sollen. Weißt du noch, was John mir damals zum achtzehnten Geburtstag in *Hundert Jahre Einsamkeit* vorn reingeschrieben hat?«, fragte sie.

Ich nickte. Wir hatten Jahre mit dem Versuch verbracht, es zu unserem Mantra zu machen, und waren gescheitert. John war Ruthies erste große Liebe gewesen, zehn Jahre älter und klüger als wir. Er hatte geschrieben: *Wenn man das Leben einfach als Geschenk betrachten könnte, wäre man vielleicht nicht so anspruchsvoll.*

»Wer war der Kurier denn wirklich?«, fragte ich, um auf den mysteriösen Ledermann zurückzukommen. Ich spürte, dass er der Schlüssel zu allem war.

Ruthie sah zu mir auf. »Er heißt Carlos.«

»Woher kommt er?«

»Clapham.«

»Nein, ich meine, woher kommen seine Lieferungen?« Plötzlich fiel es mir wie Schuppen von den Augen. »Kolumbien?«, fragte ich. Wieso ging mir das jetzt erst auf?

»Also, erst habe ich nur gelegentlich mal mit ein paar Mädels im Büro zusammen gekokst, um diese stumpfsinnige Arbeit zu ertragen. Keine große Sache. Haben die alten Ägypter auch schon gemacht.«

»Wie bitte?«

»Irgendein russischer Wissenschaftler hat vor ein paar Jahren Spuren von Kokain in ägyptischen Mumien gefunden, die haben sich also auch schon mit ein paar kleinen Drogen entspannt.«

»Die Russen haben's echt drauf«, sagte ich verträumt.

»Und dann bin ich auf den Geschmack gekommen, wie die alten Ägypter, das ist alles.«

Aber das war nicht alles. Sie schien dankbar für die Gelegenheit, es endlich loszuwerden, und erzählte mir, wie aus einer gelegentlichen Line bei Büropartys fast ein Gramm pro Tag geworden war; es begann morgens um halb neun mit der »An die Arbeit«-Line, gefolgt von einer »Durchhalten bis zum Kaffee«-Line, und so ging es den ganzen Tag weiter, bis sie zu Bett ging.

»Um Himmels willen, Ruthie«, sagte ich, »man hat doch mit über vierzig kein Drogenproblem mehr! Das hat man als Teenie oder mit Anfang zwanzig. Ich meine, du warst ja schon immer ein bisschen spät dran, aber das ist doch lächerlich, und wenn du nicht aufpasst, fällt dir die Nase ab.«

»Ich weiß, ich weiß. Ich habe mir anscheinend meine eigene *Tal der Puppen*-Grube gegraben. Ich kokse, um mich aufzuputschen, und dann kann ich nachts nicht schlafen und nehme Xanax zur Beruhigung. Jedenfalls … was ist denn mit all den Frauen, die in den fünfziger und sechziger Jahren valiumsüchtig waren? Ich führe nur die respektable Tradition der Midlife-Neurose und der damit einhergehenden Drogen- oder Alkoholsucht fort.«

»Schon«, sagte ich, »aber bei denen war es so, dass sie vor Langeweile gestorben sind, weil sie den ganzen Tag zu Hause waren und keine Erfüllung in der Arbeit fanden. Wir hingegen haben doch angeblich alles.«

»Und warum fühlt es sich dann oft so an, als hätten wir rein gar nichts?«

Darauf wusste ich auch nichts zu sagen, also streckte ich die Hand aus, um ihre Drogen zu konfiszieren.

»Ich habe nichts mehr«, sagte sie und stülpte ihre Taschen nach außen.

»Ich behalte dich im Auge«, verkündete ich.

Ruthies Bekenntnis warf mich aus der Bahn, als verschöbe sich der Boden unter meinen Füßen. Zwar war ich die Therapeutin von uns beiden, aber Ruthie hatte mir immer Halt gegeben. Ich bot ihr an, mit ihr zu *Narcotics Anonymous* zu gehen.

»Diese Selbsthilfegruppen sind kein Tabu mehr«, versicherte ich ihr. »Wer etwas auf sich hält, ist bei den Anonymen Alkoholikern oder den Anonymen Drogensüchtigen. Außerdem wäre das der perfekte Vorwand für mich, um mitzugehen. Ich fühle mich schon ganz ausgeschlossen.«

»Das ist ja das Problem«, sagte Ruthie. »Da würden wir wahrscheinlich jede Menge Leute treffen, die wir kennen, was das ›anonym‹ ein bisschen unsinnig macht.«

Ich musste eine Möglichkeit finden, ihr zu helfen; ich hing viel zu sehr an ihr, um sie einfach so weitermachen zu lassen.

Auf dem Rückweg zur Arbeit schickte ich Iwan eine SMS: *Können wir uns bald wieder küssen?*

Kannst du reden?, antwortete er.

Ja.

Er rief sofort an. Ich wurde rot, als ich seine Stimme hörte, und hatte Bilder unserer gemeinsamen Nacht im Kopf. Sein dunkler Haarschopf zwischen meinen Schenkeln; die kleinen genießerischen Laute, die mir entschlüpft waren. Was für intime Dinge wir miteinander getan hatten und wie wenig wir uns doch kannten; der Gedanke war so lustvoll und peinlich zugleich, dass es mir im Nacken kribbelte.

»*Tschudo*«, flüsterte er.

»Was heißt das?«

»Wunder. Das ist mein Name für dich.«

»Ach ja, das kam ja im ersten Rätsel vor. Ich dachte, meine Suppe wäre das *Tschudo*.«

»Du auch. Weißt du nicht mehr? *Tvoi sup tschudo, kak i ty.*«

»Du bist auch wunderbar«, sagte ich schüchtern. Ich konnte es gar nicht erwarten, ihn wiederzusehen.

Wir schwiegen. Wie sollte es jetzt weitergehen? Unsere Neugier aufeinander war befriedigt, sollten wir jetzt stillschweigend zu unseren Partnern zurückkehren?

»Ich werde schon hart, wenn ich nur mit dir spreche«, sagte Iwan.

Nein, stillschweigend zu unseren Partnern zurückzukehren war eindeutig nicht das Gebot der Stunde. Iwan konnte gut schmutzig reden. Manches sagte er auf Russisch, und ich verstand es nicht, aber es war seltsam erregend. Ich stehe auf *Dirty Talk*; aber nett schmutzig, mit ehrenwerten Absichten, nicht aggressiv und unangenehm schmutzig. Der Grat ist schmal, und Iwan tanzte, mit seinen schönen Füßen, perfekt darauf.

Der beste *Dirty Talker* aller Zeiten war mein Exfreund Gus Fallick. Seine göttliche Zunge brauchte einen nicht einmal zu berühren; er konnte ein Mädchen nur mit Worten zum Orgasmus bringen. Es war gut, dass er so mit Worten umzugehen wusste, denn er wohnte in Glasgow und ich in London, und wir sahen uns fast nie. Zu dieser Zeit hatte ich den besten Sex meines Lebens. Unsere Beziehung verlief im Sande, als ich nach Paris ging und außer Hörweite war; telefonieren war damals zu teuer. Das Letzte, was ich von ihm gehört hatte, war, dass er verheiratet sei und Kinder habe, aber ich hoffte trotzdem weiterhin, dass er sich mit einem Telefonsex-Service selbständig gemacht hatte und seine Wortkunst allgemein zugänglich war; es wäre doch schade, dieses Talent an nur ein Ohr zu vergeuden.

Meine wiedererwachte Sexualität schien auch mein Gedächtnis wieder aktiviert zu haben, und ich war allen Liebenden gegenüber großzügig.

Ich ging ins Untergeschoss. Der einzige Wermutstropfen an diesem ansonsten perfekten Morgen war Gottesgeschenks Name in meinem Terminplaner. Er war mein erster Patient. Er lehnte sich im Sessel zurück, die Hände im Nacken verschränkt, die Beine nach vorn ausgestreckt – offenbar wollte er so viel Raum wie möglich einnehmen, um seine Anwesenheit deutlich zu machen. Ebenso gut hätte er in alle vier Ecken pinkeln können.

»Chloe«, sagte er mit belegter, rauchiger Stimme, »wie lange wollen wir noch dagegen ankämpfen?«

»Na ja, ich glaube, Sie machen Fortschritte. Sie müssen nur ein bisschen mehr darauf achten, was die Leute tatsächlich sagen, statt immer zu glauben, sie hätten irgendwas *gemeint*.«

»Nein, nein, nein, Chloe, sehen Sie mich an.« Er beugte sich vor und hielt mich mit seinem Blick fest.

»Wie bitte?« Ich wand mich wie ein Wurm am Haken.

»Wir können die Funken zwischen uns doch nicht weiterhin ignorieren«, sagte er, und versuchte, meine Hand zu ergreifen. »Sie sind eine ganz besondere Frau.« Er brachte diese abgedroschene Phrase mit einem Ausdruck vor, der wohl einen glutäugigen Schlafzimmerblick vorstellen sollte, sah dabei aber aus, als litte er an einer Gesichtslähmung.

»Ich bin Ihre Therapeutin, und Ihr Verhalten ist reichlich unangemessen«, sagte ich brüsk. Gottesgeschenk sprang vom Sessel hoch, kniete sich neben meinen und versuchte mich zu küssen, sein feuchter Mund saugte sich an mir fest. Ich entzog mich dem Unterdruck, sprang auf und verschränkte die Arme vor der Brust. Am liebsten hätte ich ihm das Knie in den Schritt gerammt.

»Ich fürchte, es ist besser, wenn Sie in Zukunft nicht mehr zu mir kommen.«

Er nickte wissend. »Yeah, Baby, wir müssen raus aus diesem

Zimmer und uns öfter sehen. Verstehst du? Komm schon, du willst mich doch auch.«

»Nein, definitiv nicht«, sagte ich. Aber er ließ sich nicht überzeugen. Der Mann hatte ein Gerät im Kopf, das alles, was man zu ihm sagte, in das übersetzte, was er hören wollte. Meine einzige Chance bestand darin, seine Sprache zu sprechen.

»Wir dürfen das nicht zulassen«, stimmte ich also zu. »Es ist besser, wenn wir uns nicht mehr sehen. Wir müssen stark sein.« Ich versprach, ihm einen neuen Therapeuten zu suchen, und schob ihn zur Tür hinaus.

Oben wühlte Greg in seiner Unterwäscheschublade und suchte anscheinend etwas, wie ein Hund, der hektisch nach einem vergrabenen Knochen buddelt und dabei Erde in alle Richtungen schleudert.

»Da ist es ja«, sagte er und hielt triumphierend ein kleines Päckchen in Frischhaltefolie hoch.

Er trug rot-weiß gepunktete Boxershorts und ein T-Shirt, und ich sah ihn bewundernd an. Er sah immer noch gut aus, schlank, mit wohlgeformten Beinen und einem knackigen Po.

»Was ist das?«

»Das Hasch, das ich neulich von Leo konfisziert habe. Ich backe einen Haschkuchen.«

»Warum das denn?«

»Sammy will es nicht rauchen, weil er nicht mehr raucht, und nachher kommt John vorbei.« John war ein alter Studienfreund von Greg, hatte sich aber als gänzlich ungeeignet für den Arztberuf erwiesen. Er fiel in Ohnmacht, wenn er Blut sah, und wenn sie Frösche oder Mäuse sezieren sollten, um bestimmte Arterien und Venen freizulegen, schnitt er sie, wenn er gerade mal bei Bewusstsein war, in Würfel wie Zwiebeln. Er hatte das Studium nach zwei Semestern an den Nagel gehängt und eine sehr viel passendere Karriere als Bonvivant eingeschlagen, deren Ausschweifungen unglücklicherweise zu einer Reihe gesundheitlicher Probleme geführt hatten.

164

»Du kannst doch für John keinen Kuchen backen, Dussel, er ist Diabetiker. Und für deinen Cholesterinspiegel kann das auch nicht gut sein.«

»Deswegen mache ich ja auch einen fettarmen Apfel-Hasch-Kuchen für Diabetiker.« Das schien Greg zu gefallen. »Den kannst du dir dann an deinen Hühnersuppenhut stecken.« Die Niederlage schmerzte offenbar immer noch.

»Ist dir nie in den Sinn gekommen, dass es, wenn niemand mehr raucht und alle irgendwelche Krankheiten haben, vielleicht Zeit sein könnte, auch die Drogen aufzugeben?«

Greg wirkte verwirrt. »Man braucht sich doch von ein paar kleinen Zipperlein nicht davon abbringen zu lassen, gelegentlich eine kleine Entspannungsdroge zu nehmen. Marihuana ist sowieso Medizin, ich empfehle das auch manchen Patienten gegen Schmerzen.«

»Was für Schmerzen habt ihr denn, Sammy, John und du?«

»Die üblichen Qualen der Existenzangst.«

Mich überkam eine große Zuneigung ob seiner Albernheit, ich nahm ihn in den Arm, atmete seinen vertrauten Duft ein und fühlte mich in seiner Umarmung geborgen. Er zog sich ausnahmsweise nicht zurück, sondern drückte mich.

»Dann musst du mir das Rezept geben«, sagte ich.

Morgen zwischen zwei und vier? Ich war offensichtlich sehr gut in der Lage, Zuneigung zu meinem Mann zu verspüren und mich gleichzeitig zu einem Rendezvous mit meinem Liebhaber zu verabreden. Meine Abgebrühtheit verblüffte mich selbst. So machen sie das also, diese Männer mit Doppelleben, die zwei Familien gleichzeitig haben: mit der Fähigkeit, die Einzelteile des Lebens in unterschiedlichen Kisten des Gehirns aufzubewahren, ohne dass der Inhalt der einen in die andere Kiste überschwappt. Ich hatte das nicht für möglich gehalten, und jetzt stellte ich fest: Es war doch möglich. Und zwar ganz einfach. Ich konnte die Greg-Kiste verschließen und die Iwan-Kiste aufmachen, ohne dabei auch nur aus dem Tritt zu kommen. *Ich kann es gar nicht erwarten, wieder in dir zu sein*, simste Iwan zurück. Eigentlich seltsam, dass Männer im Körper einer Frau sein können, aber nicht in ihrem Kopf, und dass Frauen überhaupt nicht in einem Mann sein können.

Kitty und Leo übernachteten bei Freunden, und Greg, Sammy und John hatten es sich am Küchentisch gemütlich gemacht. Sie hatten den Haschkuchen bereits zur Hälfte aufgegessen und brüllten vor Lachen über etwas, das nur sie verstanden. Sie schlugen sich auf die Schenkel, weinten vor Lachen, und wenn einer etwas sagen wollte, hielt einer der anderen sich schon mal in gespielter Fröhlichkeit die Seiten. Ich überließ sie sich selbst und wollte gerade zur Tür hinaus, als BB anrief, um mir von dem sensationellen Sex zu erzählen, den sie mit Jeremy hatte. Normalerweise hätte ich mir die Ohren zugehalten, aber diesmal hörte ich zu, weil ich dachte, jetzt, wo ich ebenfalls wieder im Sattel saß, könnte ich vielleicht noch ein paar Anregungen daraus ziehen. Sie schien immer besseren Sex zu haben als alle anderen, sodass man sich fühlte wie ein Geigenschüler, der gerade die ersten schiefen Töne aus der Violine kratzt, während sie sich das Instrument selbstbewusst unters Kinn steckte und mit der Virtuosität eines großen Violinisten den Bogen schwang.

»Wir waren am Ficken, ich oben; zum Glück hatte ich mir die Haare straff hochgebunden …«

»Warte mal, wieso das denn?«

»Damit das Gesicht nicht so hängt, wenn man sich über ihn beugt, Dummerchen. Mit über vierzig muss man auf so was achten, Süße! Wenn man nach unten guckt, hängt das ganze Gesicht runter, wie wenn man Fleisch zu lange gekocht hat und es sich vom Knochen löst.«

Argh! Wie krass (manchmal war Kittys Vokabular das einzig angemessene), hatte ich etwa mein Gesicht über Iwan hängen lassen? Zum Glück meinte ich mich zu erinnern, dass ich mein Gesicht aus Verlegenheit an seiner Schulter vergraben hatte. Aber was sollte ich in Zukunft tun? Im Bett eine Badekappe tragen? Meine Wangen hinter den Ohren festkleben? Der Weg, der vor mir lag, war steinig. Ich beendete das Gespräch so schnell ich konnte und ging, um mich mit Dad zu treffen.

Einmal im Monat traf ich mich mit Dad, nur wir beide. Es war ein Ritual, das wir nach Mums Tod aufgenommen hatten, als Sammy im selbstgewählten Exil war. Anfangs hatten wir uns in Dads Club getroffen, einem verrufenen und verkommenen Lokal in Bloomsbury, das von Schauspielern und Musikern frequentiert wurde. Ich fand es nach Mums Tod schwierig, in unser altes Haus zu gehen. Die Erinnerungen bedrückten mich; aus allen Ecken sprang mich der Geist unseres früheren Familienlebens an. Dad muss es auch gespürt haben, denn er verkaufte es ein paar Jahre später und zog in eine helle und luftige Wohnung in Primrose Hill mit bodentiefen Fenstern. Seither trafen wir uns dort.

Als ich ankam, war er in seinem Arbeitszimmer, alles lag voller Papiere, und auf jeder verfügbaren Ablagefläche standen Kaffee- und Teebecher. Er marschierte auf und ab, sein Gesicht sah aus wie ein verwilderter Garten: die Haare standen ihm zu Berge, und die Augenbrauen hingen ihm bis auf die Wimpern herunter. Er war achtundsiebzig Jahre alt, und heute sah er auch so aus. Ich verspürte den scharfen Stich der Angst, den ich immer spürte, wenn ich an den unvermeidlichen Moment dachte, ab dem ich ohne ihn würde leben müssen.

Ich betrachtete die unordentlichen Notenblätter, die mit seinen typischen Amseln bedeckt waren, und hörte ihm zu, als er mir das neue Arrangement eines seiner großen Hits vorspielte. Er bereitete sich auf die Gala-Aufführung seines beliebtesten Musicals vor, *Prinz und Bettelknabe*, was schon als Kind sein Lieblingsbuch gewesen war; er hatte mit zehn Jahren den Film gesehen und war fasziniert. Meine Mutter war Errol-Flynn-Fan, und Dad hatte sie im Frühjahr 1958, als sie sich drei Monate kannten, ins Everyman-Kino in Hampstead ausgeführt. Sie trafen sich zu Tee und Kuchen in der damaligen Sherry's Patisserie in der Heath Street, ein paar Jahre bevor der Bäcker Louis sie übernahm und nach sich benannte. Dann saßen sie hinten im Kino und taten, was frisch Verliebte eben tun, küssten sich und hielten Händchen. Beim Abspann ließ Dad sich im Gang auf ein Knie nieder und fragte sie, ob sie ihn heiraten wolle. Ihr intimster Moment fand in der Öffentlichkeit statt, das Publikum applaudierte begeistert. Sie jagte ihn zum nächsten Telefon, um ihre Familie anzurufen. »Ich habe nur ganz beiläufig erwähnt, dass wir ja vielleicht eines Tages heiraten könnten, und schon stehe ich am Telefon und spreche mit ihren Eltern und Tanten und Onkels«, neckte Dad sie später.

Ich habe die Geschichte meiner Eltern immer schrecklich gern gehört; wie sie sich kennenlernten, sich verliebten, heirateten. Und wie alle Kinder hatte ich das Gefühl, der einzige Grund für ihre Verbindung sei es gewesen, das Wunder meiner Geburt zu ermöglichen.

»Vermisst du Mum eigentlich?« Das hatte ich schon lange fragen wollen, mich aber nie getraut. Irgendwie hatte ich den Eindruck, der Tod meiner Mutter hätte meinen Vater befreit, ihm ein neues Leben geschenkt und es ihm ermöglicht, wieder zu sich zu finden. Das schlechte Gewissen, das eine solche Wiedergeburt mit sich bringen musste, konnte ich nur erahnen.

»Manchmal ja. Ich würde Leo und Kitty gern mit ihr teilen. Manchmal spreche ich mit ihrem Foto über die beiden.«

An der Wand hinter ihm hing ein Foto von meiner Mutter als Odette in *Schwanensee*, im Jahr bevor sie sich kennenlernten. Sie stand auf der Spitze in einer Arabesque, eins der perfekt geformten Beine nach hinten gestreckt, den Oberkörper nach vorn geneigt und die Arme über der Brust gekreuzt, Hände und Finger gespreizt. Ihr Gesicht war von Vogelfedern umrahmt und ganz erfüllt von der Freude eines Künstlers, der in seinem Element ist. Es gibt nichts Faszinierenderes, als jemanden etwas exzellent tun zu sehen, und man konnte sich denken, warum er sich, abgesehen von ihrer offensichtlichen Schönheit, in sie verliebt hatte. Auf dem Klavier unter ihrem Bild stand ein Foto, das ich vor fünf Jahren an Weihnachten von Dad gemacht hatte.

Er lächelte Kitty und Leo beim Geschenkeauspacken an, mit großer Zärtlichkeit im Blick. Es zeigte all seine Liebe, seine Wärme und seinen Humor.

Dad folgte meinem Blick zu den Bildern, die überall im Zimmer waren.

»Wenn man mit jemandem so lange zusammen ist, ist es schwierig, sich nicht irgendwann wie Geschwister oder WG-Bewohner zu fühlen, nicht wahr?«, sagte er.

Ich dachte an Greg und dass ich alles an ihm genau kannte; wie er sich die Augenbraue kratzte, wenn er ernst war, wie er beim Lachen nickte, und dass seine Vertrautheit keine Leidenschaft in mir weckte, sondern eine Mischung aus Verzweiflung und Zuneigung.

»Ob das allen Paaren so geht?«, fragte ich.

»Ich glaube, es ist harte Arbeit, es zu vermeiden. Deswegen haben Helga und ich unsere Beziehung auch all die Jahre geheimgehalten, obwohl das längst nicht mehr nötig gewesen wäre. Es gibt keinen vernünftigen Grund, nicht zusammenzuleben, aber auch keinen, warum wir es tun sollten. Ehe und Kinder haben wir beide hinter uns, und wir wollen unsere Beziehung auf keinen Fall zu einer Selbstverständlichkeit werden lassen. Unsere Wiedersehen und die Abschiede halten sie aufregend und frisch; wir freuen uns immer so, uns zu sehen.«

»Das muss schön sein. Ich hingegen habe das Gefühl, das hier ist mein Leben, für immer und ewig die Monotonie der Monogamie, Amen. Wenn man jung ist, gehört einem die ganze Zukunft; wenn man älter wird, nur noch die Vergangenheit«, sagte ich.

»Du lieber Gott, Chloe, du bist doch noch jung.«

»Ich kann nicht mehr Astronautin werden.«

»Du hast dich auch noch nie besonders für Reisen ins All interessiert.«

»Darum geht es doch gar nicht. Es geht darum, dass ich nicht mehr könnte, wenn ich wollte.« Mir stiegen Tränen in die Augen. »Ich kann auch kein Popstar mehr werden«, sagte ich trotzig.

»Ich weiß, mein Schatz. Es ist schwer, sich damit abzufinden, dass man nicht mehr alles tun kann. Ich weiß immer noch nicht, was ich mal werden will, wenn ich groß bin, und ich gestehe mir immer noch nicht ein, dass ich zu alt bin, um etwas Neues anzufangen.« Er zog mich an sich und drückte mich, und ich legte den Kopf an seine Schulter wie ein kleines Mädchen. Ich war erschrocken, wie zerbrechlich er sich anfühlte.

»Hab deine Affäre, wenn es dich glücklich macht«, sagte er mit dem Scharfsinn eines Elternteils, das genau weiß, wenn sein Kind etwas Falsches getan hat. »Aber sei vorsichtig; du musst die verschiedenen Bereiche deines Lebens sauber trennen und dafür sorgen, dass sie einander nicht berühren.«

»Du meinst, es auslagern?«, fragte ich. Dad nickte. »Keine Sorge, das kann ich.«

»Das Problem ist«, fuhr er fort, »dass diese geheimen Auslagerungen wie Vororte sind, Gebiete außerhalb deines Lebensmittelpunkts. Es ist ziemlich leicht, zu viel Zeit in den hübschen, grünen Vororten zu verbringen und das Stadtzentrum zu vernachlässigen. Dann wird es ganz schnell baufällig, weil du die nötigen Reparaturen nicht mehr vornimmst.«

»Ich verstehe schon, was du meinst, aber mir geht es im Moment ziemlich gut in meinem metaphorischen Liegestuhl im sonnigen Vorort. Kann ich das nicht einfach eine Zeitlang genießen, *carpe diem* und so?« Ein Teil von mir konnte es kaum glauben, dass ich meinen Seitensprung mit meinem Vater besprach, aber er war so wertneutral und klug, dass es mir ganz normal vorkam.

Dad lächelte. »Auch gute und kluge Menschen tun manchmal Dinge, die sie anderen nicht durchgehen lassen würden. Es ist auch so einfach, bescheiden zu leben, nur um niemandem wehzutun – natürlich soll man niemandem wehtun –, aber wie das Klischee es so will: Das Leben ist kurz. Manchmal sehe ich mich im Spiegel und denke ›Wer ist denn der Alte?‹, bis ich merke, dass ich das bin. Gegen das Altwerden kann man nichts tun.« Er legte den Arm um mich, drückte mich und streichelte mir den Kopf. »Man muss nur immer dran denken, dass es besser ist als die Alternative.«

»Die da wäre?«

»Sterben.«

Ach ja. Und das, überlegte ich, war unbedingt ein Grund dafür, die Zeit mit Iwan zu genießen, solange ich konnte. *Das Grab ist heimlich und verschwiegen, doch niemand wird dort bei dir liegen.*

Zwölftes Kapitel

Mohnrolle von Wolodjas Mum

Für den Teig:
450 g Mehl
1 Prise Salz
2 EL Zucker
2 TL Trockenhefe

175 ml Milch
Schale von 1 Zitrone
1 Eigelb, mit etwas Wasser
geschlagen, zum Lasieren

Für die Mohnfüllung:
150 g Mohnsamen
1 EL Zucker
2 EL Honig
1 TL Butter

Schale von einer Orange
Schale von einer Zitrone
2 Eiweiß

Mehl, Salz und Zucker in eine Schüssel sieben. Trockenhefe untermischen. In der Mitte eine Kuhle eindrücken. Milch und Zitronenschale mit der Butter in einem Topf erhitzen, bis die Butter geschmolzen ist. Etwas abkühlen lassen, zu den trockenen Zutaten hinzugeben und zu einem Teig verarbeiten. Teig etwa zehn Minuten auf einer leicht gemehlten Oberfläche kneten, bis er glatt und elastisch ist. In eine saubere Schüssel legen, mit einem feuchten Geschirrtuch bedecken und an einem warmen Platz gehen lassen, bis sich der Umfang verdoppelt hat (45–50 Minuten).

Für die Füllung einen EL Mohnsamen beiseitestellen. Den Rest im Mixer mahlen. Butter im Topf schmelzen und gemahlene Mohnsamen, Zucker, Honig, Orangen- und Zitronenschale hinzugeben. 1 Minute bei starker Hitze anschwitzen. Abkühlen lassen. Wenn die Mischung kalt ist, Eiweiß hinzufügen und sorgfältig unterheben.

Teig auf einer leicht gemehlten Oberfläche gut 2 cm dick zu einem großen Rechteck ausrollen. Füllung gleichmäßig auf dem Teig verteilen, an einer langen Seite 2 cm Rand lassen. Aufrollen, sodass die Füllung innen liegt. Mit dem Saum nach unten auf Backpapier legen und 30 Minuten gehen lassen. Mit Eigelb einstreichen und die restlichen Mohnsamen darüberstreuen. Im vorgeheizten Ofen bei 190 °C (Gas Stufe 5) 35 bis 40 Minuten backen. Auf einem Rost auskühlen lassen.

Ich war im Wohnzimmer und schrieb eine SMS an Iwan, um mich mit ihm zu verabreden, als ich plötzlich Greg hinter mir spürte. Ich schreckte auf wie ein scheuendes Pferd vor einer Schlange.

»Chloe, du bist ja leichenblass.«

»Hast du mich erschreckt«, sagte ich matt.

»Du bist in letzter Zeit so schreckhaft. Ist alles in Ordnung?« Er sah mich forschend an, und ich bekam Herzklopfen vor Angst. Ahnte er etwas?

»Ja, alles klar, ich bin wohl nur ein bisschen müde.«

»Hast du mein Stethoskop gesehen?«

»Wieso, ist es nicht in deiner Tasche?« Er schüttelte den Kopf. »Greg, wo hast du es versteckt?«

Er ließ bedröppelt den Kopf hängen; wie ein kleiner Junge, den man bei etwas Verbotenem erwischt.

»Mann, Greg, woher soll ich denn wissen, wo du es hingetan hast?«

Er schaute sich im Wohnzimmer um, und plötzlich erhellte sich sein Gesicht. Er ging entschlossen zu dem niedrigen Fernsehtischchen, ließ sich auf den Boden nieder und griff darunter. »Na also«, sagte er und freute sich wie ein Schneekönig.

173

Er sah mich wissend an. »Ich kenne dein Geheimnis«, sagte er.

Mir blieb fast das Herz stehen, und durch meinen Körper rauschte Adrenalin. »Was für ein Geheimnis?« Wie konnte er das mit Iwan herausgefunden haben? Ich bekam kaum noch Luft und hatte plötzlich eine ganz klare Vorstellung davon, wie unser Leben zusammenbrechen würde: Kartons würden gepackt, das Haus verkauft, die Kinder würden weinen, und ich wäre mit meinem Egoismus an allem schuld.

»Boah«, sagte er und schaute mich verdattert an. »Ich wusste ja gar nicht, dass dir die Hühnersuppe so wichtig ist.«

Wovon sprach er?

»Es ist dieses Fett in dem Topf im Kühlschrank, oder? Das ist deine Geheimzutat.« Er wedelte mir triumphierend mit einem Zettel vor der Nase herum.

Ich war furchtbar aufgewühlt und versuchte, wieder normal zu atmen und das hektische Heben und Senken meines Brustkorbs zu unterdrücken. *Schmalz!* Seine Laboranalyse hatte ergeben, dass Hühnerfett in meinen *Kneidlach* war. Da konnte ich ja froh sein, dass er mich nicht ins Labor bringen und mich auf die Anwesenheit eines anderen Mannes in oder auf mir untersuchen lassen konnte.

Später lagen Iwan und ich auf dem Sofa in seinem Wohnzimmer. Er war müde, aber ich war hellwach. Das ist der Unterschied zwischen Männern und Frauen: Nach dem Orgasmus scheint die Kraft der Männer nachzulassen, Frauen haben umso mehr Power. Becky war immer noch nicht zurück. Ich fühlte mich schäbig, in ihrem Haus mit ihrem Mann zu schlafen, aber nicht schäbig genug, um es bleibenzulassen. Immerhin hatten wir das Schlafzimmer dezent vermieden und uns lieber die vielen anderen Möglichkeiten im Haus zunutze gemacht. Wir hatten uns sogar zu unserer bemerkenswerten Sensibilität gratuliert. Ich brachte Dads Analyse von Beziehungen ins Gespräch, dass man einander zu sehr gewohnt ist, zu sehr wie Geschwister lebt und dann durch das Inzesttabu vom Sex abgehalten wird. Wenn ich ehrlich bin, wollte ich nur rauskriegen, ob er und Becky es noch taten.

»Ende des neunzehnten Jahrhunderts ist in Russland ein Buch erschienen, in dem eine sozialistische Utopie beschrieben wird«, sagte er. Genau wie Dad für jede Situation ein passendes Sprichwort oder ein Zitat kannte, hatte Iwan immer ein Buch parat. Was daran lag, dass man in der Sowjetunion nichts anderes tun konnte, als zu lesen. Und zu vögeln; das hatte er ebenfalls reichlich getan, da es eins der wenigen Dinge war, derentwegen man keinen Ärger mit den Behörden bekam. Insgesamt war ich darüber ganz froh, denn so war er ein wahrer Meister geworden.

»Solche Bücher waren damals sehr beliebt«, fuhr er fort. »Jedenfalls, dieses eine, von Tschernyschewski hieß: *Was tun?*.«

»Ich dachte, das wäre von Lenin«, unterbrach ich, um meine Bildung zu demonstrieren. (Ich hatte Lenins Broschüre während meiner kurzen kommunistischen Phase als Studentin gelesen, als ich auch den *Socialist Worker* auf den Straßen von Camden Town verteilte. Diese unbezahlte Arbeit wurde jedoch schnell durch einen Wochenendjob als Kellnerin in einem höhlenartigen Bistro ersetzt, von dem ich meine steigende Sucht nach Miss-Selfridge-Klamotten finanzierte. Meine Einkäufe waren die Früchte meiner Arbeit und daher, beschloss ich, mit der marxistischen Ideologie vereinbar. Kurz darauf machte ich Examen, leistete die Anzahlung für meine erste Wohnung und gab damit jeden Anspruch, Kommunistin zu sein, auf. Als vollwertiges Mitglied der besitzenden Klasse stürzte ich mich mit Begeisterung in den Kapitalismus.)

»Ist es auch, aber erst war es Tschernyschewskis Titel; Lenin hat ihn später bewusst wieder aufgegriffen. Jedenfalls, darin wird eine gleichberechtigte Ehe beschrieben, in der das Paar sich darauf geeinigt hat, die Privatsphäre des anderen zu respektieren. Sie betreten das Zimmer des anderen nur auf Einladung und haben ein weiteres gemeinsames Zimmer. Ich fand immer, die Idee hat was; das könnte eine Möglichkeit sein, das

Geheimnis und das sexuelle Interesse zwischen zwei Menschen zu erhalten, und dafür sorgen, dass sie einander nicht zu selbstverständlich werden.«

»Mmm, gute Idee, aber da braucht man eine Menge Zimmer. Was ist aus ihnen geworden? Hat es funktioniert?«

»Na ja, es ist ein bisschen kompliziert geworden; sie hat sich in einen Freund ihres Mannes verliebt, und eine Zeitlang haben sie in einer *Ménage à trois* zusammengelebt. Dann hat der Mann seinen eigenen Tod inszeniert, damit seine Frau seinen Freund heiraten konnte, den sie mehr liebte.«

»Wie selbstlos. Ich fürchte, das würde Greg für dich nicht tun, aber du bist ja auch nicht sein Freund.« Ich dachte kurz nach. »Ich schätze, deswegen ist das mit uns so aufregend, oder? Die gestohlene Zeit und dass es nichts mit unserem Alltag zu tun hat.«

»Vielleicht«, sagte er. Wir lagen einen Moment lang schweigend da; er streichelte mir den Arm, und ich bekam eine Gänsehaut. »Weißt du, ich hätte nicht bei den Geburten meiner Kinder dabei sein dürfen«, fuhr er fort. »Danach fand ich es schwierig, Becky noch als sexuelles Wesen wahrzunehmen. In meinen Augen war sie Mutter, und es kam mir unanständig vor, mit ihr zu schlafen.«

»Wie kannst du so etwas sagen? Es sind doch auch deine Kinder.«

»Ich weiß. Ich bin nur ehrlich und sage dir, wie ich mich gefühlt habe. Aber es ist ja nicht nur das, es ist auch das ganze *Wo hast du die Seife hingetan* und *Dreh die Zahnpastatube wieder zu*, was einen mürbe macht, oder? Kennst du den russischen Dichter Wladimir Majakowski?«

Ich nickte.

»Er hat es sehr schön ausgedrückt: *Ljubownaja lodka razbilas o byt – das Boot der Liebe ist an den Klippen des Alltags zerschellt.*«

Es erregte mich, wenn er Russisch sprach. »Und was ist mit unserem Boot?«, fragte ich und griff ihm zwischen die Beine.

»Unser Boot, mein Schatz, sticht gerade erst in See«, sagte er, zog mich an sich und küsste mich. »Ich kann gar nicht genug von dir bekommen«, flüsterte er und fiel schon wieder über mich her.

Ich saß im Park-Café und beobachtete eine Frau, die Eier und Speck aß und sich beim Kauen schüchtern eine Hand vor den Mund hielt, als sei Essen eine peinliche Angewohnheit, die sie vor der Öffentlichkeit verstecken wollte. Neben ihr saß ein Mann in den Sechzigern mit schütterem Haar und Pferdeschwanz. Ich musste mich schwer zusammenreißen, ihn nicht anzuschreien, wie *lächerlich* das aussah, und ihm den Zopf mit einem Plastikmesser abzuschneiden. Ich war wohl ziemlich gereizt. Iwan hatte unsere nächste Verabredung absagen müssen, weil Becky früher nach Hause gekommen war, und meine schlechte Laune hatte zu einem Streit mit Greg geführt. Jedes Paar tanzt seine eingeübten Bewegungen aus Gereiztheit und Enttäuschung perfekt im Takt und wiederholt die gleichen Streitigkeiten immer und immer wieder. Bei uns ging es mal wieder um *Immer bist du brummig und müde* und *Nie willst du Leute treffen* und *Du hast immer recht, und alle anderen haben nichts zu melden.* Das Ergebnis war, dass ich jetzt auf alle sauer war: auf Greg, weil er ein Spielverderber war, auf Iwan, weil er das Date abgesagt hatte, und auf Becky, weil sie unerwartet nach Hause gekommen war, mir die Tour vermasselt hatte und mich daran hinderte, mit ihrem Mann zu schlafen.

Durchs Fenster sah ich Sammy und die Taubenfrau zusammen auf einer Bank sitzen. Worüber sie sich wohl unterhielten? Sammy schaute auf, sah mich und winkte mir, ich solle zu ihnen kommen. Ich war mir zwar nicht sicher, ob ich in der Stimmung dazu war, aber dann fiel mein Blick auf etwas. Sammys Arm bewegte sich auf und ab, und ich schaute genauer hin: Er spielte Gitarre. Soweit ich wusste, hatte er seit Mums Tod keine Gitarre mehr angefasst, geschweige denn gespielt, und dass er es jetzt tat, kam einem Erdbeben gleich. Es rührte mich fast zu Tränen.

Ich trank meinen Kaffee aus und zog gerade meinen Mantel an, um mich zu ihnen zu gesellen, als mein Telefon klingelte. Vielleicht Iwan, der fragen wollte, ob wir uns doch noch treffen konnten? Kurz flackerte ein Hoffnungsschimmer auf, erstarb aber sofort. Es war Gina, total durcheinander.

»Ich sage die Hochzeit mit Jim ab.«

Ich war immer noch auf Sammy und seine Gitarre konzentriert. »Echt?«, fragte ich geistesabwesend.

»Ja, soll ich denn den ganzen Rest meines Lebens nur noch mit einem Mann zusammen sein?«

Ich konzentrierte mich auf sie. »Gina, warten Sie, bis wir uns sehen. Darüber müssen Sie nochmal gründlich nachdenken. Vielleicht haben Sie nur Angst.«

»Wie meinen Sie das?«

»Ich meine Ihre Angst, sich auf Nähe einzulassen, und Ihren Widerstand dagegen, glücklich zu sein. Lassen Sie uns das nachher bei unserer Sitzung besprechen.«

»Jim hat jemand Besseren als mich verdient«, sagte sie.

Schließlich versprach sie mir, vor ihrer Sitzung nichts zu unternehmen. Als ich das Café verließ, klingelte es schon wieder. Diesmal war es BB.

»Weißt du, wo Jessie ist?«, fragte sie. »Mir ist plötzlich aufgefallen, dass ich sie schon seit Tagen nicht gesehen habe. Da wollte ich mich nur eben vergewissern, dass sie bei euch ist.«

»Ihr geht's gut, aber du könntest sie ja wenigstens mal anrufen und mit ihr reden.«

»Mache ich, aber ich hatte so furchtbar viel zu tun, du weißt ja, wie es ist. Willst du mit zu Eltons Ball? Mit Abendkleid und Diadem? Ich habe noch eine Karte, Jeremy kann nicht. Das ist vielleicht komisch, ich halte es ohne ihn kaum aus.«

Aber ohne deine Tochter schon, dachte ich, sagte es jedoch nicht. »Was magst du denn so an ihm?«, fragte ich stattdessen.

»Er leckt wahnsinnig gut. Du und Greg, ihr müsst bald mal zum Dinner kommen und ihn kennenlernen. Ich muss los!« Sie legte auf.

178

Ich schauderte vor dem Bild, das sie in meinen Kopf gemalt hatte, schaltete das Telefon aus und ging zu Sammy hinüber.

Er saß immer noch mit der Taubenfrau auf der Bank und spielte »It had to be you«. Sie wiegte sich dazu und sang, sanft und schön, mit einer Taube auf der Schulter.

For nobody else gave me a thrill
With all your faults I love you still ...

Sie sang wie eine junge Frau, und ich bekam einen Eindruck davon, wie sie einmal gewesen sein musste; als junges Mädchen, als Kind, jemandes Baby. Jeder war irgendjemandes Baby, in die Welt gedrängt aus dem Bauch einer Mutter. Jetzt wunderlich, allein und entfremdet, war sie eine typische »Verrückte«, die am Queen's Park auf der Straße herumlungerte und mit den Tauben sprach. Wie mochte das Leben ihr mitgespielt haben, dass es so weit gekommen war? Als ich näher kam, scheuchte sie die Tauben neben sich auf der Bank fort, um Platz für mich zu machen.

»Chloe, das ist Madge, Madge, Chloe«, stellte Sammy uns einander vor. Seit vielleicht zehn Jahren sah ich sie hier herumlaufen, hatte mich aber nie bemüht, ihren Namen zu erfahren. Ich schämte mich.

»Jaja«, sagte sie, »Chloe und ich sind alte Freundinnen, nicht wahr, meine Liebe? Aber Sie haben immer so viel zu tun, zu tun, zu tun, da haben wir nie Zeit für ein Schwätzchen.«

Zum ersten Mal betrachtete ich sie aus der Nähe. Sie hatte für ihr vergrämtes, faltiges Gesicht erstaunlich klare, mandelförmige grüne Augen voller Traurigkeit und Sehnsucht. Sie musste über sechzig sein, und irgendetwas an ihrem Auftreten ließ vermuten, dass sie einmal ein anderes, glücklicheres Leben geführt hatte. Zu ihren Füßen standen die Plastiktüten, die sie immer dabeihatte. Manche schienen voller Stofflappen zu sein, wie die, die an dem Geländer vor ihrer Wohnung hingen; in anderen waren Brotreste für die Tauben.

»Madge war mal Textildesignerin«, sagte Sammy.

Madge nickte nachdrücklich, ihr Haar flog ihr um den Kopf.

179

»Ich habe auch Kinder, wissen Sie?«, sagte sie. »Einen reizenden kleinen Jungen und ein Mädchen, genau wie ihr.«

»Du spielst ja wieder«, sagte ich zu Sammy und berührte das glatte Holz seiner Gitarre.

»Ja, wird ja auch Zeit. Madge sagt, jeder hat die Pflicht, das zu tun, wozu er bestimmt ist.« Madge tätschelte Sammy die Schulter. Er schaute auf seine Finger, als sei er überrascht, dass sie sich nach so langer Zeit noch so fließend über die Bünde bewegten. »Es fühlt sich an, wie nach einer langen Trennung einen alten Freund wiederzusehen.« Er hatte Tränen in den Augen.

»Sammy will mir helfen, meine Babys wiederzufinden«, sagte Madge.

Ich schaute ihn etwas beunruhigt an. Ich hielt mich instinktiv von Leuten fern, die meine Hilfe brauchten, es sei denn, sie bezahlten mich dafür. So behielt ich die Kontrolle und konnte die Beziehung in genau definierten, professionellen Bahnen halten. Sammy hingegen war offen für die Mühseligen und Beladenen. Er konnte an keinem Bettler vorbeigehen, ohne ihm Geld für eine Tasse Tee zuzustecken, ihn zum Tee zu begleiten, dann doch ein großes Frühstück auszugeben und sich schließlich für den nächsten Tag zu verabreden, weil es so nett war.

»Madge hat ihre Kinder seit fünfunddreißig Jahren nicht gesehen«, erklärte er.

Madge lehnte sich auf der Bank zurück, schloss die Augen, um die Vergangenheit klarer sehen zu können, und erzählte mir ihre Geschichte.

Sie erzählte, wie sie mit zwanzig Jahren ihren Mann kennengelernt hatte, Reg, und wie sie zwei Jahre später, 1958, geheiratet hatten. Sie arbeitete als Textildesignerin in einer Fabrik, er war dort Vorarbeiter. Sie war gebildeter als er, hatte die Oberschule besucht und dann an der Kunsthochschule Design studiert. »Er sah so gut aus, alle Mädchen standen auf ihn. Aber er wollte mich«, sagte sie stolz. Sie hatte ihre Stelle aufgegeben, als sie mit dem ersten Kind schwanger war, einem Mädchen, das

180

1962 geboren wurde; 1964 kam ein Junge. Dieselben Jahre, in denen auch Sammy und ich geboren sind. Eine Parallelfamilie, in derselben Stadt, die ein paralleles Leben führte.

»Anfangs waren wir glücklich«, sagte sie. Sie wohnten in einem kleinen Reihenhaus in Kilburn; Reg war zufrieden mit seiner Rolle als Vater und Ernährer der Familie, und sie war glücklich damit, zu kochen, zu putzen und die Kinder groß-zuziehen. Zunächst. Als die Kinder beide in der Schule waren – Rosie war sieben, Jimmy fünf –, wurde Madge unruhig. »Wenn Reg mich einfach wieder hätte arbeiten lassen, wäre alles anders gekommen«, sagte sie. Aber er war ein einfacher Mann und hät-te es als Makel empfunden, wenn seine Frau gearbeitet hätte, als würde er damit öffentlich eingestehen, dass er kein ganzer Mann war und nicht für seine Familie sorgen konnte. Madge hatte zu viel Zeit und zu viel Energie. »Ich war einsam. Reg kam von der Arbeit nach Hause und schlief auf dem Sofa vor dem Fernseher ein. Ich war den ganzen Tag über allein, und wenn die Kinder im Bett waren, auch abends. Ich brauchte jemanden zum Reden.« Armstrong (»Armie«), ihr Liebhaber, war dieser Jemand. Er hörte nicht nur zu, sondern sprach auch mit ihr. Sie lernten sich kennen, als Madge 1969 auf einem vereisten Gehweg in Kentish Town ausrutschte und hinfiel. Er half ihr auf, kümmerte sich um ihre aufgeschürften Knie und lud sie auf den Schreck zu einer Tasse Tee ein. Er war fünf Jahre jünger als sie und studierter Lehrer, fand aber nur Arbeit als Busfahrer. Armie kam aus Jamaika, war gerade erst in England angekom-men und kämpfte gegen die Enttäuschung über ein Land, das nicht hielt, was es versprochen hatte.

Sie verliebten sich, und Madges Tage waren wieder ausgefüllt, diesmal mit heimlichen Treffen und verstohlenen Küssen. Nach einer Weile hatte sie Reg mitgeteilt, sie würde ihn wegen eines anderen Mannes verlassen und die Kinder mitnehmen. Als Reg herausfand, dass Armie schwarz war, verkündete er, keins seiner Kinder würde je bei einem Nigger leben, schönen Dank auch. »Ich weiß nicht mehr, was dann passiert ist«, sagte Madge traurig. »Das ist alles, woran ich mich erinnere. Ich glaube, ich war eine Zeitlang krank und im Krankenhaus.« Sie schüttelte den Kopf, als wolle sie eine Erinnerung freilegen, von der sie sicher war, dass sie irgendwo in ihrem Kopf sein musste, auf die sie aber keinen Zugriff hatte.

Abrupt stand sie auf. »Ich muss heim, Jimmy und Rosie kommen gleich zum Tee nach Hause.« Der lichte Moment, in dem Madge in der Lage gewesen war, ihre Geschichte zu erzählen, schien vorüber zu sein, und sie war wieder orientierungslos. Sie fummelte mit ihren Plastiktüten herum, machte sich von dannen und schimpfte unterwegs mit den Tauben, dass sie sie aufgehalten hatten.

»Die Arme«, sagte Sammy. »Ich muss versuchen rauszukriegen, was aus ihren Kindern geworden ist.«

»Sie ist genauso alt, wie Mum jetzt wäre«, sagte ich.

Es wurde dunkel im Park. Ein Dalmatiner und ein Chihuahua liefen glücklich nebeneinanderher und hielten hier und dort an, um ein wenig im Gras herumzutollen. Ihre Besitzer gingen schweigend hinter ihnen her, ein seltsames Paar, dessen Verbindung lediglich in der Freundschaft ihrer Hunde bestand. Anderswo ging, wie jeden Tag, ein Mann mit einem akkuraten roten Turban immer wieder um den Spielplatz herum, den Kopf über ein heiliges Buch gebeugt.

»Müsste der das Buch nicht langsam mal durchhaben?«, flüsterte ich Sammy zu. Wir kicherten wie Kinder und schwiegen dann. Er spielte wunderschön auf der Gitarre; er war wieder zu Hause.

»Ich überlege, ob ich wieder hierherziehe«, sagte er. »Kann ich bei euch bleiben, bis ich was Eigenes gefunden habe?«

Ich umarmte ihn. »Das wäre toll. Bleib, solange du willst.«

Madges Geschichte hatte mich ziemlich aus dem Lot gebracht, und ich sehnte mich plötzlich nach Leo und Kitty. Das Haus war leer und still. Ich hatte ein unerwartetes Bedürfnis nach Gregs Stimme.

»Der Herr Doktor hat gerade eine Patientin«, sagte die Sprechstundenhilfe Marjorie am Telefon.

Es erschütterte sie nicht im Geringsten, dass ich Gregs Frau war; oft ließ sie mich nicht einmal zu ihm, wenn ich in die Praxis kam. Dann schürzte sie den perfekt geschminkten Mund, zog ihre Strickjacke enger über ihren adretten Spitzbusen und sagte: »Der Herr Doktor hat zu tun. Sie werden sich setzen und warten müssen, bis Sie dran sind.« Ich hatte alles versucht: ausnehmende Freundlichkeit, extravagante Weihnachtsgeschenke, selbstgebackene Kuchen, übertriebenen Hochmut, Drohungen, Gewalt. Es half alles nichts; sie hätte auch die Mutter einer Klassenkameradin von Kitty sein können.

»Marjorie, hier ist Chloe. Könnten Sie mich bitte zu Greg durchstellen?« Es muss etwas in meiner Stimme gewesen sein, denn sie fing zum ersten Mal nicht an zu diskutieren, und als Nächstes hörte ich Gregs Stimme.

»*It had to be you*, von wem und wann ist das?«, fragte ich.

»Gus Kahn und Isham Jones, 1924.«

»Du bist großartig.«

»Ich weiß. Ich muss los, Schatz, das Wartezimmer ist voll.«

Das Haus schien voller Schatten zu sein. So würde es sich anfühlen, wenn wir uns scheiden ließen, ein leeres Haus an den Tagen, wenn die Kinder bei ihrem Vater waren. Schmerzhafte Einsamkeit ohne Kinder; jeden Mittwoch und jedes zweite Wochenende und noch schlimmer für den geschiedenen Vater, der den Großteil der Woche über allein wäre. Jeder von uns konnte dem anderen jederzeit dieses Schicksal bescheren. Für eine Beziehung braucht man zwei, aber um sie zu zerstören nur einen. Wie sehr auch immer der eine die Beziehung fortsetzen möchte, wenn der andere nicht mehr will, dann war's das, dann ist es vorbei.

Der Tag war grau und die Luft feucht vom Nieselregen. Janet schlüpfte durch die Katzenklappe und schien es zu genießen, dass sie so schlank war. Wolodjas Mutter hatte ihm bei ihrem letzten Besuch aus Russland Unmengen ihrer Mohnrollen mitgebracht, und er hatte mir einige davon gegeben, als sie wieder weg war. Er mochte sie nicht, ich fand sie großartig; sie erinnerten mich an Grandma Bella, die früher ebenfalls welche gemacht hatte, und daran, wie sie mir mit einem Taschentuch den klebrigen Mund abputzte, der von der süßen Mohnfüllung ganz schwarz war. Ich hatte erst ab sechs Uhr wieder Patienten, und so schnitt ich mir eine dicke Scheibe ab und guckte verbotenes Nachmittagsfernsehen mit Richard und Judy. Ich beobachtete ihr Zusammenspiel. Sie schienen glücklich verheiratet zu sein; was war ihr Geheimnis? Ich wollte ihnen schreiben und nachfragen.

»Liebe Judy, lieber Richard,

Sie leben zusammen und arbeiten zusammen, und auch wenn Sie sich manchmal kabbeln, scheinen Sie immer glücklich zu sein und sind nett zueinander. Wie machen Sie das?

Mit freundlichen Grüßen
Chloe Schiwago, 43

PS: Wie oft haben Sie Sex?«

Die Türklingel durchbrach die Stille meines einsamen Nachmittags. Vor der Tür stand Ruthie; ein Häufchen Elend mit dunklen Augenrändern.
    »Ist offen?«, fragte sie.
    »Das Kwetschatorium?«
    Sie nickte.
    »Immer«, sagte ich.
    »Mein Leben ist das Grauen«, sagte sie.
    Ich zog sie hinein, machte ihr eine Tasse Tee und schnitt ihr eine Scheibe Mohnrolle ab. Sie hatte stark abgenommen und sah furchtbar aus.

»Welcher Teil davon?«

»Ich ertrage es nicht mehr, jeden Morgen mit dem Gefühl aufzuwachen, dem Tag nicht gewachsen zu sein. Ich liege im Bett und gehe die ganzen Meetings durch, die ich habe, all die Leute, die ich treffen muss, und es kommt mir vor, als würde ich es im Leben nicht schaffen aufzustehen, zu duschen, mir die Haare zu waschen, zu frühstücken, aus dem Haus zu gehen und zur Arbeit zu fahren. Und wenn ich dann da ankomme, erzählt mir dieses Arschloch David Gibson, dass ›wir doch alle im selben Boot sitzen‹ und dass ich mich ›mehr einbringen‹ soll. Ich habe mir schon immer öfter freigenommen und bin ausgepowert und fix und fertig.«

»Weiß Richard, wie es dir geht?«

»Ach, der bemerkt doch nie was, außer antiken Artefakten, was ich natürlich auch bald sein werde, wenn ich so weitermache. Jedenfalls ist es sowieso egal, sie stellen mich frei.«

»Wie können sie dich freistellen, du bist doch die Chefredakteurin?«

»Die ganze Zeitschrift soll neu gestaltet werden, und sie behaupten, der Job sei jetzt auch ganz anders. Ich könnte dagegen vorgehen, aber ich glaube, eigentlich ist es ein Segen. Ein Zeichen, dass es Zeit ist, etwas an meinem Leben zu verändern.«

»Du musst aufhören zu koksen; dann kriegst du auch alles andere wieder in den Griff.«

»Habe ich gesagt: ›Chloe, sag mir, was Sache ist‹, oder ›Gib's mir, Chloe‹? Nein, habe ich nicht. Ich bin zum Kwetschn hergekommen, und damit du an den richtigen Stellen ›Das wird schon‹ und ›Du Arme‹ sagst.«

»Entschuldige, Süße.« Ruthie behielt immer den Humor, selbst wenn sie noch so schlecht drauf war. »Scheiß auf den Tee, lass uns eine Flasche Wein aufmachen«, sagte ich und ging zum Kühlschrank, wo ich hinter einigem ältlichem Gemüse eine Flasche Sekt fand. »Noch besser«, sagte ich und hielt sie hoch, »jetzt können wir schön die verzweifelten, aber vornehmen alten Säuferinnen geben, die schon nachmittags trinken. Wie lange dauert es wohl, bis wir auf der nächsten Parkbank die Tauben anschreien?«

»Die Arme«, sagte Ruthie, als ich ihr von Madge erzählte. »Ich habe ein richtig schlechtes Gewissen, dass ich nie mit ihr gesprochen habe. Was meinst du, was passiert ist?«

»Es muss jedenfalls etwas so Schlimmes gewesen sein, dass sie es komplett verdrängt hat.«

Wir waren einen Augenblick lang still; wir malten uns beide aus, was Madge wohl verrückt gemacht und an den Rand der Gesellschaft gedrängt hatte.

»Können wir jetzt wieder über mich sprechen?«, fragte Ruthie. Ich nickte und prostete ihr zu.

»Ich kann es gar nicht fassen, wie hart ich jahrelang gearbeitet habe, um Chefredakteurin zu werden, und wie egal mir das jetzt ist«, sagte Ruthie. »Ich meine, wen interessiert es denn, ob wir mit einer Frau aufmachen, die anderen Frauen beibringt, wie man einen Millionär heiratet, oder mit dem Kampf irgendeines Soap-Sternchens gegen den Alkohol?« Sie schenkte sich genüsslich noch ein Glas Sekt ein. »Ich meine, am Ende ist es alles das Fisch-Einwickelpapier von morgen. Und nicht mal das, dafür nehmen sie ja inzwischen dieses weiße Recycling-Zeug.« Sie betrachtete mich von oben bis unten. »Du siehst übrigens toll aus, Chloe. Vielleicht sollte ich mir auch einen Liebhaber zulegen; diese Sucht ist bestimmt besser für die Haut als Kokain.«

»Du musst echt damit aufhören.«

»Mach ich, versprochen. Morgen. Ich brauche nur noch ein bisschen Hilfe bei der Vorstellung, freigestellt zu sein.« Ihr Telefon piepte. »Ups, der Adler ist gelandet, ich springe mal eben raus, Carlos treffen. Wir sehen uns später.«

Sie hatte recht. Meine wachsende Besessenheit von Iwan war nichts anderes als Ruthies Kokainsucht: Mein Liebhaber störte mein Gleichgewicht und machte mich manisch-depressiv. Man glaubt, man hätte es im Griff, aber die Sucht gerät schnell außer Kontrolle und fängt an, die Bedürfnisbefriedigung über die an-

186

deren, wichtigeren Dinge des Lebens zu stellen. Ich war gereizt und verschlossen, wenn ich von Iwan getrennt war, und aufgekratzt und erregt, wenn ich bei ihm war.

Ich habe Sehnsucht nach dir. Ich suche uns einen Treffpunkt.
Mein Fix war ebenfalls per SMS gekommen.

Mein Küssometer ist auf gefährlich niedrigem Stand, bitte beeil dich, schrieb ich zurück. Sofort hellte sich meine Laune auf, und ich tanzte den Weg ins Untergeschoss, um Gina zu empfangen.

Sie fing schon an zu sprechen, bevor sie sich auch nur gesetzt hatte. Sie war genauso energiegeladen wie ich. Ich erfuhr schnell, warum.

»Ich habe mit jemand anderem geschlafen«, verkündete sie. »Ich habe beschlossen, dass ich das aus dem Kopf kriegen muss, bevor ich Jim heirate.«

»Dann heiraten Sie Jim also?«

»Ja. Tut mir leid, dass ich vorhin so panisch angerufen habe, jetzt geht es mir gut. Ich habe einfach gemerkt, dass ich das noch tun muss, und jetzt bin ich bereit, mich festzulegen.«

»Wie haben Sie sich gefühlt?«

Ihr Gesicht nahm den verträumten Ausdruck der Erinnerung an Leidenschaft an.

»Wundervoll. Ich habe auch gar kein schlechtes Gewissen. Ich meine, nicht wirklich. Schließlich sind Jim und ich noch nicht verheiratet.«

»Wollen Sie es wieder tun?«, fragte ich zögernd.

»Nein ... na ja ... vielleicht noch ein Mal.« Sie wirkte besorgt. »Verdammt, ja. Ich dachte, das wär's dann, aber ich will tatsächlich nochmal. Ich bin ein schlechter Mensch, oder? Sie halten mich für schlecht, das weiß ich genau.«

Ich schüttelte den Kopf. »Es ist völlig egal, was ich denke, Gina, es geht darum, was Sie denken«, sagte ich. »Wir alle sind gut und schlecht, ehrlich und unehrlich, hochherzig und gemein. So sind wir nun mal; wichtig ist, wie man damit umgeht, wie man damit fertig wird.« Mir war schon bewusst, dass ich ebenso zu mir selbst sprach wie zu ihr. Gina setzte sich im Stuhl auf und strahlte. »Es sind ja noch zwei Monate bis zur Hochzeit, dann zählt das gar nicht, wenn ich den anderen Typen noch weiterhin sehe.«

Das war ihre Art, ihre *Schlechtigkeit* zu rechtfertigen, aber auch sie war nur eine Süchtige, die ihren nächsten Fix mit dem Versprechen entschuldigte, es würde der letzte sein. Wir waren alle gleich.

»Ich kenne ihn schon seit Jahren. Und da war immer so eine Anziehung zwischen uns, das Gefühl, wir hätten noch etwas zu erledigen. Da dachte ich, ich erledige es besser noch schnell.«

»Was ist denn das Besondere an ihm?«

»Er ist so neu, und es ist noch nicht alles so eingefahren.«

Ich nickte. Ich wusste genau, was sie meinte.

»Das kriege ich schon hin. Ich schaffe das aus der Welt, und dann heirate ich und kriege Kinder und lebe glücklich bis an mein Lebensende. Kommen Sie zur Hochzeit?«

Es fühlte sich nicht ganz richtig an, aber Gina kam schon so lange zu mir, und ich wollte, dass sie glücklich war, und so beschloss ich, meine ungeschriebene Regel zu brechen. Ich sagte zu, dass ich zur Zeremonie kommen würde, nicht aber zum Empfang.

»Es ist alles ihre Schuld«, dachte ich trotzig, als ich in ihr hübsches Gesicht schaute. »Wenn sie nicht den Samen des Ehebruchs gesät hätte, dann säße ich jetzt nicht vor ihr und hätte einen Liebhaber und ein Doppelleben.«

»Hat sie dir eine Pistole vorgehalten?«, fragte eine Stimme in mir.

Dreizehntes Kapitel

Kittys Rache-Schokoladenkuchen

Für den Kuchen

215 g Schokolade (Vollmilch)   7 Eier, getrennt
225 g Butter   200 g gemahlene Mandeln
225 g Zucker

Schokolade langsam schmelzen, Butter mit Zucker schaumig rühren. 7 Eigelb und gemahlene Mandeln hinzufügen. Dann die geschmolzene Schokolade dazugeben. Eiweiß steif schlagen und unter die Schokoladenmischung heben. In gebutterte Form geben und etwa 45 Minuten bei 180 °C (Gas Stufe 4/5) auf mittlerer Schiene backen.

Für den Schokoladenguss:

175 g Blockschokolade
½ Tütchen Vanillezucker
1 Becher Schlagsahne

Schokolade bei mittlerer Hitze im Dampfbad schmelzen. Wenn die Schokolade glatt und geschmolzen ist, Vanillezucker und Sahne unterrühren. Kräftig rühren, bis die Zutaten gut vermischt sind und die Mischung seidig ist. Schokoladenguss über den abgekühlten Kuchen geben und an den Seiten hinunterlaufen lassen. Schüssel auslecken. Hmm.

Kitty lag auf der Treppe und weinte. Sie trug ihre Schuluniform und sah aus wie eine kleine schwarze Spinne, die ihre dünnen Glieder in Verzweiflung um sich herum verstreut hat. Sie hatte sich so hingelegt, dass sie ihr Gesicht im Spiegel an der Wand sehen konnte; traurige Prinzessin weint über die Ungerechtigkeit der Welt.

»Was hast du denn, mein Schatz?«, fragte ich.

»Molly und Anna sind total eklig zu mir. Ich hasse sie, die sind so gemein.«

»Sag doch so was nicht. Was ist denn passiert?«

»Also, du weißt doch, dass wir nach der Schule nach Bent Cross gefahren sind?«

Ich nickte. Ein typischer Mädchennachmittag sah so aus: Sie hingen in Einkaufszentren herum wie kleine Erwachsene, machten Schaufensterbummel und tranken Kaffee. Zu meiner Zeit war es die High Street, die, fand ich, mehr Seele hatte als ein Einkaufszentrum. (Was soll das überhaupt heißen, »zu meiner Zeit«, als ob »meine Zeit« nur bis zu einem bestimmten Punkt reicht, und dann ist es vorbei und »die Zeit« eines anderen beginnt. Wann sollte dieser magische Zeitpunkt denn sein? Mit zwanzig? Dreißig? War nicht immer noch »meine Zeit«? Immerhin lebte ich noch. Es ist doch sicher »meine Zeit«, solange ich atme!)

»Mum, jetzt hör mir doch mal zu«, sagte Kitty und schüttelte mich am Arm, um meine Aufmerksamkeit wiederzuerlangen.

»Okay, ich geh so vor den anderen her, und als ich mich umdrehe, sind sie weg, ja? Sie sind einfach abgehauen, und ich habe sie nicht mehr gefunden. Und ich renn so überall hin und such die, und dann stolper ich und halt mich so an einem Mädchen fest, das gerade vorbeikommt, um nicht hinzufallen. Die war echt voll asi, du weißt schon, mit so Hula-Hoop-Reifen-Ohrringen und Turnschuhen und Schlabberhose. Und dann steht die so vor mir und stemmt die Hände in die Hüften und sagt: ›Fass mich nicht an, ey‹, und ihre Freundin sieht, dass ich ihr einen finsteren Blick zuwerfe, und sagt: ›Ey, die Kleine hat dich schief angeguckt.‹ Ich musste echt abhauen, sonst hätten die mich noch verprügelt.«

Vor lauter Erzählen hatte Kitty ihre Traurigkeit ganz vergessen. Sie spielte jede Rolle, ihre Stimme, da war ich sicher, bot eine perfekte Nachahmung dessen, was sie gehört hatte. Das ganze Leben war *Stoff* für sie.

»Und was ist dann passiert? Hast du die anderen gefunden?«, ermunterte ich sie.

»O ja, irgendwann schon, aber ich war so was von sauer.«

Ich nahm sie in den Arm und erinnerte mich daran, wie grausam Mädchen zueinander sein können. Große Mädchen konnten genauso schlimm sein, dachte ich, wenn man sich mal anguckte, wie die Mütter ebendieser Mädchen sich Ruthie und mir gegenüber verhielten.

»Alle sind immer so eklig zu mir, ich habe überhaupt keine Freundinnen«, schluchzte Kitty und vergrub den Kopf an meinem Hals. Ich hätte Molly und Anna gern eine gescheuert.

»Und was ist mit Sephy, Schatz?«

»Sephy gilt nicht, sie ist so was wie meine Schwester.«

»Darum geht es doch, Liebes, wenn man eine gute Freundin hat, eine Seelenverwandte, dann zählen die anderen nicht mehr. Sie sind sowieso keine echten Freunde, wenn sie dich so schlecht behandeln.«

»Ich will aber, dass Molly und Anna meine Freundinnen sind.«

Eine der Bedingungen dafür, dass die Mädchen allein shoppen gehen durften, war ursprünglich, dass sie in der Gruppe zusammenblieben. Ich wurde nicht müde, sie daran zu erinnern. Ich rief Mollys Mutter an.

»Hier ist Chloe, Kittys Mutter.«

»Ach, hallo«, sagte sie, als erinnere sie sich kaum daran, wer ich war oder ob wir uns je begegnet waren.

Ich erklärte die Situation. Sie lachte ungeduldig auf. »Tja, Mädchen! Ich weiß nicht, was Sie jetzt von mir wollen.«

Die Löwin in mir erwachte und knurrte. »Meiner Meinung

nach ist das reine Schikane, und Sie sollten mit Molly darüber sprechen, bevor es noch schlimmer wird.«

»Wenn Sie meinen«, sagte sie und legte auf. Hätte sie vor mir gestanden, dann hätte ich ihr mit meinen Raubkatzenzähnen den Kopf abgerissen.

»Ziege«, murmelte ich.

»Genau«, sagte Kitty, die mich gehört hatte. Es war Krieg, die Schikanen fanden in zwei Generationen statt. Kitty und ich sprachen über psychologische Kriegsführung. Es stellte sich heraus, dass Molly am nächsten Tag Geburtstag hatte. Die Mädchen brachten an ihrem Geburtstag immer einen Kuchen mit zur Schule. Mollys Mum war ein treuer Fan von Marks und Spencer; das Einzige, was sie selbst kochen konnte, wenn sie nicht zu beschäftigt damit war, ins Fitness-Studio zu gehen, waren Gerüchte. Jessie, die zwei Klassen über Kitty war, war inzwischen nach Hause gekommen, und wir drei backten einen wunderbaren Schokoladenkuchen, den Kitty mit in die Schule nehmen wollte. Kitty probte ihren Auftritt bereits: »Huch, ich wusste gar nicht, dass Molly Geburtstag hat, ich wollte euch einfach mal überraschen.« Normalerweise wurden selbstgebackene Kuchen den gekauften vorgezogen. Wir verzierten den Kuchen mit künstlerisch wertvollen Glasur-Mustern, schrieben *Weil Donnerstag ist* darauf und freuten uns über unsere gute Idee.

»So, damit kannst du es ihnen ganz schön zeigen«, sagte ich und beendete die Aufschrift mit einem Schnörkel.

Fast hätte Leo unseren Plan vereitelt. Er schlich sich schweigend und auf Zehenspitzen in die Küche wie ein Einbrecher und wollte gerade ein großes Messer im Kuchen versenken und sich eine Scheibe abschneiden. Ich warf mich quer durch die Küche, zog ihm die iPod-Stöpsel aus den Ohren und verhinderte gerade noch das Schlimmste.

»Brauchst ja nicht gleich so zu schreien«, sagte er. »Ich will doch nur mal probieren.«

»Den nimmt Kitty mit in die Schule.«

»Typisch, immer alles für Kitty«, seufzte er.

Ich musste ihm ein Sandwich in der Form eines Lebkuchenmanns machen, um ihm zu zeigen, dass ich ihn genauso liebte. »Aber nur ein kleines«, sagte ich, »wir gehen gleich noch essen, denkst du daran?«

Wir hatten uns angewöhnt, mittwochs essen zu gehen, um Beas mürrischem Gesicht am Abendbrottisch zu entrinnen. Aus irgendeinem Grund war sie mitten in der Woche immer besonders schlecht drauf. Seit Zuzi da war und Beas Laune sich erheblich gebessert hatte, war das nicht mehr unbedingt notwendig, aber wir hatten es trotzdem beibehalten, und Zuzi und Bea rechneten inzwischen fest damit, einmal in der Woche Ruhe für ein Candlelight-Dinner zu haben. Das Problem war, das keine Restaurants in der Nachbarschaft mehr übrig waren. Greg war kein einfacher Gast und hatte die meisten Restaurants aus *Um die Ecke essen*, unserem lokalen Gastronomieführer, mit dicken roten Kreuzen ausgestrichen; sie sahen aus wie die Kreuze an den Türen von Pestopfern im sechzehnten Jahrhundert, mit denen angezeigt wurde, dass der Tod im Haus war. Gelegentlich konnte ein Restaurant sich rehabilitieren, wenn der Besitzer wechselte, aber allzu oft widerfuhr ihm dasselbe wie seinem Vorgänger, und dem ersten Kreuz wurde ein zweites hinzugefügt.

Wir gingen ins Jiminy Cricket, eine neue Pizzeria in der Willesden Lane, die Ruthie und Richard uns empfohlen hatten. Die Speisekarte war gewollt witzig: »Probieren Sie unsere superleckere Grillen-Pizza mit haufenweise Käse und würzigen Würstchen, die wird Ihnen schmecken!«

»Ich möchte nichts«, sagte Kitty. »Ich muss mir immer vorstellen, dass da Grillen auf der Pizza sitzen und lebendig gegrillt werden.«

Greg nervte damit, dass er mit einem imaginären Messer Butter auf sein Brötchen strich, um anzudeuten, dass das Messer fehlte. Ich entschied mich für einen Gartensalat, »knackiges, schmackhaftes Gemüse, liebevoll auf knusprigen, gesunden Blattsalaten dekoriert«. Sie hätten auch hinzufügen können: »mit einem schimmernden, glänzenden Käfer in der Mitte«, denn genau das bekam ich.

»Entschuldigen Sie bitte, Herr Ober, würden Sie uns wohl eben den Koch schicken?«, fragte Greg mit der eisigen Höflichkeit, die er dann an den Tag legt, wenn er eine Szene machen will. Ich schaute die Kinder an und zog eine Augenbraue hoch – na ja, beide, nur eine habe ich nie hinbekommen –, als wollte ich sagen »Jetzt geht's los«. Der Koch kam an unseren Tisch, ein junger Mann, dem schmuddelige, wirre Strähnen unter der Kochmütze hervorlugten. Seine karierte Hose saß eng und war leicht speckig, seine Hände waren voller Pflaster.

»Könnten Sie mir erklären, wie Sie den Salat machen?«, fragte Greg.

Der Koch schaute verdattert. »Wie bitte?«

»Sie wissen schon, erzählen Sie mir einfach, wie man Salat macht.«

»Na ja, man schneidet das Gemüse klein«, begann er.

Die Kinder rutschten unruhig auf ihren Stühlen herum und schämten sich. Greg hob den Arm und bedeutete ihnen, still zu sein. Jessie, die immer noch bei uns war, hatte Greg noch nicht in Aktion erlebt. Sie wirkte verwirrt.

»Ja.« Greg nickte dem Koch zu.

»Dann wäscht man den Salat.«

»Wie bitte?«, fragte Greg, hob den Kopf und spitzte die Ohren, wie ein aufmerksamer Jagdhund, der den Fuchs in der Nähe weiß.

»Den Salat«, wiederholte der Koch langsam und schüttelte den Kopf.

»Ja, aber was war das Wort, das vor Salat kam?«

Der Koch kratzte sich gespielt nachdenklich am Kopf. »Ähm … waschen, man wäscht den Salat.«

»Genau«, sagte Greg und streckte einen Finger in die Luft. »Das war das Wort: waschen.« Der aufmerksame Hund wurde

194

zum zornigen Herrchen, das drauf und dran war, den Hund mit der Nase voran in sein Geschäft zu stoßen und ihm mit einer zusammengerollten Zeitung auf den Hinterkopf zu schlagen. »Waschen ist das A und O, meinen Sie nicht?«, fragte Greg mit einer unangenehmen Betonung auf *waschen*. »Und warum, wenn ich fragen darf, hat meine Frau dann einen Käfer im Salat?«

Sein bis dahin nachdrücklich erhobener Zeigefinger machte nun einen anklagenden Schlenker und deutete auf das Corpus Delicti in seinem *schmackhaften Gemüsebett*. Der Koch nahm flott den Teller weg und marschierte damit unter Absingen schmutziger Lieder in einer uns nicht verständlichen Sprache Richtung Küche.

Ich bestand darauf, dass wir nach Gregs »Sieg« gingen. Ich hatte früher als Kellnerin gejobbt und wusste, dass eine Beleidigung des Kochs im harmlosesten Fall wahrscheinlich dazu führen würde, dass er uns ins Essen spuckte.

»Ich verstehe nicht, warum du dem Kellner nicht einfach sagen konntest, dass da ein Käfer im Salat ist, statt diesen ganzen Zirkus durchzuziehen«, schimpfte ich und schob alle zur Tür hinaus.

»Weil sie es lernen müssen«, antwortete der Irre, dem ich einst dummerweise mein Eheversprechen gegeben hatte.

Wir kamen mit knurrenden Mägen nach Hause, wo der Kühlschrank leer war und Bea und Zuzi gemütlich auf dem Küchensofa saßen, schmatzten und sich auf die vollen Bäuche klopften.

»Jetzt reicht's«, schrie ich Greg an, »ich gehe nie wieder mit dir essen. Ab sofort wird nur noch hier zu Hause gegessen.«

Bea war entsetzt. »Aber nicht an Mittwoch? Das ist Bea-und-Zuzi-Abend, nein?«

Ich traute mich nicht, etwas zu sagen, also folgte ich Greg nach oben. Er nahm den Gastroführer aus dem Regal, malte ein dickes rotes Kreuz durch den Jiminy-Cricket-Eintrag und setzte sich dann hin, um einen Brief an *Um die Ecke essen* zu schreiben. Er würde zweifelsohne darauf bestehen, dass sie das Jiminy Cricket aus ihrer Liste strichen. In der Luft um mich herum bildeten sich Stalagmiten und Stalaktiten, als ich in eiskaltem Zorn dort stand und ihn beim Schreiben beobachtete. Er kratzte mit der Feder, von der ich mir wünschte, ich hätte sie ihm nie geschenkt, auf dem Papier und meinen Nerven herum. Ich war zur Eissäule erstarrt, und es würde einige Tage dauern, bis ich wieder auftaute. »Ey, Dad, Mum hat dich schief angeguckt«, sagte Kitty zu ihm, als sie auf dem Weg ins Bett an uns vorbeikam.

Vierzehntes Kapitel

BBs Rezept für eine Dinnerparty

Nüsse und Oliven kaufen
Beides in Schälchen geben
Wein kühlen
Gästen sagen, sie sollen die anderen Gänge mitbringen.

Beckys Auszeit hatte sie davon überzeugt, dass sie und Iwan um ihre Beziehung kämpfen und ihr noch eine Chance geben mussten. Zwei Seelen wohnten, ach, in meiner Brust; einerseits fühlte ich mich sicherer, denn es hielt meine Beziehung zu Iwan unter Kontrolle, andererseits war ich unsinnig eifersüchtig. Ihre Rückkehr ins traute Heim stellte uns vor ein Problem. Wir mussten einen neuen Treffpunkt finden und waren gezwungen, unsere Stelldicheins in Hotels zu verlegen. Die meisten Hotels hatten rigorose Check-in-Zeiten, die den Bedürfnissen verheirateter Liebhaber nicht gerade entgegenkamen.

»Warum gibt es eigentlich keine Love Hotels?«, fragte ich Iwan. »Wir sollten nach Japan ziehen, da gibt es anscheinend jede Menge.«

Nach einigen Unfällen – Bettwäsche aus Frottierplüsch; nicht ganz saubere Laken; wildes, lautes Gerammel im Nebenzimmer – hatte Iwan ein Hotel in Bayswater gefunden, das zufällig *Encounters* hieß, *Begegnungen*, und das wir zu unserem persönlichen Love Hotel erkoren. Es war ein hübsches rosafarbenes Haus aus georgianischer Zeit, das passenderweise von Georgiern aus Tiflis betrieben wurde und abgeschieden in einer

197

Seitenstraße der Bayswater Road lag, nicht weit von Iwans Haus entfernt.

Ich besorgte für unsere Treffen kleine Leckereien bei den exotischen Lebensmittelhändlern am Queensway: Hummus, Falafel, Nüsse, Oliven und Brot; Dinge, die man aus der Hand essen oder sich gegenseitig füttern konnte. Manchmal verbrachten wir mittags zwei Stunden dort, gelegentlich schafften wir es auch, uns einen ganzen Nachmittag freizuschaufeln. Das Verhalten von Mgelika, dem Rezeptionisten, war mir peinlich. Er lächelte mich mit seiner Zahnlücke vielsagend an, wenn wir eincheckten, und schüttelte Iwan ein bisschen zu energisch die Hand, als wolle er sagen, was für ein viriler toller Hecht Iwan doch sei, mit der Frau eines anderen Mannes zu schlafen. Einmal, als wir gerade gingen, kam er an unserem Zimmer vorbei und starte offen auf die zerwühlten Laken, die durch den Türspalt zu sehen waren. Er grinste mehrdeutig, stierte mich unverhohlen an, und sein Blick blieb etwas zu lange an meinen Brüsten hängen. Ich fühlte mich wie eine Hure, die stundenweise Zimmer mietet. Iwan sagte, ich solle nicht spinnen und dass es doch egal sei, was ein Fremder von mir denkt, solange wir zusammen sein können.

(»Denk bloß an Regel vier«, sagte Ruthie, als ich ihr von unserem neuen Liebesnest erzählte.

Ich schaute sie fragend an.

»*Bezahl nie mit Kreditkarte.* Da wird man so leicht erwischt, viele Leute achten da gar nicht drauf«, warnte sie mich.)

Mein sexuelles Wiedererwachen hatte eine unvorhergesehene und unerwünschte Folge, die fast genauso erdrückend war wie eine schlecht gehütete Kreditkartenabrechnung: Ich bekam eine Zystitis. Kein rezeptfreies Produkt half, und ich machte verzweifelt einen Termin bei der Schwester in Gregs Praxis. Riskant, das ist klar, aber ich wusste nicht, wohin ich sonst gehen sollte.

»Hallo, Chloe, wollen Sie zu Greg?«, fragte Marjorie mich

strahlend, als ich so unauffällig wie möglich die Praxis betrat. Selbstverständlich hatte sie sich ausgerechnet heute mal entschieden, mich wie Gregs Frau zu behandeln. Sie griff nach dem Telefon.

»Nein, nein, stören Sie ihn nicht, er hat ja bestimmt zu tun«, sagte ich. »Ich wollte nur kurz mit der Schwester sprechen.« Sie hielt in der Bewegung inne und schaute mich an, als könne sie geradewegs in meinen Harntrakt gucken, dann schaltete sie auf Rezeptionistinnen-Modus um.

»Wenn Sie bitte noch kurz Platz nehmen würden, die Schwester ruft sie gleich rein.«

Als ich aufgerufen wurde, klang es so laut, dass ich fast *Pssst* zum Lautsprecher gesagt hätte. Ich schlich auf Zehenspitzen den Gang entlang und drückte mich an die Wand, damit Greg mich nicht sah.

»Sie können sich gar nicht vorstellen, wie viele Frauen in den Vierzigern hier mit Zystitis ankommen«, schien die Schwester zu schreien, ihre Stimme musste durch die Wand in Gregs Behandlungszimmer dringen. »Die reinste Epidemie, lauter geschiedene Frauen, die plötzlich den Sex wiederentdecken. Man nennt es auch ›Flitterwochen-Krankheit‹. Aber komisch, dass Sie das haben, wo Sie und Greg doch schon ewig verheiratet sind und so.« Sie schaute mich neugierig an und fügte hinzu: »Scheint ja noch ganz fit zu sein, der alte Doktor. Sie Glückliche, Henry und ich hatten bestimmt schon seit einem Jahr keinen Sex mehr.« Ich lachte nervös und hastete hinaus, mit einem Rezept für ein Antibiotikum in der Hand und in der Befürchtung, dass sie Greg darauf ansprechen würde.

Nichts ist so angenehm, wie nachmittags in den Armen des Mannes, den man begehrt, im Bett zu liegen. Es war Freitag, der Himmel ungewöhnlich blau für Dezember. Die Sonne hielt sich an ihre kurzen Arbeitszeiten, hatte aber noch einen kleinen Auftritt, bevor sie sich für heute zurückzog. Iwan strich mir mit der Hand über den Rücken, und ich schnuffelte mich an seinen

Hals und atmete seinen Duft ein. Seine langen Beine waren mit meinen verschlungen, und ich spürte die Hitze seiner Schenkel zwischen meinen, wo es nach seiner gekonnten Behandlung immer noch pulsierte. Wir genossen die kostbaren letzten Momente, bevor wir aufstehen und uns anziehen mussten, um reuig in unser echtes Leben zurückzukehren, als plötzlich das Wort mit den fünf Buchstaben sein grässliches Haupt erhob und gegen Ruthies Regel Nummer fünf verstieß: *Verlieb dich nicht in deinen Liebhaber, wenn du nicht vorhast, seinetwegen deinen Mann zu verlassen.*

»*Ja ljublju tebja*«, sagte Iwan.

»*Blublu blabla*, was heißt das?«

Er lachte. »*Ljublju tebja*. Ich liebe dich.«

»*Blublu blabla* auch«, sagte ich, ohne nachzudenken. Damit hatte ich ja nicht wirklich gesagt, dass ich ihn liebe, überlegte ich; ich hatte nur in einer Sprache, die ich nicht verstand, Unsinn gestammelt. Iwan zu sagen, dass ich ihn liebe, fühlte sich unlogischerweise eher wie ein Betrug an Greg an, als mit ihm zu schlafen. Anscheinend war es in Ordnung, einen anderen Mann und seinen Schwanz mit mir tun zu lassen, was sie wollten, aber für *Ich liebe dich* würde ich ins Fegefeuer kommen. (Wobei ich dort, bei Licht betrachtet, wohl ohnehin landen würde.) Ich unterband weitere Gespräche über die Liebe, indem ich Iwan küsste, bis wir gehen mussten.

War ich dabei, mich zu verlieben? Der Gedanke machte mir Angst. Ich sah vollkommen ein, warum das gegen Ruthies Regeln war, aber unter der Angst lag noch ein anderes Gefühl: eins des ungeheuren Wohlbefindens, und auf dem Weg zum Auto summte ich glücklich vor mich hin. Konnte ich nicht einfach für eine Weile vergessen, dass ich verheiratet war, und die Stunden mit meinem Liebhaber noch einmal durchleben? *Mein Liebhaber.* Ich ließ mir die Worte wie etwas Süßes auf der Zunge zergehen und fühlte mich wie die unwiderstehlichste Frau der Welt, wie Mata Hari, eine Verführerin. Chloe Schiwago, schlanker und schöner denn je. Tra-la-la-la-la. Das letzte *la* blieb mir im Halse stecken, weil mir die Worte in den Sinn kamen, die jedem Juden Glück und Freude verderben: »Nichts hält ewig.«

Als ich ins Auto stieg, unterbrach mein Handy meine Gedanken. Es sang *One more dance with you, Momma*; Leo hatte meinen Klingelton durch eine seiner Hip-Hop-Nummern ersetzt, glücklicherweise durch eine, die melodischer und weniger brutal war als die üblichen. (Ich war kurz in Panik geraten, dass ich mein Handy überhaupt so lange unbeaufsichtigt gelassen hatte, dass er das tun konnte.) Ich dachte, es sei Iwan, der sich nochmal verabschieden wollte; einer von uns rief immer an oder schrieb eine SMS, nachdem wir zusammen waren, weil wir uns gar nicht trennen mochten.

»Hallo«, hauchte ich zärtlich.

»BB hat gerade angerufen«, sagte Greg, und ich zuckte zusammen. »Sie hat uns zum Dinner bei ihr verdonnert, nächsten Dienstag um acht, damit wir ihren neuen Macker kennenlernen. Ich habe versucht, es abzubiegen, aber irgendwie musste ich ihr doch versprechen, dass wir kommen. Ruthie und Richard gehen auch hin und dieser Russe, Iwan, und seine Frau. Du bist anscheinend für die Vorspeise zuständig, und Ruthie für den Hauptgang.«

»Und was ist mit Salat?« Ich war so entsetzt, dass mir nichts anderes einfiel.

»Kauft sie fertig im Supermarkt. Eins muss man ihr schon lassen. So was würde man sonst keinem verzeihen, Leute zum Dinner einzuladen und sie das Essen selbst mitbringen zu lassen.«

»Müssen wir da hin?« Ich war total schockiert.

»War das schon wieder falsch?«, fragte Greg. »Sonst beschwerst du dich doch immer, dass ich nie mitgehe. Sie ist deine Freundin; ich dachte, du gehst bestimmt gern.«

»Nein, klar, natürlich gehen wir.«

Nach diesem Telefonat saß ich unruhig im Auto; Sprüche wie

Zur Schlachtbank gehen und *Da haben wir den Salat* kamen mir in den Sinn. Letzteres war natürlich besonders passend, und ich lachte dumpf auf bei dem Gedanken, dass der Salat das Einzige war, wofür BB selbst sorgte.

Super, das würde ja kuschelig werden: mein Mann und mein Liebhaber an einem Tisch. Es war schlicht nicht zumutbar, und weil Greg für uns schon zugesagt hatte, schickte ich Iwan schnell eine SMS, dass er bloß absagen sollte. *Zu spät*, schrieb er zurück, *Becky hat gerade freudig zugesagt.*

»Augen zu und durch«, sagte Ruthie, die ich daraufhin panisch anrief.

»Warum ist die Vorstellung so unmöglich, mit meinem Mann und meinem Liebhaber an einem Tisch zu sitzen? Ich meine, gerade war ich mit Iwan im Bett und habe alle möglichen intimen Dinge getan, und das fühlt sich irgendwie gar nicht unmöglich an.«

»Wahrscheinlich weil es so erniedrigend für deinen Mann wäre, wenn er wüsste, dass Iwan dein Liebhaber ist, und wüsste, dass alle anderen es wissen. Dann würdest du ihn sozusagen öffentlich brüskieren. Aber wenn du diskret bist und deine Affäre vom Alltag trennst, dann ist das – na ja, nicht wirklich verzeihlich, aber weniger unverzeihlich.«

»Das ist doch das reinste Minenfeld. Das Komische ist, ich würde mich freuen, wenn sie sich mögen.«

»Sei bloß vorsichtig, Chloe, du kannst dich mit allem Möglichen verraten, ohne dass du es merkst. Körpersprache, Blicke ... Man kann dir bestimmt Dinge ansehen, manchmal sogar Dinge, von denen du selbst nichts weißt.«

»Danke für die Ermutigung«, sagte ich gequält.

Keine Ahnung, welcher Teufel mich ritt, aber schließlich fand ich die Vorstellung sogar ganz spannend; die Gefahr bei der Sache sorgte dafür, dass ich mich lebendig fühlte. Plötzlich verstand ich, warum Leute Risiken eingingen; warum Parlamentarier sich mit bekannten Prostituierten einließen, warum Prominente vor den Augen Fremder Drogen nahmen. Es nährte die gefährliche Lust an Grenzerfahrungen; es machte das Leben zu einem spannenden russischen Roulette, und ich hatte das Glück, es mit einem leibhaftigen Russen spielen zu können.

An dem verabredeten Tag blätterte ich in meinen Kochbüchern und suchte eine geeignete Vorspeise.

Buchweizenblinis mit geräuchertem Lachs, saurer Sahne und Kaviar. Perfekt. Ich ging ins Wolga, um ein paar Zutaten zu kaufen. Wolodja saß in seiner üblichen Pose da, die Füße auf dem Tisch, eine nicht angesteckte Zigarette zwischen den Lippen, und las *Doktor Schiwago.* Als die Tür ging, schaute er auf.

»Wie weit sind Sie?«, fragte ich.

»Da wo Schiwago eine Affäre mit Lara hat, aber Tonja hat noch nichts gemerkt.«

»Das habe ich nie verstanden«, sagte ich, »ich meine, Schiwago liebt Tonja so sehr und von so früh an, wie kann er sich da in Lara verlieben?«

»Man kann zwei Menschen gleichzeitig lieben.« Wolodja zuckte die Achseln und sah mich vielsagend an.

Und offenbar auch gleichzeitig mit ihnen zu Abend essen. Ich wich seinem Blick aus, indem ich in meiner Tasche nach etwas suchte.

»Wieder ein Rätsel?«, fragte er.

»Nein, heute komme ich tatsächlich mal, um etwas zu kaufen. Ich brauche Buchweizen und Kaviar.«

Er verkaufte mir eine Dose Lachskaviar; leuchtend orangefarbene, glänzende Kügelchen, die, versicherte er mir, besser schmeckten als die üblichen schwarzen Stör-Eier und die außerdem viel günstiger waren.

»Russische Liebe, *Russkaja Ljubow,* das passt zu Ihnen«, sagte er und schaute mir ins Gesicht. »*Semja,* das ist das Wichtigste, Chloe, Familie.« Er hielt mich an den Schultern fest und drehte mich zu ihm. »Seien sie glücklich, genießen Sie das Leben, aber vergessen Sie das nie.«

Anscheinend konnte ich mit niemandem mehr sprechen, ohne dass er mich zur Vorsicht mahnte oder mir einen Rat gab. Er steckte ein paar Pralinen mit Eichhörnchen darauf in eine Plastiktüte und gab sie mir. »Hier, nehmen Sie ein paar *Bjelotschki* mit, sehr lecker zum Tee oder Kaffee nach dem Essen, ein bisschen Geschmack von zu Hause für Ihren Freund.« Er steckte die Hand in ein kleines Weidenkörbchen, holte eine andere Praline heraus, packte sie aus und steckte sie mir in den Mund. Sie war köstlich, Nusskrokant in Schokoladenumhüllung.

»Das heißt *Griljasch*, sehr beliebt bei uns zu Hause.«

»Was heißt lecker auf Russisch?«

»*Wkusno.*«

»*Wkusno*«, wiederholte ich und merkte es mir für einen intimen Moment, in dem ich es Iwan zum Geschenk machen würde, eine Liebkosung in seiner Muttersprache.

Ich ging nach Hause und wollte die Ärmel hochkrempeln und mit den Blinis anfangen, aber auf dem Küchensofa lag BB. Sie trug eine Halskrause.

»Was hast du denn gemacht?«

»Ich habe mir beim Sex mit Jeremy den Hals verrenkt. Ich war oben und habe versucht, mein Gesicht nicht hängen zu lassen, deswegen habe ich den Rücken durchgebogen und den Kopf ganz weit nach hinten gelegt, damit alles straff bleibt. Da muss ich es ein bisschen übertrieben haben.«

»Vielleicht sollten wir *Femmes d'un certain age* einfach bei der Missionarsstellung bleiben«, sagte ich und versuchte, nicht zu lachen.

»Bei *dir* ist es ja egal, wie du aussiehst«, sagte BB, »ich meine, es ist nur Greg, den musst du nicht mehr beeindrucken.«

»Ja, klar, natürlich nicht«, antwortete ich nervös. »Trotzdem, ich muss ja zusehen, dass er nicht mit irgendeinem straffgesichtigen jungen Ding durchbrennt.« Fast hätte ich mich verraten; ich musste vorsichtiger sein.

»Warum hast du eigentlich Iwan und Becky zum Dinner eingeladen?«, fragte ich in hoffentlich lässigem Plauderton.

»Sie sind meine neuen besten Freunde, und ich will ihn fragen, ob er mein neues Buch illustriert. Ich dachte, so ein paar heiße Cartoons von Leuten beim Sex wären ganz schön. So, jetzt muss ich aber wirklich los«, sagte BB und stand auf, als hätte ich sie aufgehalten. »Ich muss noch schnell nach Saigon, mir die Nägel machen lassen.« (Sie meinte die vielen vietnamesischen Nagelstudios. Stoke Newington nannte sie »Istanbul« wegen der türkischen Läden dort; Acton war »Tokio« und Southall »Neu-Delhi«.) »Diese Mädels in Saigon haben unfassbar kleine Ärsche«, fügte sie hinzu, »da fühle ich mich immer total fett. Trotzdem, es ist so ruhig und entspannend dort, wir sprechen überhaupt keine gemeinsame Sprache, deswegen muss man auch nicht reden, genau das brauche ich vor heute Abend.« Sie warf mir einen Kuss zu. »Bis später.«

»Ich freu mich schon«, murmelte ich und schloss die Tür hinter ihr.

BB wohnte in einem großen Haus in einem Viertel, das sie West Hampstead nannte; Greg bestand darauf, dass es in East Kilburn lag. Die Ecke war in letzter Zeit ganz beliebt bei der Boheme, den Künstlern und Musikern, die sich die Preise in Notting Hill Gate oder Primrose Hill nicht leisten konnten. Als wir gerade loswollten, rief BB an und bat uns, unterwegs noch schnell einen Fertigsalat zu holen, sie hätte so viel zu tun gehabt, dass sie nicht mehr dazu gekommen sei. In ihrer jungfräulichen Küche mit Zementarbeitsplatte (Zement war offenbar gerade der letzte Schrei für Küchenarbeitsplatten) war es schwer zu sagen, womit sie so beschäftigt gewesen war: Das einzige Zeichen, dass sie Gäste erwartete, waren ein paar Schälchen Oliven und Nüsse.

»Ich bin stinksauer«, verkündete sie. »Jeremy hat vor genau fünf Minuten angerufen und abgesagt. Er musste nach Cardiff; einer seiner Producer ist wegen eines tätlichen Angriffs festgenommen worden, und er muss es regeln. Echt, der Anlass für diesen Abend war, dass ihr ihn alle kennenlernen solltet.« Ich war damit beschäftigt, sie zu trösten, sie hinzusetzen und ihr einen Drink einzuschenken, als Iwan und Becky kamen.

Becky war kleiner und hübscher als auf dem Foto, aber sie hatte so etwas Feuchtes um den Mund, dass ich ihn ihr am liebsten mit einem Taschentuch abgetupft hätte. Es war nicht die Feuchtigkeit sexueller Versprechungen, eher eine Ankündigung sehr nasser Küsse. Aber diesen kleinen Makel konnte ich übersehen, denn ich hatte sowieso nicht vor, sie zu küssen. Ich mochte sie spontan; diese Möglichkeit hatte ich gar nicht in Betracht gezogen.

»Iwan und ich sprechen nicht mehr miteinander«, sagte sie. »Wir haben uns auf dem Weg hierher verfahren, und er wollte mal wieder nicht anhalten und jemanden fragen.«

»Greg ist genauso«, sagte ich. »Er fährt lieber stundenlang im Kreis, als sich die Blöße zu geben, jemanden um Hilfe zu bitten. Liegt das am Testosteron, dass Männer nicht nach dem Weg fragen können?«

»Es macht mich total verrückt, und die Kinder auch«, sagte Becky. »Als sie klein waren, haben sie sich aus dem Fenster gelehnt und gewunken und Passanten zu Hilfe gerufen: Wir haben uns verfahren, aber unser Vater will nicht anhalten und nach dem Weg fragen!«

»Und, hat es funktioniert?«

»Nein, Iwan wollte erst recht nicht anhalten, er ist umso schneller gefahren.«

Wir lachten; vereint durch die Schwächen der Männer. Becky war nett und lustig. An ihrer Stelle wäre ich fuchsteufelswild gewesen, dass ihr Mann fremdging, wenn es nicht ich gewesen wäre, mit der er es tat. Schade, dass ich sie nicht einfach fragen konnte, ob sie ihn mir mal ausleiht, wie ein Kind sich Spielzeug vom anderen leiht. Konnte ich ihren Mann nicht einfach mal ausprobieren? Ich würde auch versprechen, ihn ihr zurückzugeben, wenn ich fertig war. *»Komm schon, Becky, sei nicht so* *gemein, lass mich auch mal.*« Ich nehme an, darum geht es beim Swingen: den Mann oder die Frau eines anderen mal zu probieren und dann artig wieder zurückzugeben.

BB war so beschäftigt damit, sich wie ein Gast zu verhalten, dass Ruthie und ich die Sache in die Hand nehmen mussten, sonst hätten wir nie etwas zu essen bekommen.

»Wie findest du ihn?«, flüsterte ich Ruthie zu, die mir mit dem ersten Gang half. Sie schwankte etwas, als sie den geräucherten Lachs planlos auf den Blinis verteilte. Sie war schon betrunken angekommen.

»Er ist süß«, sagte sie. »Aber seine Frau ist auch nett.«

BBs einziges Zugeständnis daran, dass sie die Gastgeberin war, war es, die Sitzordnung festzulegen, und sie hatte Iwan neben mich gesetzt. Ich musste jedes Fitzelchen Selbstbeherrschung zusammenkratzen, um nicht unter dem Tisch meine Beine mit seinen zu verschlingen. Greg saß neben Becky, und sie schienen sich gut zu verstehen.

Ruthie warf mir über den Tisch hinweg bedeutungsschwere Blicke zu. Sie folgte mir, als ich die Teller abräumte.

»Regel sechs«, sagte sie, *»leugne und lüge.«* Ich sah sie fragend an. »Solange du nicht *in flagranti* erwischt wirst, streite alles ab.« Ich nickte gehorsam. »Allerdings«, fügte sie hinzu, »so wie ihr zwei euch anguckt, würde es mich nicht überraschen, wenn ihr uns nach dem Essen eine kleine Live-Sex-Show spendiert.«

»Ist es echt so offensichtlich?«

»Für mich schon. Aber das ist auch mein Spezialthema.«

»Meinst du, Greg oder Becky merken was?«

»Nein«, sagte sie, und dann nach einer Kunstpause: »Noch nicht.«

BB verbrachte einen Großteil des Abends entweder im Nebenzimmer und telefonierte mit Jeremy oder am Tisch, wo sie mit Richard die sexuellen Vorlieben im Altertum besprach, vielleicht konnte sie etwas davon in ihrem neuen Buch verwenden.

Wir anderen waren weitgehend uns selbst überlassen. Nach dem Hauptgericht (Ruthies gegrillter Heilbutt mit Schwarze-Bohnen-Soße und Wildreis) brach Ruthie ein Gespräch über die Ehe vom Zaun. Sie hatte dem, was sie vorher schon getrunken hatte, noch ein paar Gläser Wein hinzugefügt, außerdem hatte sie, ihren häufigen Gängen zur Toilette nach zu schließen, offenbar Besuch von ihrem kolumbianischen Freund gehabt. Richard beobachtete sie und knetete sich dabei die Unterlippe, wie immer, wenn er nervös war. Ich wusste, dass ich bald ein ernstes Wort mit ihm reden und Ruthies Geheimnis ausplaudern musste: Ich sah nicht, wie sie es ohne seine Hilfe schaffen sollte.

»Es ist ja so«, sagte sie, »die Ehe ist gar nicht dazu gedacht, so lange zu halten wie bei uns allen. Zehn Jahre waren die normale Länge für eine Ehe. Bis dahin waren die Frauen bei Geburten gestorben, und ihr«, sie winkte unkontrolliert in Richtung der Männer, »ihr seid bei Duellen oder so umgekommen.«

»Vielleicht sollte ich Iwan zu einem herausfordern«, sagte Greg und öffnete noch eine Flasche Wein. Ich erstickte fast an dem, was ich gerade kaute. »Eine Gräte«, keuchte ich, als ich wieder sprechen konnte.

»Warum denn ausgerechnet mich?«, fragte Iwan gelassen.

»Warum nicht? Wir finden bestimmt etwas, worüber wir uns streiten können«, sagte Greg. »Was halten Sie zum Beispiel vom Landleben?«

Das war eins von Gregs Lieblingsthemen, und er liebte es, sich zu kabbeln. »Das Leben ist so langweilig, wenn ständig alle einer Meinung sind«, sagte er immer.

»Ich finde es wunderbar auf dem Land«, sagte Iwan.

»Nein, ich meine die Fuchsjagd«, beharrte Greg. Jetzt geht's los, dachte ich müde.

»Ziemlich gute Art, Darwins Theorie anzuwenden«, sagte Iwan und schaute Greg an. »Die Füchse, die gefangen werden, sind die alten und schwachen.«

Und so ging es weiter, hin und her. Greg führte an, es sei

schändlich, das Töten als Sport zu betreiben, Iwan poetisierte über die Freuden der Jagd.

»Ich bin hier die Einzige, die auf dem Land geboren und aufgewachsen ist.« Becky versuchte, sich Gehör zu verschaffen. Aber die Männer hatten kein Interesse an jemandem, der aus Erfahrung sprach, sie wurden nur immer lauter und übertönten uns. Iwan unterbrach Becky jedes Mal, wenn sie etwas sagen wollte, genau wie Greg mich. Wir guckten uns an und zuckten mit den Schultern. Unsere Männer waren sich ähnlicher, als ich gedacht hatte, wobei ich bei näherer Betrachtung feststellte, dass Greg deutlich netter zu mir war als Iwan zu Becky. Wenn sie etwas sagte, wirkte er genervt, und er schaute sie kaum einmal an.

»Es ist ein wichtiger Teil des wirtschaftlichen und sozialen Gefüges auf dem Land. Und ich meine nicht die Schickeria, sondern die kleinen Leute, zu deren Lebensunterhalt die Fuchsjagd schon seit Generationen beiträgt«, sagte Iwan.

»Dieser ganze Quatsch, wie viele Arbeitsplätze da verlorengehen würden, geht doch völlig am Thema vorbei«, konterte Greg. »Der Verlust von Arbeitsplätzen ist nun mal eine Nebenwirkung des Fortschritts. Die Betroffenen müssen halt andere Möglichkeiten finden, Geld zu verdienen. Man muss tun, was richtig ist, und die Fuchsjagd ist nicht richtig.«

»Füchse sind Schädlinge, und außerdem werden nur drei Prozent der Population bei der Jagd getötet«, sagte Iwan.

»Also, wenn das so ist, dann können wir ja auch gleich Mord sanktionieren, ein paar Leute erschießen und uns damit entschuldigen, dass ja nur ein sehr kleiner Prozentsatz der Menschheit dadurch umkommt. Tot ist tot«, antwortete Greg.

»Sehen Sie mal«, sagte Iwan und zeigte auf BBs Siamkatze, die zusammengerollt auf einem Fußabtreter lag. »Leute halten sich Katzen, und die kümmern sich um einen eventuellen Mäusebefall.«

»Also«, unterbrach ich, »unsere nicht. Sie ist magersüchtig.«

»Ach, wen interessiert das denn, Füchse-Popüchse«, kommentierte Ruthie laut und brach zu unser aller Verwunderung in lautes Schluchzen aus. »Das ist doch alles dermaßen egal«, sagte sie und stand schwankend auf. Richard sah mich hilflos an; er ist nicht sehr kompetent im Krisenmanagement. Daher schob ich sie schnell aus dem Zimmer und hinauf in BBs Schlafzimmer, damit sie sich hinlegen konnte.

»Sorry, Chloe, ich bin ein bisschen angeschickert«, sagte sie, drehte sich um und schlief ein.

Auf der Treppe drängte Iwan mich an die Wand.

»Wenn uns jemand sieht!«, sagte ich.

Er zog mich an sich, und ich spürte ihn warm an meinem Schenkel, eine Erinnerung an gemeinsam erlebte Freuden. Es war fast unerträglich aufregend. Vergesst russisches Roulette, das hier war reiner Selbstmord. Er steckte mir die Hand in die Hose und liebkoste mich, zog sie dann wieder heraus, leckte sich den Finger ab, mit dem er mich berührt hatte, und hielt mich mit seinem Blick fest. Ich errötete vor Schreck und Erregung. Wenn uns jemand sah, würde Regel sechs nichts mehr nützen. Ich raffte meine restliche Selbstbeherrschung zusammen, schob ihn beiseite und rannte die Treppe hinunter. BB erschien in der Tür und guckte fragend. »Hab ich was verpasst?«, fragte sie.

»Ich habe Iwan nur gezeigt, wo die Toilette ist«, sagte ich und zuckte die Achseln.

Auf dem Heimweg sagte Greg: »Iwan und Becky sind echt nett. Dieser Iwan ist vielleicht ein bisschen selbstverliebt, aber ein ganz interessanter Typ. Vielleicht gehe ich mal mit ihm auf einen Drink.«

Ich versuchte, mir nichts anmerken zu lassen, und beschäftigte mich damit, im Radio die Wettervorhersage zu suchen, um Greg abzulenken. Das hätte mir gerade noch gefehlt, dass mein Mann mit meinem Liebhaber gemütlich einen heben geht. Vielleicht würden sie gern meine Leistungen im Bett diskutieren.

»Ruthie geht es gar nicht gut«, sagte ich, um das Thema zu wechseln.

»Das ist bestimmt prämenopausal«, sagte Greg auf diese unerträgliche Weise, mit der Männer die Gefühle von Frauen gern als Hormonstörungen abtun.

»Mann, sie ist erst dreiundvierzig.«

»Viele Frauen haben in eurem Alter die ersten Symptome.«

»Okay, dann kann ich mich ja schon mal drauf freuen, ja?«, sagte ich scharf.

Iwan hatte mich so erregt, dass ich schon überlegte, Greg zu verführen, als er ins Bett kam, obwohl es mir nicht richtig erschien, dass er zu Ende bringen sollte, was Iwan vorher auf der Treppe angefangen hatte. Andererseits wäre ich wohl weder die Erste noch die Letzte gewesen, die beim Sex mit ihrem Ehemann an einen anderen dachte. Während ich noch mit meinem Gewissen kämpfte, nahm Gregs Schnarchen mir die Entscheidung ab. Ich hatte mich immer für einen anständigen und ehrenhaften Menschen gehalten, aber anscheinend war ich doch ziemlich abgebrüht. Passierte das automatisch, wenn man die Grenze zwischen Gut und Böse einmal überquert hatte? Dieser Schritt war nicht der letzte, sondern nur der erste auf dem unerbittlichen Weg ins Verderben; das eigene Verderben und das aller anderen. Ich lag noch eine ganze Weile wach und suchte mit meinen betrügerischen, Grenzen überschreitenden Füßen nach weichen, kühlen Stellen zwischen den Laken, die mich in den Schlaf trösten würden.

»Es tut mir so leid«, jammerte Ruthie am nächsten Morgen ins Telefon. »Als ich aufgewacht bin, habe ich mich so geschämt. Jetzt reicht's, ich hör damit auf, versprochen. Ich habe Carlos' Nummer aus meinem Handy, dem Palm und dem Computer gelöscht.«

»Schön und gut, aber was ist mit deinem Kopf?« Ruthie hat ein phänomenales Gedächtnis für Telefonnummern. Sie weiß immer noch die Nummer von Benny Tart, dem ersten Jungen, den sie geküsst hat.

»Ich werde meinen Kopf in heißem Fett auskochen, damit sie auch da verschwindet«, sagte Ruthie zerknirscht. »Ich war ein bisschen angespannt und hatte schon drei Gläser Wein getrunken, als ich gestern ankam. Das war so ein ätzender Tag gestern auf der Arbeit, ich musste die Zielsetzungen für mein ganzes Team machen. Es hat ewig gedauert, und David Gibfuck hat darauf bestanden, dass die alle noch an dem Tag fertig und unterschrieben sein müssen, obwohl ich weggehe. Reine Zeitverschwendung. ›Was ist ihr Ziel?‹ – ›Meine Arbeit gut zu machen.‹ – ›Oh, das ist ja originell, die meisten sagen, sie wollen ihre Arbeit schlecht machen.‹ Was für ein Quark, Gott sei Dank muss ich nicht mehr lange hin. Und als ich nach Hause kam, hat Atlas geweint, und ich habe nachgefragt, und da hat er gesagt, er glaubt, er ist schwul.«

»Das ist bestimmt nur so eine Phase, das haben die meisten Jungs in dem Alter«, sagte ich, um sie zu trösten. »Außerdem wäre das doch super, dann könnte er immer deine Accessoires für dich aussuchen; du weißt schon, du verlierst nicht deinen Sohn, du bekommst eine Tochter dazu.«

»Stimmt«, lachte sie. »Ich weiß, dass es mir nichts ausmachen sollte, und natürlich tut es das theoretisch auch nicht, aber als er es mir gesagt hat, konnte ich immer nur denken, dass er Aids kriegen könnte, dass er mir keine Enkelkinder schenken würde und dass er eines Tages ein einsamer alter Mann sein würde, um den sich niemand kümmert.«

»Ach, Süße, hättest du mir das doch erzählt. Es tut mir leid, ich war so mit mir selbst beschäftigt vor lauter Iwan. Niemand ist davor gefeit, im Alter allein zu sein, homo oder hetero. Und selbst wenn er schwul ist, kann er doch trotzdem Kinder haben. Weißt du noch, dieses schwule Paar in Manchester, die haben zwei Zwillingspaare von Leihmüttern. Das ist doch ein Trost.«

»Geht schon wieder. Übrigens, Iwan ist ganz schön sexy, aber pass bloß auf.«

»Ich weiß. Ich bin so froh, dass der Abend vorbei ist; es war total anstrengend, aber irgendwie auch spannend, und das macht mir Sorgen.«

»Ich bin nicht sicher, wessen Sucht gefährlicher ist, deine oder meine«, sagte sie.

Fünfzehntes Kapitel

Chloe Schiwagos Falafel

1 Pfd. gekochte, getrocknete Kichererbsen	1 TL gemahlener Kreuzkümmel
	½ TL gemahlener Koriander
½ Tasse Paniermehl	(oder frischer)
1 Ei	2 zerdrückte Knoblauchzehen
1 große Zwiebel, fein gehackt	1 TL Salz
2 EL Petersilie, fein gehackt	Olivenöl zum Braten

Kichererbsen, Zwiebel, Petersilie, geschlagenes Ei und Gewürze im Mixer vermengen. In eine Schüssel geben und Paniermehl hinzufügen, bis der Teig sich zu einer Kugel formen lässt und nicht mehr klebt.

Den Teig zu kleinen Kugeln von 2–3 cm Durchmesser rollen. Kugeln leicht flach drücken und auf beiden Seiten goldbraun anbraten. Falafel auf Küchentüchern abtropfen lassen.

Mit gewürfelten Tomaten, Gurke, Salat, Zwiebeln und Tahini- oder Chilisoße in Pita servieren.

»Na, wie läuft die Suche nach einer Freundin?«, fragte ich Leo. Er war im Pubertätsstadium *selbstgewählte Isolation im eigenen Zimmer*; sein Zimmer sah aus wie ein Filmset. Der Regisseur hätte nicht ein Detail zu ändern brauchen. Auf dem Boden lagen haufenweise schmutzige Klamotten, auf jeder verfügbaren Oberfläche fanden sich Schälchen mit festgetrockneten Resten von Frühstücksflocken, leere Becher und Socken. Darüber hing eine Art abgestandener Hundegeruch, *Eau de Teenager.* Bei Leos seltenen Auftritten in anderen Teilen des Hauses waren seine Ohren normalerweise mit Kopfhörern zugestöpselt, die ihn vor der Außenwelt abschirmten.

Auch mein Kopf war in letzter Zeit zugestöpselt gewesen von den Bildern meines Doppellebens. Wenn ich nicht mit Iwan zusammen war, spielte ich unsere gemeinsame Zeit meist in einer geistigen Endlosschleife noch einmal durch. Was dazu führte, dass ich seit Wochen nicht richtig mit Leo gesprochen hatte, wie ich jetzt plötzlich merkte. Ich hatte die Verbindung zu meinem Alltag verloren und verbrachte meine gesamte Freizeit in meinem grünen Fremdgeh-Vorort, genau wie Dad gesagt hatte. Kurz gesagt, ich war eine schlechte Ehefrau und Mutter geworden und lief auch Gefahr, eine schlechte Psychotherapeutin zu werden. Ich versuchte, die Sache zu retten, aber meine Einleitung war schlecht gewählt.

»Wer hat denn behauptet, dass ich eine Freundin suche? Kitty, oder? Die Ziege, ich habe ihr gesagt, sie soll es nicht weitersagen. Na warte.« Er stand auf und ging sie suchen, um sich zu rächen.

»Nein, nein«, ruderte ich zurück. Mist, jetzt hatte ich mich verplappert. »Ich dachte nur, wahrscheinlich bist du jetzt in dem Alter.«

»Ja, klar, bestimmt. Echt, Mum, über so was kann ich wirklich nicht mit dir reden«, sagte er.

»Wieso denn nicht? Ich bin selber ein Mädchen, ich weiß, wie das läuft.«

Er starrte mich ungläubig an. »Ja, klar. Mann, das ist nicht mehr so wie zu deiner Zeit.«

»Es ist immer noch meine Zeit«, murmelte ich durch zusammengebissene Zähne.

Leo lachte auf. »Ja, klar.«

Wenn er das noch einmal sagte, würde ich ihn vielleicht schlagen müssen. In möglichst unverfänglichem Ton sagte ich: »Aber du stehst schon auf Mädchen, oder?«

»Was soll das denn heißen?«

»Ich meine, eher auf Mädchen als auf Jungs. Ist auch völlig okay, wenn du auf Jungs stehst, ich dachte nur, wir sollten mal darüber reden.«

»Echt, Mum, ich weiß, dass Atlas glaubt, er wäre 'ne Schwuchtel, und ich wünsche ihm viel Glück. Ich hab da kein Problem mit, mir ist das egal, er ist Atlas und mein Kumpel. Aber ich steh auf Mädchen, okay? Ende der Durchsage.«

Ich schämte mich dafür, dass ich so erleichtert war.

»Und jetzt«, sagte Leo, »würde ich gern in Ruhe weiter Pornohefte lesen und ein Crack-Pfeifchen rauchen.« Ich war entsetzt. »War ein Scherz«, sagte er. »Ich gehe zu Grandpa rüber, mir einen Rat holen.« Als ich ging, schaute er hoch und sagte leise: »Weißt du, fünfzehn sein ist auch nicht einfach.«

»Ich weiß, mein Schatz.« Ich ging zurück und küsste ihn. Er gestattete mir, ihn in den Arm zu nehmen, und legte mir kurz den Kopf auf die Schulter.

»Es ist auch nicht ganz einfach, dreiundvierzig zu sein«, sagte ich sanft und schloss die Tür.

Sammy hatte ich in letzter Zeit kaum gesehen. Seine hartnäckige Detektivarbeit für Madge nahm einen Großteil seiner Zeit in Anspruch, und ich glaube, er verbrachte auch viel Zeit mit einer Spanierin, die in der Tapas-Bar um die Ecke arbeitete. Er hat sein Liebesleben nie an die große Glocke gehängt. Jetzt saß er mit verweintem Gesicht auf der Treppe und hielt einen alten, vergilbten Zeitungsausschnitt in der Hand. Anscheinend war unser Treppenhaus zum Tal der Tränen geworden. Ich setzte mich neben ihn und legte ihm den Arm um die Schultern. Ich sagte nichts; er würde schon den Mund aufmachen, wenn ihm danach war. Es stellte sich heraus, dass er gar nichts zu sagen brauchte, denn der Zeitungsausschnitt sagte genug:

Vater und Kinder in Auto erstickt

Reg Jackson, 31, und seine beiden Kinder Rosie, 7, und Jimmy, 5, wurden am Montagmorgen nach einer Kohlenmonoxyd-Vergiftung tot in ihrem Auto aufgefunden. »Sie sahen aus, als ob sie schlafen«, sagte Joyce Hinkin, 35, die Nachbarin der Familie. Der Wagen, ein weißer Ford Cortina, stand in einer kleinen Gasse in der Nähe des Hauses. »Ich habe vom Einkaufen die Abkürzung nach Hause genommen, und da habe ich sie gefunden«, sagte Mrs Hinkin. »So eine nette Familie. Warum tut jemand so etwas Schreckliches?« Regs Frau, Marge Jackson, war an dem Tag unterwegs und hatte die Kinder in der Obhut des Vaters gelassen. Freunde trösten sie im Krankenhaus, wo sie wegen Schocks behandelt wird.

Vorsichtig nahm ich Sammy den Zeitungsausschnitt aus der Hand. Er war von Dienstag, dem 12. Dezember 1969.

»Woher hast du den?«, fragte ich.

»Madge hatte ihn in der Wohnung. Ich habe ihre Familie gesucht, bei Behörden nach Geburtsurkunden und so gefragt, und war der Sache schon näher gekommen. Und dann war ich heute zum Tee bei Madge und habe das an der Wand hängen sehen, zwischen lauter anderen Zetteln. Sie hat es die ganze Zeit gewusst. Also, ein Teil von ihr hat es gewusst, aber anscheinend ist es zu schmerzhaft, um es zu akzeptieren, deswegen verdrängt sie es meistens und glaubt, sie würden noch leben.«

»Wie schrecklich. Kannst du dir das vorstellen?« Am liebsten hätte ich geweint. »Und was ist mit Armie?«

»Das versuche ich noch herauszufinden«, sagte Sammy.

Ruthie kam vorbei, um sich noch einmal für ihr Verhalten am Vorabend zu entschuldigen. »Ich habe gerade Lou getroffen«, sagte sie. »Sie hat einen neuen Freund und sieht sensationell aus.«

»Echt, wen?« Ich stand ziemlich wackelig auf einem Stuhl und suchte oben auf dem Schrank nach einer Vase. Stattdessen fand ich eine Menge Staub und eine kaputte Wasserpfeife für Haschisch. Wem gehörte die denn, Greg oder Leo?

»Irgendwen, den sie auf ufuck.com kennengelernt hat, so eine Kontakt-Seite im Internet.«

»Heißt die echt so?«

»Könnte sie jedenfalls«, lachte Ruthie.

»Hammer«, sagte ich, »das Internet ist echt der beste Kuppler aller Zeiten. Es ist unglaublich, wie viele Leute sich auf solchen Seiten tummeln.«

»Jedenfalls, anscheinend kennt der Typ dich, er heißt Les Fallick.«

»Les?« Ich malte mit dem Finger ein Muster in den Staub. »Ich kannte mal einen Gus Fallick.«

»Stimmt, Lou hat gesagt, er hat seinen Namen geändert.«

Ich an seiner Stelle hätte nicht den Vornamen geändert, sondern den Nachnamen.

»Das Letzte, was ich von ihm gehört habe, war, dass er in Glasgow lebte, verheiratet war und Kinder hatte.«

»Na ja, jetzt ist er geschieden. Ehemänner scheinen ja überhaupt gerade recycelt zu werden«, sagte Ruthie trocken.

»Ist bestimmt gut für die Umwelt.«

»Hm, vielleicht sollte ich Richard mal in einer grünen Kiste vor die Tür stellen und schauen, was passiert. Les wohnt wohl immer noch in Glasgow, und sie sehen sich nur am Wochenende; Lou fährt hin, wenn James die Kinder hat, und Les kommt hierher, wenn sie bei ihr sind. Dazwischen haben sie dauernd Online-Sex.«

Natürlich! Das Internet war das perfekte Medium für seine verbale Begabung. Ich freute mich, dass er sein Talent so gut nutzte; zweifellos hatte er über das Netz schon Tausenden von Frauen in aller Welt Gutes getan.

Ruthie ging es in Bezug auf ihre Kokainsucht ein bisschen besser; sie hatte herausgefunden, dass es ein bekanntes Phänomen war, sie war eine KAMI: Kokainabhängige der Mittelschicht.

»Da fühle ich mich gleich wohler, wenn ich weiß, dass ich in eine Statistik passe und einen Namen habe«, sagte sie. »Anscheinend gibt es eine ganze Menge wie mich. Als erste hat BB mich drauf gebracht, noch vor den Mädels im Büro; das war, als sie ihr Enthaltsamkeitsbuch geschrieben hat. Weißt du, dass sie sich für eine Philosophin des einundzwanzigsten Jahrhunderts hält?«

Ich nickte müde.

»Na ja, sie hat ihrer Kunst zuliebe mit Kokain experimentiert, du weißt schon, Timothy Leary, das eigene Bewusstsein entdecken. Sie fand es hilfreich, um die Vorgänge in ihrer innersten Psyche zu entdecken oder so ein Quark. Jedenfalls, sie hat damit aufgehört und hat wieder Sex; das Zeug ist nicht gut für Orgasmen, macht es schwieriger, überhaupt einen zu haben, sagt sie, was bei Männern ja ganz gut sein kann, aber nicht bei Frauen.«

Ruthie strich sich das Haar aus dem Gesicht und sortierte ihre Plisseefalten; ihr Issey Miyake sah verknautscht aus, ein äußerliches Zeichen für ihren inneren Zustand, der Verfall einer Uniform, die sie bald nicht mehr brauchen würde.

»Ich höre jetzt wirklich auf, Chloe. Ich habe ein bisschen was darüber gelesen, in Kolumbien sterben so viele Menschen im Drogenkrieg, dass es mir unmoralisch vorkommt, es zu nehmen. Anscheinend stirbt für jedes Gramm, das seinen Weg auf eine Dinnerparty findet, ein Mensch. Jetzt stelle ich mir jede Line als Blutspur vor, die ich mir in die Nase ziehe. Das hat mir den Rest gegeben.«

»Das wäre auch ein guter Zeitschriftenartikel, *Hausfrauen auf Koks*«, sagte ich.

»Gute Idee. Könnte ich eigentlich als Freie für die Konkurrenz schreiben, jetzt, wo mein Laden mich gefeuert hat.« Ruthie wirkte munterer als seit Wochen.

»Wieso hast du es so weit kommen lassen?«

»Es hat Spaß gemacht, und ich konnte ein bisschen Spaß gebrauchen.«

»Gestern Abend sah es nicht gerade aus, als hättest du Spaß.«

»Es hat auch nur am Anfang Spaß gemacht. Und dann ist es immer trauriger und verzweifelter geworden. Ich muss mir was anderes überlegen, was Spaß macht.«

»Hoffentlich wird mein Spaß nicht auch so schnell traurig und verzweifelt«, sagte ich.

Iwan und ich lagen im Bett im Encounters und aßen Falafel in Pita mit Chilisauce. Ein bisschen Sauce war Iwan übers Kinn gelaufen, und ich leckte sie ab. Mgelika sorgte dafür, dass ich mich immer unwohler fühlte. Er hatte angefangen, mich zur Begrüßung feucht auf beide Wangen zu küssen, als seien wir alte Freunde, und er hatte gerade zum dritten Mal geklopft und war dann mit dem Generalschlüssel hereingekommen, ohne dass wir ihn hereingebeten hätten, mit der lauen Ausrede, er habe gedacht, wir hätten ihn gerufen. Glücklicherweise holten wir sowieso gerade mal Luft und waren nicht mittenmang dabei. Das Encounters war Vergangenheit, wir mussten uns etwas Neues suchen.

»Becky fand dich übrigens total nett«, sagte Iwan.

»Greg mochte dich auch.«

»Vielleicht inszeniert er ja doch noch seinen Tod wie Tschernyschewsky und wir können heiraten«, sagte Iwan. (Konnte ich mir wirklich vorstellen, mit Iwan verheiratet zu sein, mit einem Mann, der nicht der Vater meiner Kinder war?) Wir sprachen darüber, ob es unser schlechtes Gewissen vergrößerte oder verringerte, dass unsere Ehepartner den anderen mochten. Ein Teil von mir freute sich, dass Greg Iwan gut leiden konnte. Es bestätigte seltsamerweise meinen guten Geschmack. Irgendwie wäre es schlimmer gewesen, wenn er den Mann, mit dem ich ihn betrog, nicht respektiert hätte; ich brauchte seine Zustimmung, auch wenn er selbst nicht wusste, dass er sie mir gab. Objektiv betrachtet war es zwar furchtbar unmoralisch, eine Beziehung mit dem Partner eines anderen zu haben, aber es fühlte sich irgendwie natürlich an, dass diejenigen, die uns wichtig waren, den anderen mochten.

»Ich möchte einmal die ganze Nacht mit dir verbringen«, sagte Iwan und zog meinen Kopf an seine Brust.

»Das wäre schön«, sagte ich. Es fiel uns immer schwerer aufzustehen, uns anzuziehen und wieder in unser Eheleben zurückzukehren.

Auf dem Heimweg war ich traurig. *Warum bist du nicht meine Frau?*, simste Iwan. *Habe ich mich auch gerade gefragt*, schrieb ich zurück. *Wir müssen mal ein paar Tage zusammen wegfahren*, schrieb er. Meine Haut erinnerte sich immer noch an seine Berührung, als hielte sie noch an. Ich umklammerte mein Handy; es war die Nabelschnur geworden, die mich mit Iwan verband, wenn wir nicht zusammen waren, die uns jederzeit den Luxus eines Kontakts ermöglichte. Getextverkehr; die zweitbeste Methode. Ich bewachte mein Telefon argwöhnisch, ließ es nie aus den Augen; es war gleichzeitig die Quelle meiner Freuden und, sollte es in die falschen Hände geraten, mein möglicher Untergang.

Ich rief Dad an.

»Wer spricht, bitte?«

Ich lachte; er heiterte mich immer wieder auf. »Warum bin ich immer so traurig, wenn ich bei meinem Liebhaber war?«

»Das ist oft so«, sagte er.

»Wieso spreche ich überhaupt mit dir darüber? Du bist mein Vater.«

»Du musst ganz schön schlecht erzogen sein. Das ist die postkoitale *Tristesse*. Das weißt du doch bestimmt, es ist ein bekanntes Phänomen, es gibt sogar ein französisches Wort dafür und alles.«

»Da geht's mir ja gleich besser. Eins noch, Dad, wieso missfällt es mir so, dass er seiner Frau gegenüber so kühl ist?« Ich hatte ihm von unserem Dinner bei BB erzählt.

»Überrascht dich das? Er hat eine Affäre mit einer anderen Frau, da wird es mit seiner Ehe wohl nicht zum Besten stehen.«

»Stimmt. Aber irgendwie macht mir das Sorgen.«

221

»Es gibt ein Sprichwort: Man weiß alles über einen Mann, wenn man weiß, wie er mit Alkohol, mit Geld und mit Wut umgeht. Vielleicht könnte man hinzufügen: wie er mit seiner Frau umgeht.«

»Ja, genau das ist ja das Problem, wobei er von Greg und mir wahrscheinlich dasselbe denken könnte.«

»Du hast aber nicht vor, mit ihm durchzubrennen, oder?«, fragte Dad. Er klang etwas besorgt.

»Nein, natürlich nicht.« Oder?

»Gut. Wir sehen uns später, Schatz.« Er kam zum Abendessen.

Wie lange konnte ich noch so weitermachen? Ich verlor mich in Träumereien. Und wenn ich mich von Greg scheiden ließe? Ich glaube, ich würde die Einsamkeit am Mittwochabend und an jedem zweiten Wochenende nicht ertragen, wenn die Kinder bei ihrem Vater wären. Es gab da diesen Witz, *Was denkt eine Dänin, wenn sie einen Mann kennenlernt? – Ist das der Mann, mit dem meine Kinder jedes zweite Wochenende verbringen sollen?* Ich war nicht so; als jüdische Mutter war ich darauf programmiert, die Familie unter allen Umständen zusammenzuhalten. Und was wäre, wenn Greg einfach verschwinden würde? Man liest so was doch immer wieder in der Zeitung, wenn verwirrte und verlassene Frauen zitiert werden: »Er wollte nur kurz einen Liter Milch holen, er hat noch gesagt, er ist in zehn Minuten wieder da, und das war das letzte Mal, dass ich ihn gesehen habe. Das ist jetzt sieben Monate her.« Immerhin hatte sein Vater es genauso gemacht, vielleicht war es ja erblich. Meine Treulosigkeit erschreckte mich, aber ich tröstete mich damit, dass Camus noch viel schlimmer gewesen war, der nämlich schrieb, jeder normale Mensch wünsche sich irgendwann einmal, seine Lieben seien tot. Das wollte ich nicht, ich hatte mir nur vorübergehend gewünscht, Greg möge verschwinden. Natürlich meinte ich das nicht so, und diese schwarzen Gedanken waren nur ein Zeichen dafür, dass ich Greg liebte, oder? Es war nur so, dass ich nicht mehr in ihn *verliebt* war. In Gedanken sang ich zum

222

Autoradio mit, das Kitty immer auf einen Pop-Sender einstellte; Alanis Morissette sang »I'm a bitch, I'm a lover, I'm a child, I'm a mother, I'm a sinner, I'm a saint«. Das war mein Problem: Popsongs steckten für mich plötzlich wieder voller Bedeutung. Der Text brachte genau das zum Ausdruck, was ich Gina bei unserer letzten Sitzung zu sagen versucht hatte: Ein grundsätzlich guter Mensch ist in der Lage, Böses zu tun. Passte ebenso gut auf mich.

Als ich in unsere Straße einbog, entdeckte ich Sammy, der Madge dabei half, noch mehr Stofffetzen an die Geländer vor ihrer Wohnung zu binden.

»Ich hänge die hier hin, damit Jimmy und Rosie mein Haus besser finden«, sagte Madge. »Sie lieben meine Satin- und Seidentücher so, sie sagen immer, das ist ihr Schatz.« Sie fuhr mit den Fingern über die goldenen, roten und lilafarbenen Stoffe, die wie Fahnen im Wind flatterten.

Ich legte ihr einen Arm um die Schulter, und wieder fiel mir auf, wie knochig sie war. Ich hielt sie kurz fest und war überrascht von ihrem Geruch – sie duftete frisch und sauber, nach Rosenwasser. Sie hob den Kopf und schaute mich mit ihren klaren grünen Augen an.

»Seien Sie vorsichtig mit Ihren Wünschen, Chloe«, sagte sie schließlich.

Konnte sie meine Gedanken lesen? »Aber ich habe es mir gar nicht wirklich gewünscht, und außerdem bin ich immer noch besser als Albert Camus«, wäre ich fast herausgeplatzt. Hatte sie sich selbst etwas Ähnliches gewünscht? Hatte sie einmal gehofft, dass Reg verschwinden würde und sie frei wäre, Armie zu lieben?

Madge strich mir mit weicher Hand das Haar aus dem Gesicht. Sie sah alt aus, gezeichnet von dem Leid, so lange vor der Wahrheit in die Verrücktheit geflohen zu sein. Die Zeit bedeutet für die Erinnerung gar nichts, sie bringt uns Dinge nach Lust und Laune näher oder schiebt sie fort. Die Zeit ist dehnbar, sie findet nur in unserer Vorstellung statt und ist nur für die subjektive Erfahrung wichtig. Sekunden, Minuten, Stunden, Tage, Wochen, Monate und Jahre bedeuteten für Madge gar nichts. Der Tod ihrer Kinder war gerade erst geschehen. Die fünfunddreißig Jahre, die seither vergangen waren, hatten ihren Schmerz und ihren Verlust nicht im Geringsten gelindert. Sie konnte den Tatsachen jetzt nicht besser ins Auge sehen als damals.

Madge nahm mich bei der Hand und führte mich in ihre Wohnung. Sie war sauberer und ordentlicher, als ich erwartet hatte: ein großer Raum und ein Badezimmer. Papiere und Kleidung waren in ordentlichen Stapeln zusammengelegt, und in der Kochecke trockneten eine einzelne Tasse und ein Teller neben der Spüle. Ein Geschirrtuch mit einem Bild von einem längst vergangenen Sommer in Bognor Regis hing ordentlich an einem Haken. Vor dem Fenster stand ein schmales Einzelbett, ein Zeichen dafür, dass sie alle Hoffnung auf Intimität aufgegeben hatte. Es war gemacht und mit einer fadenscheinigen blau-gelben Patchworkdecke bedeckt. Neben dem Bett stand ein kleines, gerahmtes Foto. Von meinem Standort aus konnte ich so eben die Gesichter von zwei lachenden Kindern ausmachen, in hübschen Mänteln mit runden Kragen. In der Mitte des Raumes stand ein Bügelbrett; darauf lagen zwei Stapel weißer Unterhosen, einer gebügelt, der andere wartete noch darauf. Madge folgte meinem Blick.

»Es ist sehr wichtig, immer sauber zu sein. Sehr wichtig. Kinder brauchen ein sauberes Zuhause.«

Aus dem Augenwinkel sah ich eine Bewegung; sie schien das Weiß von Madges Wäsche zu reflektieren. Es war eine Taube.

»Er hat eine Nachricht für mich«, sagte Madge. Die Taube flog zu ihr und setzte sich auf ihre Schulter; Madge streichelte ihr mit dem Zeigefinger den Hinterkopf, und der Taube schwoll vor Freude die Brust. Sie legte den Kopf mit den schwarzen Knopfaugen schief und gurrte.

»Was sagt er?«, fragte ich.

224

»Hören Sie das nicht?«, antwortete sie sanft. »Er sagt: Such Armie.«

Ich sah zu Sammy hinüber, der leise hereingekommen war und jetzt auf seine buddhistische Art stillschweigend am Fenster stand. Ich kam mir vor, als wäre ich in ein Remake von *Mary Poppins* geraten, mit all den sprechenden Vögeln, und war fast überrascht, dass Dick van Dyke nicht durch den Schornstein hereingerauscht kam und mit rußschwarzem Gesicht singend aus dem Kamin stieg. Aber wer weiß, vielleicht sprachen die Vögel wirklich mit Madge? Sammy und ich verließen sie mit dem Versprechen, Armie zu suchen, und gingen Arm in Arm die Straße hinunter. Leise sangen wir eines von Dads alten Marschliedern, um uns im Tritt zu halten:

Links, links,
weil die Arbeit mir nicht mehr gelingt,
rechts, rechts,
das geschieht mir auch wirklich ganz recht.

Mir ging auf, dass ich das Ruthie hätte beibringen sollen, bevor sie sich so benahm, dass sie rausflog. Jetzt war es leider zu spät.

»Können wir Madge zum Weihnachtsessen einladen?«, fragte Sammy.

An Weihnachten hatte ich noch kaum gedacht, und es war nur noch gut eine Woche bis dahin. Ich würde zum wirbelnden Derwisch werden müssen, um noch rechtzeitig Geschenke und Essen zu organisieren.

»Ja«, sagte ich, »natürlich. Aber lass uns erst die anderen fragen.«

Beim Abendessen hatten wir eine Familienbesprechung, und alle waren der Meinung, dass Weihnachten die Zeit für Witwen und Waisen sei und wir Madge einladen sollten.

»Was essen wir denn dieses Jahr?«, fragte Dad, wie jedes Jahr. »Gans?«

»Bäh, nee, danke«, sagte Leo.

»Zu fett«, sagte Greg.

»In mein Land, wir immer essen Karpfen an die Heilig Abend«, sagte Bea.

Ich schauderte, weil ich an die öligen Karpfen in dem Teich bei Sammys Tipi in Spanien dachte, die wie gierige Piranhas auf der Lauer lagen. Es war dort ein beliebtes Freizeitvergnügen, Brot hineinzuwerfen und den Karpfen zuzuschauen, wie sie sich darum prügelten.

»Wenn wir schon so tolle Juden sind, dass wir Weihnachten feiern, dann können wir auch gleich das ganze Programm durchziehen und Spanferkel essen«, schlug Dad vor.

»Sehr witzig. Nein, es gibt Truthahn, wie immer. Aber ich mache dir auch noch einen Schinkenbraten, wenn du dich dann noch pietätloser fühlst«, sagte ich.

»Und mache ich die Karpfen für Abend vorher«, sagte Bea bestimmt.

Normalerweise mochte ich Weihnachten, aber dieses Jahr freute ich mich nicht darauf, denn es bedeutete, dass Iwan und ich uns mindestens eine Woche lang nicht sehen würden. Wir würden zu fest im Schoß unserer Familien sitzen. Sein Sohn, der im letzten Studienjahr war, und seine Tochter, die in Paris arbeitete, wollten nach Hause kommen.

Am Ende kam Madge doch nicht. Sie sagte zu Sammy, sie wolle in ihrer Wohnung bleiben, für den Fall, dass Jimmy und Rosie nach Hause kämen, und er konnte sie nicht von etwas anderem überzeugen. Nach dem Essen (Truthahn und Braten mit allen Schikanen) lagen die anderen mit dicken Bäuchen vor dem Fernseher im Wohnzimmer, und ich schlich mich in die Küche, um Iwan anzurufen.

»Ich möchte dich in den Arm nehmen«, sagte er.

»Ich dich auch. Ich vermisse dich so.«

»Komm, wir treffen uns, nur für eine Stunde«, sagte er.

»Das geht nicht, es wäre viel zu verdächtig.«

Ich zuckte zusammen, als ich ein Geräusch hinter mir hörte. Es war Greg.

»Okay, frohe Weihnachten, bis bald«, sagte ich viel zu munter und legte auf.

»Wer war denn dran?«, fragte Greg.

Ich spürte, wie mir die Farbe aus dem Gesicht wich, und ich versuchte, nicht zu zittern. Ich musste schnell nachdenken.

»Wann? Ach so, das gerade? Ach, das war nur BB, sie wollte mal hallo sagen.«

»Und was wäre viel zu verdächtig?«, fragte Greg.

»Was meinst du?« Ich mimte Unwissenheit.

»Du hast doch gerade gesagt: ›Das wäre viel zu verdächtig‹.« Er ließ nicht locker.

»Echt? Ach so, ja, sie meinte, ich soll mir doch zum neuen Jahr ein bisschen Botox gönnen, damit ich jünger aussehe, da habe ich gesagt, dass du sofort Verdacht schöpfen und es bemerken würdest.«

Nicht gerade überzeugend, denn Greg bemerkte nie etwas an meinem Aussehen, aber es schien ihm zu genügen. Er zuckte uninteressiert die Achseln und setzte den Teekessel auf.

»Kann ich in dein Tipi in Spanien fahren?«, fragte ich Sammy später am Abend, als ich Truthahnsandwiches machte. Er spielte immer wieder die gleiche Melodie auf einer kleinen Holzflöte. Er unterbrach sich, nahm die Flöte aus dem Mund und strich mit dem Daumen darüber.

»Mangoholz«, sagte er. »Bei den Hindus ist das heilig, weil Prajapati, der Herr aller Geschöpfe, in einen Mangobaum verwandelt wurde.«

»Ach, echt«, sagte ich ungeduldig. Ich war nicht in der Stimmung für fernöstliche Weisheiten.

»Wenn Hindus sterben, werden ihre Leichen auf Scheiterhaufen verbrannt, und das beste Feuerholz ist Mangoholz, weil es eine immerwährende Hitze haben soll.«

227

»Toll.« Ich sah ihn erwartungsvoll an. »Also, kann ich für ein paar Tage hin?«

»Natürlich«, antwortete er, hob den Blick und sah mich an. »Allein?«

»Frag nicht«, sagte ich, »es ist besser, wenn du das nicht weißt.«

Sechzehntes Kapitel

Romanasalat mit Knoblauch und Walnüssen

2 Köpfe Romanasalat, gewaschen und abgetropft
Zehn ungeschälte Knoblauchzehen, mit Olivenöl im Ofen
gegart und abgekühlt
Eine großzügige Handvoll Walnussstückchen

Salat in einer Schüssel anrichten, Knoblauchzehen aus der
Haut in die Schüssel drücken, Walnüsse darübergeben
und mit Olivenöl und Balsamessig, Pfeffer und Salz anmachen.

Reicht als Vorspeise für zwei Personen. Besonders
schmackhaft, wenn man sich gegenseitig mit den Fingern
füttert.

Das Licht spielte über den Alpujarras und machte sie zu der
Daunendecke eines Riesen, die in sanften Wellen unter dem
Himmel lag. Acht weiße Windmühlen schienen am Horizont zu
grasen, sie drehten sich würdevoll und produzierten Strom für
das darunterliegende Tal. Der Himmel war strahlend blau und
wolkenlos, und reife Orangen und Zitronen hingen schwer an
den Bäumen auf den Hügeln. Ich hatte mich morgens am Flughafen mit Iwan getroffen, und jetzt waren wir endlich allein. Es
war einfacher gewesen, als ich vermutet hatte; ich hatte meine
Reise mit Greg besprochen, als er gerade mit seinen Knöllchen-
Kumpels mailte. Ich erklärte, dass ich mal meine Ruhe bräuch-

te, um einen Artikel zu schreiben. Er winkte ab und sagte: »Ja, ja, was du willst. Du siehst doch, dass ich beschäftigt bin.« Ich hatte mir eine Woche ausgesucht, in der Kitty auf Klassenfahrt war und Jessie wieder bei BB. Ein paar Tage würden die Männer es gut allein schaffen, meine Abwesenheit würde für niemanden eine größere Schwierigkeit darstellen. Die Lüge war schon hart gewesen, aber Gregs Gleichgültigkeit hatte mein schlechtes Gewissen etwas gemildert. Außerdem gehörte das zu Ruthies Regel sieben: *Überleg dir vorher, ob du mit dem schlechten Gewissen leben kannst.*

Als Iwan und ich mit unserem kleinen Mietwagen hinauffuhren, waren in der Ferne die schneebedeckten Gipfel der höheren Berge zu sehen. Das Gespräch war vor einer Weile verebbt, und ich betrachtete ihn schweigend beim Fahren. »Ich kann beim Autofahren nicht reden«, hatte er gesagt. Denn er konnte, ebenso wie Greg und alle anderen Männer, die ich kannte, nur eine Sache auf einmal tun. (Ich hingegen kann, wie die meisten Frauen, gleichzeitig fahren, reden, zankende Kinder auf dem Rücksitz anschreien, einen Ball auf der Nase balancieren und in die Hände klatschen.) Im Gegensatz zu Greg erlaubte Iwan mir allerdings, ihn zu berühren, während er fuhr, und so streichelte ich ihm den Hinterkopf (und diese warme Stelle im Nacken). Dann strich ich mit der Hand über seinen langen, behosten Schenkel und ließ sie am oberen Ende liegen. Iwan schaute mich an und hielt wortlos auf einem kleinen Platz neben der Straße. Als wir ausgestiegen waren, nahm er meine Hand und führte mich einen Bergweg hinauf. Er zog mir gerade so viel aus wie nötig und liebte mich ohne Umschweife, gegen einen Baum gelehnt. Unsere Lust war ein starkes Aphrodisiakum. Es war schnell, drängend und aufregend; eine leckere Vorspeise vor dem sinnlicheren Hauptgang, den wir später genießen würden.

Es war überhaupt nicht wie mit Greg. Ich konnte mich nicht erinnern, wann wir es zuletzt anderswo getan hatten als abends im Bett bei gelöschtem Licht. Es überkam uns nie mehr einfach so, wenn wir angezogen waren. Ich erinnerte mich an unsere ersten Jahre, an die Spur von eilig abgeworfenen Kleidern über Flure und Treppen bis ins Schlafzimmer. Gelegentlich kamen wir nicht einmal so weit, sondern liebten uns auf der Treppe, eine Stufe bohrte sich in meinen Rücken, und auf Gregs Knien zeichnete sich hinterher das Muster des Teppichs ab; stolz trugen wir die Male der Leidenschaft, die Narben der körperlichen Liebe zur Schau. Bei einem Liebhaber galt natürlich Regel acht: *Hinterlass keine sichtbaren Spuren.* Beißen und Kratzen mussten auf ein Minimum reduziert werden, damit die Spuren uns nicht verrieten.

Iwan und ich kamen in Bubion an und fuhren den steilen Weg am Rande des Ortes hinauf zu Sammys Tipi. Durch die Fenster, auf die Sammy so stolz war, sah man einen schneebedeckten Berg. Das Tal unter uns war grün und üppig dank des milden spanischen Winters, und man konnte so gerade den Fluss sehen, der sich träge zur Küste in gut vierzig Kilometern Entfernung bewegte. Seitlich entsprang aus einem Felsen ein kleiner Wasserfall, der in den Fluss mündete und die Luft mit dem hypnotischen Geräusch hinabstürzenden Wassers erfüllte. Iwan stand neben mir, den Arm um meine Taille gelegt, und drückte mich an sich. Ich genoss es, dass ich mir neben ihm so klein vorkam. In seinen Armen fühlte ich mich zart und zerbrechlich. Wir rannten den Hügel hinunter, mit fliegenden Armen, unbefangen wie Kinder, bis zum Dorfladen. Als ich den Ladenbesitzer Jorge erblickte, schämte ich mich plötzlich. Was würde er denken, wenn er mich mit einem fremden Mann sah? Er kannte mich mit Greg und den Kindern zusammen und wusste, dass ich Sammys Schwester bin. In meinem Schulspanisch stellte ich Iwan als Kollegen vor und erklärte, wir hätten für ein paar Tage hier zu tun. Jorge nickte und lächelte und sprach sehr schnell mit seinem andalusischen Akzent, bei dem man die Endungen nur raten konnte. Es trug nicht unbedingt zum besseren Verständnis bei, dass er nur zwei Zähne hatte, die erstaunlich weiß und glänzend in seinem verschrumpelten, graubehaarten Gesicht saßen, und dass er zudem immer eine Zigarette zwischen den Lippen hatte. Seine Hose wurde von einem Gürtel hoch oben in der Taille gehalten, und als einziges Zugeständnis an den Winter trug er eine Strickjacke über dem üblichen kurzärmligen Hemd. Jorges Laden war die reinste Schatztruhe: Bindfadenknäuel drängelten sich auf den Regalen mit Plastikdinosauriern, mit Bratpfannen, scharfen Würstchen und duftendem Käse. Er hatte uns noch nie enttäuscht; wenn das, was man suchte, nicht im Laden war, verschwand er in seinem *almacen*, dem dahinterliegenden Lagerraum, und holte hervor, was auch immer man brauchte, wie ein Zauberer, der einem plötzlich eine Münze aus dem Ohr zieht. Wir kauften Serrano-Schinken, Brot, Käse, Honig mit Nüssen, und flitzten wie Eichhörnchen, die sich auf den Winter vorbereiten, zurück in unser Nest.

Im Tipi war es kalt, aber farbenfroh. Der Boden war mit mexikanischen Teppichen und Decken ausgelegt, und auf der großen Doppelmatratze in der Mitte lag ein weiches Fell. Iwan entzündete den kleinen Paraffinofen und die Gaslampe, und wir kuschelten uns vollständig angezogen unter die Decken, wo wir uns nach und nach auszogen, während die Hitze des Feuers und unserer Leidenschaft uns wärmten. Mein ganzer Körper kribbelte, als er mich berührte.

»Kann ich dich Giwan nennen?«, fragte ich. »Meine Männer haben immer mit G angefangen.«

»Du kannst mich nennen, wie du willst, Hauptsache, du machst mich weiterhin so glücklich«, lachte er.

Wir lagen zusammengekuschelt auf der Matratze, fütterten uns mit Brot, Käse und Schinken und tranken starken, roten Rioja.

»Als Jugendlicher«, sagte Iwan, »habe ich mal einen Roman aus dem neunzehnten Jahrhundert gelesen, von Reschetnikow. Da geht es um die Liebe eines Bauernjungen zu seiner Freundin. Sie starb viel zu früh, und er hat so sehr gelitten und getrauert, dass er sie aus dem Grab ausbuddeln und ihr die Nase abbeißen wollte. Das klingt barbarisch, aber ich finde es verständlich, dieses Bedürfnis, den geliebten Menschen aufzuessen. Ich habe mich immer gefragt, ob ich wohl je jemanden kennenlernen würde, bei dem ich dieses Bedürfnis hätte – und jetzt habe ich jemanden.« Er beugte sich über mich, küsste mich auf die Nase und knabberte spielerisch daran.

Ich verstand ihn sehr gut. Auch ich hatte das Bedürfnis, ihn ganz zu besitzen. Iwan war so köstlich, dass ich ihn ganz verspeisen wollte, und das tat ich auch und handelte trotzig Ruthies Regel neun zuwider: *Schluck nur beim ersten Mal, dann brauchst du es nie wieder zu tun, aber er glaubt immer, du könntest es wieder tun.* Ich wollte alles von ihm wissen, ich wollte, dass er mir ganz gehörte und ich ihm.

Hinterher zog Iwan meinen Kopf auf seine Brust und erzählte mir, wie er mit seiner Familie in einem heruntergekommenen vorrevolutionären Gebäude mitten in St. Petersburg gewohnt hatte, nicht weit vom Newski Prospekt. Sie teilten sich eine Kommunalwohnung mit einer anderen Familie. Ihm zuzuhören fühlte sich an, wie zwischen den Seiten eines russischen Romans zu leben. Sie waren zu acht und hatten nur ein Badezimmer. Er beschrieb die Wohnung, die von einer anderen Zeit kündete, vom verblassten Glanz der Zarenzeit, der noch an den hohen Fenstern und Stuckdecken erkennbar war. Sie lag im dritten Stock, und aus dem Fenster sah man einen der vielen Kanäle, die St. Petersburg den Titel »Venedig des Nordens« eingebracht hatten. Iwans Vater war Maler gewesen, und ihre Zimmer hatten stark nach Ölfarben gerochen, ein Geruch, der ihn für immer an seine Kindheit erinnern würde. Jede Ablagefläche in der Küche war voller Pinselgläser und fleckiger Lappen, was den Zorn der unangenehmen Nachbarn hervorrief, mit denen sie die Küche teilten. Ich konnte mir gar nicht vorstellen, den häuslichen Alltag mit einer anderen Familie zu teilen.

»Wenn wir konnten, sind wir immer in eine kleine Datscha auf dem Land gefahren«, sagte Iwan. »Es war nur eine einfache

Holzhütte, aber da waren wir wenigstens für uns und konnten so viel Krach machen, wie wir wollten. Wir haben gern Lagerfeuer gemacht und Schaschlik gegrillt.«

»Das könnten wir doch hier auch machen«, sagte ich schläfrig.

Er wollte sofort aufstehen und Holz sammeln und ein Feuer machen, aber ich zog ihn wieder an mich, lenkte ihn mit Küssen ab und erinnerte ihn an einen anderen Hunger. Danach lagen wir zusammen, und ich erzählte ihm von den Urlauben, die ich als Kind mit Sammy und meinen Eltern erlebt hatte, aber schon bald bemerkte ich an seinem Atem, dass er eingeschlafen war.

An den folgenden beiden Tagen fühlte ich mich wie auf Urlaub von meinem Leben. Iwan und ich schlenderten durch die Orangenhaine und küssten uns, wir ließen Steine über Bäche hüpfen; ich betrachtete seinen Körper, wie er sich im Schlaf hob und senkte, wenn wir verschlungen oder aneinandergeschmiegt schliefen. Mitten in der Nacht bewegte seine Hand sich zwischen meinen Beinen und erregte mich so, dass wir fortführten, was der Schlaf nur unterbrochen hatte. Morgens wachten wir auf, weil der Brotlieferant hupte, der durchs Dorf fuhr und frisch gebackenes Brot verkaufte, und abends schlenderten wir durch das nahe gelegene Granada und saßen bei Kerzenschein in dem kleinen, gefliesten Speiseraum des Los Manueles und fütterten uns mit Romanasalat mit Knoblauch und Walnüssen.

»Wir könnten zusammen so glücklich sein, Chloe«, sagte Iwan und steckte mir mit den Fingern eine Walnuss in den Mund.

»Schon, aber wir würden so viel Schmerz verursachen.«

»Jede Menge Leute lassen sich scheiden.«

»Ich habe da diese Macke, dass Familien zusammenbleiben müssen. Ich finde, das sind Eltern ihren Kindern schuldig.«

»Bist du es dir nicht auch selbst schuldig, glücklich zu sein? Ich würde alles tun, um dich glücklich zu machen.« Er fuhr mir mit der Hand seitlich am Körper entlang und streifte so

234

gerade eben meine Brust. Konnte ich mir vorstellen, mit Iwan zusammenzuleben? Inzwischen fast ja, aber wenn ich daran dachte, was dem alles vorausgehen müsste, spürte ich einen dicken Kummerkloß im Hals. Gregs und mein Leben waren seit siebzehn Jahren miteinander verwoben. Das würde aufgelöst werden müssen, das Haus verkauft, der Besitz aufgeteilt. Ich konnte mir die grässliche, aufgesetzte Fröhlichkeit genau vorstellen, mit der ich den Kindern die Idee verkaufen würde, dass es super für sie wäre, zwei Zimmer zu haben, ein zusätzliches Zuhause …

Eines Morgens wachte ich abrupt auf. Es dämmerte, und ich war unruhig, weil ich dachte, ich hätte jemanden meinen Namen rufen hören, aber Iwan schlief neben mir tief und fest. Ich schmiegte mich an ihn und versuchte, wieder einzuschlafen. Ich hörte die typischen Morgengeräusche: einen krähenden Hahn, die allgegenwärtigen spanischen Hunde, eine Frau, die ihrem Kind zurief: »*Angustia, ven acqui.*« Die Kirchenglocken schlugen sieben Uhr. Ich stand leise auf, nahm mein Handy und ging hinaus, zitternd in der kalten Morgenluft.

»Dad.«

»Das ist ja lustig, mein Schatz, gerade habe ich an dich gedacht und dass ich gern deine Stimme hören würde.«

»Was machst du gerade?«

»Ich klimpere auf dem Klavier herum.«

»Was glaubst du, warum Mum gestorben ist, Dad?«

»Du weißt ja, dass sie das nie richtig herausbekommen haben. Es klingt vielleicht komisch, aber ich glaube, sie wollte einfach nicht mehr leben. Sie hatte eine schreckliche, unvernünftige Angst vor dem Altwerden. Was für eine Verschwendung. Sie hat so viel von dir und Sammy verpasst und natürlich von ihren Enkelkindern.«

»Glaubst du, ihr wärt zusammengeblieben?«

»Schwer zu sagen. Ich glaube schon; sie war zwar schwierig, aber ich habe sie geliebt. Nur habe ich Helga eben auch geliebt.

Ich weiß, das ist gierig. Das ist mein und dein Problem: Wir wollen alles.«

Im Eingang des Tipis erschien Iwans Gesicht. Er sah aus wie ein Schuljunge, er gähnte, rieb sich die Augen, sein Haar war verstrubbelt.

»Ich muss Schluss machen, Dad. Morgen bin ich zurück. Ich hab dich lieb.«

Iwan scheuchte mich wieder ins Bett, wo wir den gesamten Vormittag verbrachten und glücklich mit unseren Körpern spielten, bevor wir wieder in den köstlichen Halbschlaf der Befriedigung glitten.

Später an diesem Tag zogen wir uns an, und ich beobachtete Iwan bei seinem bizarren Ritual, die Socken vorzudehnen, bevor er sie anzog (er mochte es nicht, wenn es sich um Füße und Fesseln herum zu eng anfühlte. Wahrscheinlich war das genau die Sorte von Macke, die einem nach einer Weile auf die Nerven gehen würde). Wir fuhren hinunter an die Küste, nach Salobreña und hielten auf einen Drink in La Roca, einer Bar auf einem Felsen im Meer. Im Profil sah der Felsen aus wie ein im Wasser liegender Zenturio, mit gewölbter Brust und Patriziernase.

»Siehst du ihn, meinen Felsenmann?«, fragte ich Iwan.

»Nein, ich sehe ein Krokodil auf einem Baumstamm.«

Er beschrieb es mir, und ich zeigte ihm dafür meinen Soldaten. Wir betrachteten die Sonne, eine orangefarbene Feuerkugel, die hinter dem Horizont versank und aus dem Blickfeld verschwand. Rechts von ihr lag regungslos ein kleines Fischerboot, wie ein Scherenschnitt im schwindenden Licht, und an Bord waren zwei Figuren zu sehen, wie Stecknadeln in der Ferne. Wir waren ein romantisches Pärchen auf einer Wirklichkeit gewordenen Strandpostkarte. »Ich liebe dich«, sagte er.

»Gleichfalls.«

»Sag es.«

»*Ljublju tebja*«, sagte ich.

»*Po-angliski*, sag es auf Englisch.«

Ich öffnete den Mund und wartete, voller Angst, dass diese

Worte einen Donnerschlag auslösen würden. Ich liebte ihn, natürlich. Ich streichelte ihm mit einem Finger die Wange und beugte mich vor, um ihn als Antwort zu küssen. Er hielt mein Gesicht mit beiden Händen fest und schaute mich fest an.

»Sag es«, wiederholte er.

»Ich liebe dich«, sagte ich schweigend mit Lippenbewegungen und kreuzte hinter dem Rücken die Finger einer Hand, als könnte diese Kombination den drohenden Donnerschlag verhindern.

Siebzehntes Kapitel

Edies perfekter Thunfischauflauf

Eine Dose Champignon-
cremesuppe
⅓ Tasse Milch
200 g Thunfisch aus der Dose

2 hartgekochte Eier, in
Scheiben geschnitten
1 Tasse Erbsen, gekocht
1 Handvoll Kartoffelchips
(zerkrümelt)

Ofen auf 180 °C vorheizen (Gas Stufe 4). Suppe und
Milch in einer Auflaufform vermischen.
Thunfisch, Eier und Erbsen einrühren. 20 Minuten backen.
Chips darüberkrümeln, weitere 10 Minuten backen.

Ergibt vier Portionen.

Als ich nach Hause kam, schlief Greg bei laufendem Fernseher
auf dem Wohnzimmersofa. Es ärgerte mich, mit jedem seiner
Schnarcher mehr. Abgesehen davon, dass ich mit einem anderen Mann unterwegs gewesen war, hatte ich mir gewünscht, er
würde auf mich warten, mich willkommen heißen und mich
vor mir selbst und vor dem Weg, den ich eingeschlagen hatte,
retten.

Ich schloss leise die Tür und traf im Flur auf Dad, der dort
auf und ab ging und am Telefon jemanden anschnauzte. Es war
der Tag vor seiner Gala in der Royal Albert Hall, und er musste
bei einigen Songs noch letzte Änderungen vornehmen. Sie führten sein *Prinz und Bettelknabe* auf, und er behauptete, die ein-

238

eiigen Zwillinge, die die Titelrollen spielten, könnten überhaupt nicht singen. Auf dem Tisch im Flur entdeckte ich ein kleines Glas mit den Resten von etwas Süßem. Ich nahm es in die Hand und roch daran. Baileys – das konnte nur bedeuten, dass Edie McTernan *in da House* war. Das erklärte auch, warum Greg um fünf Uhr nachmittags schlief, was selbst für seine Verhältnisse früh war. Ich hatte ganz vergessen, dass sie zu Dads Gala kommen wollte. Kurz spielte ich mit dem Gedanken, gleich wieder zur Tür hinauszufegen, Iwan zu suchen und ihn dazu zu bewegen, schnurstracks wieder mit mir nach Spanien zu fahren, weit, weit weg von alldem. Aber Dad beendete sein Telefonat und führte mich in die Küche, wie ein Gefängniswärter, der einen widerspenstigen Gefangenen in seine Zelle bringt.

Am Küchentisch stand Edie in einer Schürze. Sie reiste immer mit mindestens zwei identischen, frisch gewaschenen und gebügelten Schürzen an. Alle waren mit winzigen Kleeblättern verziert, die ihre Verbundenheit mit ihrem Vaterland demonstrieren sollten, einem Land, in dem sie nie mehr als ein paar Tage am Stück verbracht hatte. Wenn sie zu uns kam, zog sie ihren Mantel aus, wickelte sich eine Schürze straff um die Taille und machte sich an irgendeiner verschmutzten Ecke zu schaffen, die ihr ins Auge gestochen war. »Ein Leben im Schmutz«, murmelte sie so laut, dass wir es alle hörten. Neben ihr saß Leo am Tisch, mit zurückgelegtem Kopf und geschlossenen Lidern. Edie hielt eine Schere in die Nähe seiner Augen. »Was machst du da?«, schrie ich.

»Ich schneide ihm die Wimpern«, sagte Edie.

Ich entriss ihr die Schere und widerstand gerade noch der Versuchung, ihr kahle Stellen in das schwarzgefärbte Haar zu schneiden.

»Damit sieht er doch aus wie ein Mädchen«, sagte Edie gereizt.

»Leo, was hast du dir denn dabei gedacht?«

»Ich dachte, wenn ich männlicher aussehe, kriege ich vielleicht auch eine Freundin.« Leo zuckte die Achseln.

»Solche Wimpern braucht er doch gar nicht. Er sieht aus wie einer von diesen, wie heißen die? Transvestianer. Zu meiner Zeit waren Männer noch Männer«, schnaubte Edie.

»Es ist immer noch deine Zeit«, sagte ich.

Dad wollte die erhitzten Gemüter beruhigen und schenkte Edie noch mehr Baileys ein. Sie kicherte mädchenhaft. Es war wundervoll, Dad zu beobachten: Er brachte in jeder Frau das zum Flirten aufgelegte Mädchen zum Vorschein, egal, wie alt sie war. Er liebte die Gesellschaft von Frauen, und sie ließen sich in seinen natürlichen Charme fallen wie in ein warmes, duftendes Bad.

»Du solltest auch ein Glas trinken, Bertie«, sagte Edie kokett und kippte ihren Baileys in einem Zug hinunter. »Kein Alkohol, du weißt schon.«

Ich küsste Leo und nahm ihn in den Arm, um nach meiner Abwesenheit auch innerlich wieder zu Hause anzukommen.

»Hast du mir was mitgebracht?«, fragte er. Er fragt das, seit er zwei Jahre alt ist, wann immer ich mehr als einen Tag weg war. Sein Blick streifte die kleine Tüte in meiner Hand, auf der die von meinen Kindern sehr geliebte Aufschrift *El Mundo de los Caramelos* (Welt der Süßigkeiten) prangte.

»Nur ein paar Süßigkeiten, wie immer, mehr Zeit hatte ich nicht.«

Sammy kam herein, sah Edie und ging einfach weiter, durch die Balkontür in den Garten, um sich in seinem Zelt zu verkriechen.

»Keiner hat mir gesagt, dass du wieder da bist!« Ich drehte mich um, als ich Kittys vorwurfsvolle Stimme hörte. Sie kam hereingerannt und warf sich in meine Arme. »Wie war es? Hattet ihr Spaß? War es warm genug? Wie war das Essen?« Die Fragen purzelten mir nur so aus dem Mund, als ich sie festhielt.

»Ganz gut, aber Molly war echt zickig, wie immer, und auf der Rückfahrt hat sie irgendwas über mich getuschelt. Ich bin froh, dass ich wieder zu Hause bin. Du siehst toll aus, Mummy. Was hast du in Spanien gemacht?«

Das schlechte Gewissen traf mich wie ein Messerstich, als ich an Iwan dachte, wie er sich nackt und entschlossen über mich beugte.

»Nichts Besonderes, erzähl mir lieber von deiner Klassenfahrt.«

Kitty fing an zu erzählen, wurde aber schnell von Edie unterbrochen, die sich in eine lange Geschichte über ihre Nachbarn Barbara und Derek und die Einzelheiten ihres Lebens vertiefte. Derek hatte anscheinend Rückenprobleme, und für Barbara war es auch nicht einfach, alles, was gehoben oder getragen werden musste, allein zu bewältigen, und letzten Dienstag, oder war es schon Mittwoch, kurz nachdem der Milchmann geklingelt hatte, um das Geld einzusammeln, und bevor der Waschmaschinenmann kommen sollte, um sich ihre alte Hotpoint anzugucken, ein Modell aus den Siebzigern, und man brauchte Edie gar nicht erst zu raten, sich eine neue zu kaufen, denn so etwas sollte ewig halten, jedenfalls, an dem Tag war Barbara auf eine Tasse Tee vorbeigekommen, um sich bei Edie auszuheulen, und Edie hatte ihr gesagt, sie solle sich nicht so anstellen, immerhin habe sie einen Mann im Haus, im Gegensatz zu ihr, Edie, die schon seit vielen Jahren ganz allein war.

»Geh deinen Vater wecken«, zischte ich Leo zu. Ich sah nicht ein, dass ich die pflichtbewusste Schwiegertochter spielen solle, wenn er sich um seine Sohnespflichten drückte.

»Lass den armen Jungen doch schlafen«, sagte Edie und tätschelte mir die Hand. »Er sah so erschöpft aus, er musste ja die ganze Woche allein den Haushalt schmeißen. Außerdem ist er furchtbar erkältet; hat er kein Unterhemd getragen? Du musst dich wirklich besser um ihn kümmern.«

Wie ein Salamander, der mit seiner langen, klebrigen Zunge Fliegen fängt, konnte ich gerade noch die Worte *Leck mich am Arsch* wieder zurückholen, als sie mir schon fast herausgerutscht waren. Meine Schwiegermutter setzte ihren Monolog fort, und die Küche leerte sich; erst verschwand Leo, dann Kitty, dann

Dad, der sein Gähnen kaum unterdrücken konnte, und schließlich stahl auch ich mich hinaus und überließ Bea und Zuzi, die völlig verdattert und wie festgefroren am Küchentisch saßen, Edies Geplapper.

»Versprich mir, dass du mich einschläfern lässt, wenn ich je so werde«, flüsterte Dad; wir flohen und kicherten wie die Schulkinder, wenn sie die Morgenandacht schwänzen.

Ich stürmte laut durch die Wohnzimmertür.

»Denn sein Königreich ist nicht von dieser Welt, spricht er«, sagte Greg, schreckte hoch und saß kerzengerade da.

»Oh, 'tschuldigung, ich wusste nicht, dass du schläfst.« Er versuchte, sich umzudrehen und wieder einzuschlafen, also setzte ich mich auf ihn.

»Wo ist meine Mutter?«, fragte Greg ängstlich; hätte nur noch gefehlt, dass er sich auf einen Stuhl flüchtete, als fürchte er sich vor einer Maus.

»Schwingt in der Küche Reden. Komm, wir müssen da rein.«

Er stöhnte. »Ich kann nicht, das macht mich fertig.« Ich schlug ihn. Ziemlich fest.

»Übrigens«, sagte ich und stieg von ihm hinunter, »ich bin wieder da.«

»Heißt das, dass ich jetzt gehen kann?«, fragte er und warf einen verschüchterten Blick in Richtung der Stimme seiner Mutter: ein langes, stetiges, nervtötendes Summen, das man bis hierher hörte.

Er betrachtete mich von oben bis unten. »Gut siehst du aus. War es schön?«

»Ja, das war mal eine erholsame Pause. Ich meine, ich habe ordentlich was geschafft«, sagte ich, weil mir im letzten Moment der Grund einfiel, den ich vorgeschoben hatte.

Er küsste mich; ein schneller, trockener Pflichtkuss, irgendwo in die Nähe meines Mundes, aber nicht drauf. Diese Erinnerung an die Keuschheit unseres Lebens linderte das schlechte Gewissen ein wenig, das mich nach dem Wiedersehen mit meinen Kindern zu überwältigen gedroht hatte. Wir gingen in die Küche.

»Am Dienstag, nein, der Dienstag kann das nicht gewesen sein, weil ich da in der Stadt war und mit dem alten Mr Yates Tee getrunken habe, der mir immer die Beete gemacht hat. Oh, da bist du ja, Greg, erinnerst du dich an Mr Yates?« Edie begrüßte uns freudig. »Er hat inzwischen fünf Enkelkinder, Benny, David, Colin, Georgina und, ach, wie heißt denn … es liegt mir auf der Zunge, es liegt mir auf der Zunge. Fällt mir gleich ein. Ich habe den beiden gerade von Barbara und Derek erzählt.« Edie war nicht zu bremsen. Bea und Zuzi hatten den glasigen Blick von Boxern, die schon zu viele Schläge auf den Kopf bekommen haben und selbst nicht wissen, wie sie es schaffen, immer noch auf den Beinen zu stehen. Dad hatte einen tapferen Versuch unternommen, an die Front zurückzukehren, sah sich aber bereits panisch nach einer Fluchtmöglichkeit um.

»Hat Dad dir schon erzählt, wie die Gala abläuft?«, fragte ich Edie, um sie zum Schweigen zu bringen, indem ich jemand anderen zum Reden aufforderte.

»Ja, das erinnert mich an den Vater eines Jungen aus Gregs Klasse. Das war ein paar Jahre v.E.«

Sie senkte die Stimme zu einem heiseren Flüstern, als sie auf das Verschwinden von Gregs Vater anspielte. »Da war ein Junge in seiner Klasse, Richard hieß er, glaube ich, und sein Vater …«

Ein spitzer Verzweiflungsschrei entfuhr Greg; er klang genauso wie Janet, wenn ich sie in den Tragekorb sperrte, um sie zum Tierarzt zu bringen, gefangen und verzweifelt und unsicher, ob sie da je wieder rauskommen würde.

Unsere Ankunft hatte Edies Bann über Bea und Zuzi gebrochen und die beiden wieder zum Leben erweckt. Sie nahmen ihre Umgebung wieder wahr, wie Rip Van Winkle, als er aus seinem langen Schlaf aufwacht. Bea schaute Zuzi an und strich ihr sanft eine Haarsträhne aus den Augen.

»Wollen wir ein Neuigkeit verkünden«, sagte sie.

Edie öffnete den Mund, um fortzufahren, aber Greg brachte sie mit einer Handbewegung zum Schweigen und sagte bestimmt: »Moment. Lass uns mal Beas Neuigkeiten hören.«

Bea genoss die Aufmerksamkeit offensichtlich. Sie wartete, bis wir alle um den Tisch herumsaßen und still waren.

»Ich und die Zuzi, wir heiraten, und wir wollen, ihr alle kommt zu die Hochzeit.« Bea ergriff die Hand ihrer Verlobten und präsentierte uns den Ring, der dort funkelte. Zuzi errötete adrett und senkte den Blick, die junge Unschuld, um deren Hand man anständig und ordnungsgemäß angehalten hatte.

»Das freut mich, ihr Lieben«, sagte Edie, »ich hoffe, ihr habt nette junge Männer gefunden. Macht ihr eine Doppelhochzeit?«

»Sie heiraten einander, Mutter«, sagte Greg.

»Was für ein Quatsch«, sagte Edie, »sie sind beide Mädchen. Ehrlich Greg, manchmal redest du fürchterlichen Unfug. Wusstet ihr eigentlich«, sie redete einfach weiter, ohne Luft zu holen, »dass heute die meisten Ehen geschieden werden?«

Greg machte den Mund auf, aber ich brachte ihn mit einem Blick zum Schweigen. Was sollte es bringen?

»Darauf müssen wir anstoßen«, unterbrach ich Edies Scheidungsstatistiken und suchte im Kühlschrank nach Sekt.

»Dann werdet ihr beiden euch jetzt sicher eine eigene Wohnung suchen.« Ich ergriff die Gelegenheit beim Schopf. »Ich kann euch gern helfen.« Ich wich ihren Blicken aus, entfernte die Folie und drehte den Drahtverschluss auf.

»Wollt ihr nicht, dass wir bleiben hier?«, fragte Bea.

Kitty eilte zu ihr und setzte sich auf ihren Schoß. »War doch nur ein Witz, oder, Mummy?«, sagte Kitty und wandte sich an Bea. »Mum weiß doch, dass ich das gar nicht aushalten würde, wenn du uns *jemals* verlässt. Wenn ich erwachsen bin, kannst du mit zu mir ziehen und dich um meine Kinder kümmern.«

Ich hatte die Sektflasche nicht mehr unter Kontrolle, und anstatt mit einem leisen Zischen in meiner Hand aus der Flasche zu kommen, sauste der Korken mit einem lauten Knall an die Decke.

»Wir bleiben«, versicherte Bea Kitty und streichelte ihr über den Kopf, »ist für uns die Zuhause, wo wir gefunden Liebe und Glück.«

Sie und Zuzi sahen sich verliebt an. Ich weiß, dass ich hätte standhaft bleiben sollen, aber wie bei den meisten berufstätigen Müttern stand und fiel auch mein Alltag mit der Anwesenheit bezahlter Hilfskräfte. Außerdem war mir durchaus bewusst, welchen Schaden mein Verhalten in letzter Zeit anrichten konnte, falls es aufflog – nicht nur bei Kitty, sondern auch bei Leo und Greg –, und ich wollte das fragile Gleichgewicht nicht noch weiter erschüttern.

»Nun ja, mal sehen«, sagte ich; insgeheim war ich zwar enttäuscht, aber ich machte einen Rückzieher von meinem Ansinnen, die beiden rauszuschmeißen. »Warten wir mal ab, wie es euch nach der Hochzeit geht, wie *glücklich bis an euer Ende* ihr leben werdet.« War das bei gleichgeschlechtlichen Paaren anders? Gleiches Geschlecht, anderes Geschlecht; es war wohl so, dass es in der Ehe ziemlich wenig Geschlechtliches gab. Außer natürlich mit anderen Leuten.

Traurig fragte ich mich, ob auch ihr Boot der Liebe an den Klippen des Alltags zerschellen würde.

»Ich habe Thunfischauflauf gemacht«, sagte Edie und zog eine stinkende Form aus dem Ofen. Das war ihre Spezialität, eine kulinarische Delikatesse aus *ihrer Zeit*, den Fünfzigern; Dosenthunfisch in Dosen-Champignonsuppe mit drübergekrümelten Chips. Kitty und Leo würgten leicht, als Edie ihnen großzügige, dampfende Portionen hinstellte. Für Dad waren Edies kulinarische Bemühungen der Tropfen, der das Fass zum Überlaufen brachte, und er machte eine große Show daraus, auf die Uhr zu schauen, total überrascht zu sein, dass es schon so spät war, und eilig seinen Mantel anzuziehen.

»Iss doch noch was, bevor du gehst«, sagte ich bösartig.

»Das würde ich ja gern, mein Schatz, aber ich habe einen

245

Termin mit dem Dirigenten.« Er parierte gekonnt und küsste mich triumphierend. »Wir sehen uns alle morgen. Halb sieben, kommt nicht zu spät!«

»Wir müssen auch los«, sagten Leo und Kitty und sprangen auf. »Wir haben Grandpa versprochen, ihm zu helfen.«

»Aber ich bin doch gerade erst wiedergekommen!«, beschwerte ich mich.

»Du siehst sie ja morgen früh, tut mir leid, aber wir haben das schon vor Wochen so verabredet!«, fiel Dad ein und schob sie hinaus in die Sicherheit der thunfischfreien Außenwelt. Auch Bea und Zuzi schafften es im allgemeinen Verabschiedungswirbel, sich zu verkrümeln, und von Sammy war nichts zu sehen.

»Wie schade. Na, macht nichts, Greggie, da kannst du umso mehr essen«, sagte Edie und setzte Greg Kittys und Leos Portionen vor. Er zwang tapfer einige Gabeln voll hinunter. Wäre Janet eine normale Katze gewesen, dann hätte er ihr heimlich einen Teil zustecken können und sie hätte es dankbar gefressen, aber das war sie nicht, und so musste er, immer wenn Edie nicht hinsah, mit geübter Geschicklichkeit einen Großteil des Auflaufs in seiner auf dem Schoß liegenden Serviette verschwinden lassen.

»Danke, für mich nicht, Edie«, sagte ich entschieden, »ich bin auf Diät.«

»Oh, damit muss man vorsichtig sein, wenn man über vierzig ist, Chloe«, sagte Edie. »Wenn man da zu dünn ist, wird man so hager; wir älteren Frauen müssen ein bisschen molliger sein, dem Gesicht zuliebe. Du weißt ja: *visage ou derrière*.« Sie nickte vor Begeisterung, als warte sie auf Beifall für ihre Fremdsprachenkenntnisse. Sie sprach *derrière* so aus, dass es sich auf *Terrier* reimte, aber in Anbetracht der Tatsache, dass sie nie weiter als nach Südirland gereist war, war es ein Wunder, dass sie überhaupt französische Wörter kannte. Edie verachtete Ausländer, imitierte aber gern die eine oder andere Verhaltensweise, weil sie meinte, das verleihe ihr eine gewisse Kultiviertheit und *savoir faire*. Beziehungsweise *savvy fair*.

246

Es ärgerte mich, mit Edie zusammen in den Topf alter Frauen geworfen und zu ihrem »wir« gezählt zu werden. Da gehörte ich nicht hin; ich gehörte zu dem »wir« der Fünfundzwanzig- bis Vierzigjährigen. Das war meine Gruppe. Oder gehörte man ab vierzig plötzlich zur Riesengruppe der Vierzig- bis Achtzigjährigen?

»Mir ist wirklich nicht gut«, sagte Greg. Seine eigene Gesundheit nahm er deutlich wichtiger als die seiner zahlenden Kunden, und jetzt sah er tatsächlich aus, als würde er gleich in Tränen ausbrechen; ich nahm allerdings an, dass das weniger mit seinem körperlichen Zustand zusammenhing als mit dem Elend, das die Anwesenheit seiner Mutter hervorrief.

»Leg dich nur hin, mein Lieber, Chloe und ich räumen hier auf, und dann können wir gemütlich ein Schwätzchen halten.«

Ich schaute Greg an, als er die Küche verließ; er zwinkerte mir zu, ein Siegeszwinkern. Wären meine Augen dazu in der Lage gewesen, dann hätten sie ihm Giftpfeile in sein intrigantes Herz geschossen.

Unter dem Begriff »Schwätzchen« hatte ich immer den fröhlichen Austausch von Klatsch und Tratsch verstanden. Aber das geschah jetzt nicht. Klatsch und Tratsch gab es jede Menge, aber keinen Austausch. Stattdessen war ich die einzige Empfängerin von Edies Redeschwall; in einem stetigen Strom prasselten ihre Worte auf mich nieder, und ich fühlte mich wie in einem Platzregen. Wohin ich mich auch wendete, es kam immer noch mehr und traf mich noch härter. Meine einzige Rettung lag darin, unzählige SMS von Iwan zu bekommen und an ihn zu schreiben.

»Tut mir leid«, sagte ich zu Edie, während ich tippte, »ein Patient.« Und so vertieften Iwan und ich uns, während Edie quasselte, in Getextverkehr, und als Ergebnis unserer immer erregenderen Nachrichten, deren letzte lautete: *Ich sehe immer noch dein Gesicht vor mir, als du heute Morgen im Tipi gekommen bist*, beschlossen wir, uns in einer Viertelstunde zu treffen. Man sollte es nicht für möglich halten, dass man seiner Schwiegermutter gegenübersitzen und dabei einen erotischen Austausch mit dem Mann haben kann, mit dem man ihren Sohn betrügt; doch offensichtlich war es nicht nur möglich, sondern geschah tatsächlich. *Ich will dich JETZT*, schrieb Iwan. Die gemeinsam verbrachte Zeit hatte unser Verlangen nur noch verstärkt.

»Es tut mir wirklich leid, Edie«, sagte ich und stand auf, »ich muss mich eben mit dem Patienten treffen. Er ist total aufgewühlt, das kann nicht bis morgen warten.« Bis auf das mit dem Patienten war alles die Wahrheit.

Iwans Wagen stand am Rande des Parks, an dem Eingang, der am weitesten von unserem Haus entfernt lag. Iwan selbst lehnte am Auto, eine große, verschwommene Silhouette im Nebel, von einer Straßenlaterne beleuchtet.

»Wusstest du eigentlich«, sagte ich und fiel ihm in die Arme, »dass es in Georgia verboten ist, Giraffen an Straßenlampen oder Telegrafenmasten zu binden?«

»Und was ist mit schönen Frauen, mit denen man schlafen möchte? Darf man die festbinden?« Er lächelte.

»Nur, wenn sie einen lassen.«

Ich vergrub mich in seinem Mantel und inhalierte seinen Duft der Leidenschaft.

»Ich will bei dir sein, Chloe, ich will mit dir zusammen sein.«

Wie waren wir so schnell an diesen Punkt gelangt? Ich sagte nichts, presste aber meinen Körper an seinen. Er küsste mich; wie ich diese Küsse liebte; wie unsere Lippen miteinander verschmolzen und unsere Zungen sich in unseren Mündern verloren, dass es gleichzeitig eine Reise und ein Nachhausekommen war. Ich liebte es, ihn anzufassen und zu riechen, und ich liebte die Erregung, wenn unsere Körper sich berührten. Aber konnte ich dafür alles opfern? Sein Handy klingelte. Es war Becky.

»Ja, was ist?«, fragte er mit kalter Stimme. »Ich habe dir doch gesagt, wo ich das hingetan habe.« Er legte abrupt auf, ohne sich zu verabschieden; er schloss die Augen, wie um die Gereiztheit abzuschütteln, und wandte sich dann wieder zu mir. Er musste meinen Gesichtsausdruck bemerkt haben, denn er sagte: »Mit dir würde ich nie so sprechen, Chloe. Du weißt nicht, wie sie ist, du hast keine Ahnung, wie es ist, mit ihr zusammenzuleben.«

Ich fühlte mich unwohl, eine plötzliche Verschiebung der Linse hatte mir ein Bild von ihm gezeigt, das nicht in den Hollywoodfilm von unserer Affäre passte; ich hatte eine Seite von Iwan gesehen, die ich lieber nicht gesehen oder gekannt hätte. Wir setzten uns in sein Auto, und als er mich küsste und streichelte, wich mein Unbehagen. Er hatte ja recht: Ich wusste nicht, wie sie wirklich war. Niemand wusste je, was zwischen zwei Menschen ablief. In der Ferne sah ich durch das Fenster Madges vertraute Erscheinung an der Umzäunung entlanggehen, die den Park einschloss. Ich erkannte schemenhaft die weiße Taube, die sie wie ein Baby im Arm hielt.

Iwan fuhr zu einem abgelegenen Plätzchen, einer dunklen Garagenanlage, wo tagsüber geschäftiges Treiben herrschte und sich nachts Pärchen trafen. Wir schliefen in seinem Auto miteinander wie die Teenager und behielten einen Großteil unserer Kleider an, weil es wärmer war und falls jemand ins Auto guckte. Kein Zweifel: Eine außereheliche Affäre machte wieder jung, oder jedenfalls benahm man sich wieder so. Wenn wir miteinander schliefen, bekam ich schon Lust auf das nächste Mal, bevor wir überhaupt fertig waren; gierig wie eine Schokoladensüchtige, die schon auf den nächsten Riegel schielt, wenn sie den ersten noch im Mund hat.

»Wir wären ein tolles Paar, Chloe«, flüsterte Iwan mir ins Ohr. »Denk mal darüber nach.«

»Das geht mir alles zu schnell«, sagte ich und fing plötzlich an zu weinen.

»Schon gut, schon gut«, tröstete er mich, streichelte mir übers Haar und wischte mir die Tränen ab. »Wir können einfach so weitermachen. Aber versprich mir, darüber nachzudenken.«

Ich hatte Angst, als sei ich in tiefes und unbekanntes Gewässer geschwommen und hätte das trockene Festland meines normalen Lebens zu weit hinter mir gelassen. Am weit entfernten Ufer sah ich Greg, Leo und Kitty mir zuwinken und hörte ihre dünner werdenden Stimmen nach mir rufen, während sie immer weiter in der Ferne verschwanden und ich nur noch ein Pünktchen an ihrem Horizont war. Ich wollte umkehren, war aber in einer Strömung gefangen, gegen die ich nicht ankam, sosehr ich auch strampelte. Mir war hundeelend. Was ich wollte, war alles: nicht mehr und nicht weniger. Meinen Mann und meinen Liebhaber. War es wirklich so vermessen, sie beide zu wollen? Ist es nicht irgendwie unrealistisch anzunehmen, man könnte alles, was man im Leben braucht, in nur einer Person finden? In Frankreich sind außereheliche Affären ein akzeptierter Teil des Lebens, und *cinq à sept* (oder *sinkasept*, wie Edie sicher sagen würde) sind die Stunden des Tages, die den Liebhabern vorbehalten sind, eine Institution. Aber ich konnte nicht gut mit der ganzen Bagage nach Paris ziehen und Französin werden, außerdem war es schon deutlich nach sieben und Zeit, nach Hause zu fahren.

»Herz, Geist und Körper«, sagte Iwan, als ich aus dem Wagen stieg. »Das sind die drei Bereiche, in denen man zusammenpassen muss. Du kriegst bei mir hinter allen dreien ein Häkchen, Chloe.« Ich fühlte mich geschmeichelt, hatte aber den Eindruck, dass die Neigung zum Kategorisieren und Listenschreiben eine eindeutig männliche Angelegenheit war; so wie Männer begehrenswerte Frauen als »10 Punkte« beschreiben und immer nach den fünf Lieblingsplatten oder -büchern oder -filmen fragen. Was wäre denn, wenn das Häkchen in einem von Iwans Kästchen mit den Jahren verschwimmen, erst einen Flecken hinterlassen und dann alles durchstreichen würde?

»Hat Becky nicht auch einmal überall Häkchen bekommen?«, fragte ich.

»In dem Herzkästchen nicht so richtig«, antwortete er. Er sah mich an und strich mir zärtlich mit dem Daumen über die Lippen; es kam einem Gutschein gleich, der bei unserer nächsten Begegnung einzulösen wäre.

250

»Wir sehen uns morgen Abend«, sagte er, »bei der Gala deines Vaters.«

Die *Times* schickte ihn, um eine Karikatur zu dem Ereignis zu zeichnen. Ich verspürte den inzwischen schon fast vertrauten Kick, den ich empfand, wenn meine beiden Leben aufeinandertrafen.

Ich ging schnell nach Hause und suchte in meinen Taschen nach meinem Handy, um Iwan noch ein Nachspiel zu schicken. Ich fand es nicht. Ich schloss die Augen und sah sofort erschreckend deutlich vor mir, wo ich es hatte liegenlassen. Gut sichtbar auf dem Küchentisch, und Iwans gesamte Nachrichten waren noch drauf gespeichert wie eine tickende Zeitbombe. Hoffentlich hatte niemand reingeguckt. Ich bekam Panik und ging immer schneller. Greg schlief schon; er war vor seiner Mutter geflohen, indem er ins Bett gegangen war. Edie würde nicht wissen, wie man SMS las. Wird schon gutgegangen sein, niemand wird sie gelesen haben, betete ich mir vor wie ein Mantra. Die letzten fünfzig Meter rannte ich nach Hause.

»Bist du das, Chloe?« Aus der Küche begrüßte mich Gregs Stimme, was ungefähr so beruhigend war wie eine heulende Sirene. Ich zog langsam den Mantel aus und betrachtete mich im Spiegel. Sah ich aus wie eine Frau, die eben Sex hatte? Das schlechte Gewissen schien mir ins Gesicht geschrieben, meine Augen glänzten, meine Haare standen hinten ab, wie immer durch die Reibung bei engagiertem Verkehr. Ich bürstete kurz drüber, zog meine Kleider straff, holte tief Luft und ging in die Küche.

»Bitte mach, dass er nicht in mein Telefon geguckt hat, ich verspreche auch, dass ich es nie wieder tue«, belog ich den Gott, an den ich nicht glaubte. Greg saß mit Sammy am Tisch. Mein Handy lag auf dem Tisch zwischen ihnen; dort tickte es, radioaktiv, bösartig, spöttisch. »Also echt«, schien es zu sagen, »Seite eins: Lass nie dein Telefon irgendwo liegen. Ist das so schwierig?«

Gregs Augen schienen eine stumme Frage zu stellen, aber vielleicht war das auch nur mein schlechtes Gewissen.

»Wo warst du denn?«, fragte Greg. Hörte ich da einen Unterton?

»Ich musste eine Patientin beruhigen. Sie flippt aus, weil sie demnächst heiratet.« Ich redete zu viel und zu schnell. Mit großer Willenskraft zwang ich mich, die Klappe zu halten.

»Du machst doch sonst keine Hausbesuche«, sagte Greg. Hatte er Verdacht geschöpft? Hatte er meine Nachrichten gelesen?

»Ich hatte die Wahl: entweder das oder hierbleiben und deiner Mutter zuhören«, gab ich zurück. Dagegen konnte er schlecht etwas sagen.

Sammy ging in den Garten in sein Zelt. Ich sah ihm an, dass er genau wusste, was ich getan hatte. Seine Anwesenheit bei diesem Gespräch hätte ihn zum Komplizen gemacht, und dazu war er nicht bereit.

»Ach, hier, du hast dein Handy liegenlassen.« Greg reichte es mir.

»Danke«, sagte ich leichthin und bemühte mich, meine Atmung unter Kontrolle zu halten. »Ich gehe ins Bett. Kommst du mit?«

»Gleich.«

Es wäre viel zu verdächtig gewesen, in unserem Badezimmer zu duschen, und da Edie im Gästezimmer neben meiner Praxis schlief, konnte ich auch die Dusche im Untergeschoss nicht benutzen. Es würde reichen müssen, mich mit einem Waschlappen zu waschen; Kitty hatte das als kleines Kind lappenwaschen genannt, wenn sie nicht baden wollte. Der kindische Ausdruck dröhnte mir blöd im Kopf herum. Ich fühlte mich wie eine Hure, eine Professionelle zwischen zwei Nummern, aus dem Auto des einen raus und ins Bett des nächsten Kunden. Wenigstens eins war sicher: Greg würde keinen Sex wollen.

Greg strich mir mit dem Fuß an den Waden entlang; er nahm mich in die Arme. Ausgerechnet heute, nach all der Zeit. Ich würde gern behaupten, es wäre mir schwergefallen, mit meinem Mann zu schlafen, nachdem ich gerade aus den Armen meines Liebhabers kam. Aber selbst nach so langer Zeit fühlte es sich ganz natürlich an. Markierte Greg sein Revier, indem er mit mir schlief? Verteilte er seinen Duft auf mir, in der Hoffnung, mich für sich zu behalten? Was auch immer der Grund war, es war tröstlich, in seinen Armen zu liegen. Warum konnte ich nicht einfach dort bleiben und glücklich sein, statt noch mehr oder etwas anderes zu wollen? *Wenn man das Leben einfach als Geschenk betrachten könnte, wäre man vielleicht nicht so anspruchsvoll.*

»Bist du glücklich, Chloe?«, fragte Greg, als wir hinterher aneinandergeschmiegt dalagen.

Ich wollte ihn fragen, warum wir so lange keinen Sex hatten, doch ich fürchtete mich vor dem, wohin das Gespräch möglicherweise führen würde. Wusste er, wo ich vorher war und dass ich nicht allein in Spanien gewesen war?

»So was Ähnliches«, sagte ich. »Aber manchmal wünsche ich mir, es wäre wieder so wie am Anfang, als wir ganz beglückt voneinander waren. Und du? Bist du glücklich?«

»Zufrieden. So ist das Leben eben. Es kann nicht immer alles aufregend sein.«

Ich schaute in seine vertrauten blauen Augen, inhalierte alles, was an ihm Greg war, nickte und schlief in seinen Armen ein. Nach wenigen Minuten allerdings fing er wie üblich an zu wühlen und im Schlaf zu reden und unsichtbare Götter zu beschwören.

»Ein seltsam Ding«, dachte ich voller Zärtlichkeit und schmiegte mich an ihn, »aber mein eigen.«

Achtzehntes Kapitel

Schiwagos Rache

15 ccm Pfefferwodka	*3 Tropfen Tabasco*
15 ccm Zimtschnaps	*1 Schnapsglas*

Zutaten in dieser Reihenfolge in ein gekühltes Glas geben.
Umrühren. Eiskalt servieren.

Auf dem Weg zu Dads Gala posierten wir vor der Haustür,
drückten einem Passanten die Kamera in die Hand und hielten
das Bild von uns im Premierenstaat für die Nachwelt fest.

»Du siehst immer noch sehr gut aus, Greg«, sagte Edie
auf dem Weg zum Auto und betrachtete ihn von oben bis unten. »Pass bloß gut auf ihn auf, Chloe. Ich weiß noch, als er
sechzehn war, das war natürlich schon ein paar Jahre n.E., da
hat …«

Der Rest ihrer Erinnerungen ging unter, weil Kitty und Leo
sich um die Sitzplätze im Auto zankten. Sammy wirkte geistesabwesend, wahrscheinlich, weil zu viel Geplapper auf einmal auf
ihn eindrang.

»Du machst dein Berggesicht«, stellte ich fest.

»Der Frieden der Alpujarras«, sagte er. »Ich habe Heimweh
nach meinem Tipi.«

»Ich auch.«

»Ja, aber aus anderen Gründen, nehme ich an«, sagte er.

Wir waren kaum um die Ecke des Parks gebogen, als Kitty
sich von hinten zu mir vorbeugte. Ich dachte, sie wollte mir

übers Haar streichen, wie sie es getan hatte, als sie klein war, wenn sie hinter mir im Auto saß.

»Dein Rock ist hinten zu kurz, Mum«, sagte sie. »Das sieht unmöglich aus, man kann fast deinen Po sehen.«

Hm, vielleicht hätte ich doch in Lang gehen sollen. Dass Iwan da sein würde, machte mich schon nervös genug, und nichts zerstört das zerbrechliche Selbstvertrauen einer älteren Frau so nachhaltig wie die Missbilligung einer Zwölfjährigen.

Als wir ankamen, stand Dad draußen vor dem Foyer, rausgeputzt im Smoking, das silberne Haar ordentlich zurückgekämmt; nur seine Augenbrauen standen wirr in alle Richtungen und deuteten auf seinen Gemütszustand hin. Neben ihm stand Helga: groß, elegant und eben erst aus Berlin gekommen. Sie war mit über siebzig immer noch eine schöne Frau und strahlte das Selbstbewusstsein aus, das man durch lebenslange Bewunderung erwirbt. Ich wünschte mir ganz eigennützig, Dad hätte sie mehr in unser Leben eingebunden; ich hätte gern eine Mutterfigur gehabt, nachdem ich schon früh keine mehr hatte. Aber um mich ging es ja nicht, sondern gerade darum, sie aus dem eintönigen Alltag herauszuhalten. Heute erschien sie zum ersten Mal bei einem offiziellen Anlass an seinem Arm, und ihr Anblick ließ mich zögern. Ich hatte meinen Vater immer nur mit meiner Mutter als Partnerin gesehen; mit Helga sah er entspannter aus – nicht so fluchtbereit, wie er neben Girlie immer gewirkt hatte, weil er sich vor ihren emotionalen Wetterumschwüngen fürchtete, die ihre gesamte Umgebung mit unvorhersehbaren Regengüssen oder plötzlichem Sonnenschein überraschen konnten. Helga strahlte Beständigkeit aus, erkennbar an der beruhigenden Hand auf dem Arm meines Vaters und der liebevollen Zugewandtheit ihres Kopfes.

Es waren jede Menge Paparazzi da, mit Leitern unter dem Arm und hektisch herumwirbelnden Köpfen auf der Suche nach Beute. Die Karten waren am Erstverkaufstag bereits ausverkauft gewesen, und man rechnete mit dem Auftauchen der Londoner Prominenz.

Als ich auf Dad und Helga zuging, hörte ich eine verwirrte Stimme hinter mir: »Das ist doch Kitty McTernans Mutter, oder? Was macht die denn hier?« Ich drehte mich um und sah Mr und Mrs Bruchrechnung, Mollys Eltern. Meine Anwesenheit schien sie zu beleidigen, denn irgendwie degradierte es ihren eigenen Auftritt bei diesem gesellschaftlichen Ereignis. Ich wusste, dass Mrs Bruchrechnung immer noch an Kittys und meinem Coup mit dem Schokoladenkuchen zu knabbern hatte.

»Phils Bank sponsert die Veranstaltung«, erklärte sie mir, bevor ich irgendetwas sagen konnte. Sie tat, als gehöre die Veranstaltung damit ihr, und forderte mich gleichzeitig unterschwellig auf, meine Anwesenheit zu erklären. Dabei schaute sie sich in der wachsenden Menge um, als suche sie jemanden, der ihrer Gesellschaft würdiger wäre als ich. »Aber ich habe Bertie Schiwagos Arbeit auch immer verfolgt. Ich bin ein richtiger Fan. Übrigens habe ich ihn auch schon ein paar Mal persönlich getroffen.«

Ganz selten verschafft das Leben einem die perfekte Gelegenheit zur süßen Rache. All die Jahre, in denen sie mich auf dem Schulhof links liegengelassen hatte, waren es wert gewesen für diesen Moment: einen ungewöhnlich warmen Januarabend in der Londoner Shaftesbury Avenue, an dem ich den Augenblick auskostete, bis ich die fünf Worte aussprach: »Bertie Schiwago ist mein Vater.«

Mrs Bruchrechnung schaute mich von oben bis unten an, als sähe sie mich zum ersten Mal. »Das wusste ich gar nicht.«

»Na ja, ist ja auch nicht ganz einfach«, sagte ich bissig, »wo heutzutage so viele Schiwagos herumlaufen. Wobei«, grollte ich, »Kitty ja McTernan heißt und Sie wahrscheinlich gar nicht wussten, dass ich Schiwago heiße.«

Ich wollte sie gerade warnen, in Zukunft besser aufzupassen, wen sie schlecht behandle, wurde aber durch Dads Auftauchen an meiner Seite gerettet. Er legte den Arm um mich, drehte mich zu Helga und sagte: »Das ist meine wunderschöne Tochter Chloe.«

Aus dem Augenwinkel sah ich das Ehepaar Bruchrechnung die Münder auf- und zuklappen wie Goldfische.

»Dad, Helga, das sind Phil und Jane, die Eltern einer Klassenkameradin von Kitty.« Ich war es so gewohnt, sie Bruchrechnung zu nennen, dass mir ihr Nachname tatsächlich gerade nicht einfiel.

»Freut mich sehr, Sie kennenzulernen. Wie nett, dass Sie gekommen sind«, sagte Dad. Es war offensichtlich, dass er sie nicht kannte, und falls er ihnen schon einmal begegnet war, erinnerte er sich nicht daran.

Jane sah aus, als würde sie vor Dankbarkeit und Beschämung gleich in Ohnmacht fallen. Meine großzügige Geste, sie ihm vorzustellen, war zwar, als hätte ich sie mit der Nase in die Exkremente ihrer eigenen Unhöflichkeit gestoßen, aber ich war trotzdem zufrieden. Ihre Nasen wurden auch gleich noch tiefer hineingedrückt, als Dad laut rief: »Ruthie, hier sind wir! Komm her und lass dich küssen, du siehst toll aus.« Jane war entsetzt, als Dad Ruthie umarmte, die sie ebenfalls für ihrer unwürdig befand, uns beide betrachtete und sagte: »Ihr beide seht genauso gut aus wie mit achtzehn.« Ruthie strahlte in einem engen roten Kleid, das ihre Kurven wunderbar betonte, und hatte Richard, Atlas und Sephy an ihrer Seite.

»Dein Nein zum Koks scheint dir wirklich gutzutun«, flüsterte ich ihr ins Ohr, als ich sie küsste. Sie drückte meine Hand, bemerkte die Bruchrechnungs, deren erstaunte Münder inzwischen wie zwei Nullen aussahen, und begrüßte sie so edelmütig wie eine Königin ihre treuen Untertanen. Rache war süß, und wir stolzierten an ihnen vorbei über den roten Teppich ins Foyer, den Blitzlichtern und den Rufen der Paparazzi entgegen.

Leo, ein junger Mann im Smoking, williger Sklave des großen Gottes iPod, lief mit dem Gang eines Harlemer Straßenjungen in einem Rhythmus, den nur er hörte.

Kitty zog mir von hinten den Rock nach unten. »Echt, Mum, du bist so was von peinlich.« Familienmuster wiederholen sich unweigerlich, wie sehr auch immer man es zu vermeiden versucht; wie schon meine Mutter zog auch ich mich nicht so an, wie eine Mutter es tun sollte. Oder vielleicht wird keine Mutter sich je so kleiden oder benehmen, dass ihre Tochter zufrieden ist. Ich sah Kitty an und freute mich über ihr ernstes kleines Gesicht; sie schwebte scheinbar reglos in der Zeit zwischen Kindheit und Frausein. Ich sah in ihr gleichzeitig das Baby, das sie gewesen war, und die schöne Frau, die sie werden würde. Dann fiel mein Blick auf ein vertrautes Gesicht. (Ehrlich gesagt hatte ich schon seit unserer Ankunft danach Ausschau gehalten.) Kitty folgte meinem Blick und schaute mich kurz und hart an, gleichzeitig wissend und fragend, mit dem Blick einer Frau. Es war Iwan. Ich spürte, dass mein Atem schneller ging, sowohl vor Angst, dass Kitty etwas wissen oder ahnen könnte, als auch vor Freude, ihn zu sehen.

Ich stand zwischen meinem Mann und meinem Liebhaber, als sie einander die Hand gaben und die schroffen Witzeleien vom Stapel ließen, die Männer so mögen.

»Wie ich sehe, können Sie auch noch problemlos das Hemd in die Hose stecken«, sagte Iwan und tätschelte sich das gebügelte, flache, weiße Hemd.

»Ja, wir sind nicht mehr viele. Ich wiege noch genauso viel wie vor zwanzig Jahren«, antwortete Greg selbstgefällig.

»Du bewegst dich auf einem Drahtseil ohne Sicherheitsnetz«, murmelte Ruthie neben mir, »behalt die Nerven und guck nicht runter.«

Der Abend war ein seltsames Zusammenströmen der verschiedenen Teile meines Lebens: an meiner Seite waren mein Mann und meine Kinder; mein Vater und seine bis heute versteckte Geliebte; meine Schwiegermutter; mein Bruder; meine beste Freundin mit ihrer Familie; mein Liebhaber und seine Frau; die verhassten Eltern der Schulzicke. Die Stimmen um mich herum wurden lauter. »Hier!«, »Lizzie, schauen Sie mal hierher!«, »Nur noch eins«, und ich sah meine berühmt-berüchtigte Freundin durch das Blitzlichtgewitter auf uns zukommen. Die unersättlichen Fotografen richteten ihre Kameras auf sie wie Waffen. BB war in ihrem Element, die Aufmerksamkeit wärmte sie wie die Sonne; sie hatte die Augen halb geschlossen, die Lippen leicht geöffnet wie in Ekstase. Dies war ihr erster gemeinsamer Auftritt mit Jeremy, und sie trug ihre sexuelle Erfülltheit mit dem Schwung ihrer Hüften zur Schau. Sie demonstrierte der Öffentlichkeit, dass die Zeit der Enthaltsamkeit vorüber war. Ebenso gut hätte sie als Lady Godiva kommen können, nackt auf einem Pferd, um zu zeigen, dass sie wieder im Sattel saß. Jessie schlurfte hinter ihnen her und schaute zu Boden, als könnte sie in den Ritzen zwischen den Gehwegplatten die Lösung für ihr vernachlässigtes Dasein finden.

»Er hat mir sogar meinen Namen geklaut«, flüsterte sie mir zu, als sie zu uns stießen, »sie nennt ihn jetzt Jezzie.«

»Hallo, meine Liebe«, sagte BB und küsste die Luft neben meinem Kopf.

»Du hattest wohl schon wieder Zeit für eine kleine Behandlung«, murmelte ich.

»Lipodissolve. Da wird das Fett einfach aufgelöst. Wird hier noch gar nicht gemacht, ich musste extra für einen Tag nach Paris fahren. Das ist total super, man kann es eben in der Mittagspause machen und gleich wieder an die Arbeit gehen.« Sie sah zu Jeremy, der uns den Rücken zugekehrt hatte. »Oder zum Spielen. Könntest du mal mit deinem Bauch versuchen.«

»Was für ein Bauch?«, fragte ich selbstzufrieden.

»Wo ist der denn hin?« BB kniff die Augen zusammen und betrachtete mich genau.

Jeremy wandte sich um. Ich schaute ihn an und schnappte nach Luft. Es war niemand Geringeres als Gottesgeschenk; ich hatte ganz vergessen, dass er Jeremy hieß.

»Ach ja«, sagte BB. »Jezzie hat mir schon erzählt, dass ihr euch kennt.« Sie beugte sich zu mir und flüsterte mir ins Ohr: »Er meint übrigens, du stehst auf ihn. Woher kennt ihr euch eigentlich?«

In der Ferne ertönte eine Auto-Alarmanlage, ein nervtötendes Schrillen, das entweder das Ende oder den Anfang von etwas zu verkünden schien. Ich hatte ein Gefühl der Vorahnung.

Ich setzte mich auf meinen Platz und atmete den Duft ein, der großen und wichtigen Veranstaltungen eigen ist. Die Streicher stimmten ihre Instrumente, und das Orchester scharrte im Graben wie unruhige Zirkustiere; Abendkleider in allen Regenbogenfarben raschelten, und die Leute riefen einander etwas zu, mit Stimmen, die es gewohnt waren, gehört zu werden. Wir saßen ganz vorn, und ich hielt Dad die Hand. Er zählte nervös meine Finger – ein Ritual, das wir schon seit meiner Kindheit spielten. Nach jedem Durchzählen versteckte ich einen Finger, bis keiner mehr zum Zählen übrig war. Dad heuchelte erst Erstaunen, dass all meine Finger verschwunden waren, und dann Erleichterung, wenn ich sie nach und nach wieder erscheinen ließ.

Seine Hände waren warm und trocken; ein Instrument, auf dem er immer die verlässliche Melodie elterlicher Liebe gespielt hatte. Als Kind hatten sie mich in den Schlaf gestreichelt, mir die Tränen getrocknet und seiner Liebe zu mir Ausdruck verliehen; ich hatte sie nie in Wut erhoben gesehen, gegen mich oder irgendjemanden sonst. Heute aber war ich der Elternteil mit den beruhigenden Händen.

»Erinner mich dran, dass ich so was nie wieder mache«, murmelte er. »Das geht doch sowieso in die Hose.«

»Das sagst du immer, Dad, und es wird immer ein Riesenerfolg«, sagte ich und küsste ihn auf die Wange. Mein Blick begegnete Helgas, als sie auf der anderen Seite seine Hand nahm und sie an ihre Lippen drückte. Wir schauten uns an und lächelten schüchtern. Helga beugte sich über Dad hinweg und drückte mir den Arm. Am liebsten wäre ich in Tränen ausgebrochen, hätte ihr mein kompliziertes Leben erklärt und sie um Rat gebeten.

»Du und Helga, ihr solltet euch besser kennenlernen«, sagte Dad. Ich lächelte und nickte, fürchtete aber gleichzeitig, ich könnte sie lieber mögen als meine eigene Mutter.

Ich drehte mich um und stellte fest, dass Iwan mich aus der Reihe hinter uns beobachtete. Becky saß neben ihm wie ein Häufchen Elend; ihr Körper war sorgsam von seinem getrennt, als könnte ein Kontakt sie verletzen.

»Der ist echt nicht nett zu ihr«, sagte Kitty plötzlich.

»Wer?« Ich wandte mich zu ihr; sie hatte gesehen, dass ich die beiden betrachtet hatte.

»Der Russe, den du immer so anguckst. Er ist nicht nett zu seiner Frau.«

Ich tat unbeteiligt. »Ach, jaja, Schatz.«

»Er hat zu ihr gesagt, sie ist ein Klotz am Bein, ich habe es gehört.«

»Stimmt, das ist nicht nett«, sagte ich. Der unangenehme Ton, den ich immer hörte, wenn ich Iwan mit Becky erlebte, hallte mir laut im Kopf wider. Konnte er wirklich so boshaft sein?

»Ich glaube, er steht auf dich«, sagte Kitty. »Er guckt dich immer so komisch an. Du hast doch nichts mit ihm, oder?«

»Unsinn, Schatz.« Das beruhigende, warme Kichern, das ich beabsichtigt hatte, kam ganz falsch heraus und klang wie zersplitterndes Glas.

»Ich meine nur, weil Lucys Mum eine Affäre hatte, und ihr Dad ist dahintergekommen, und dann haben sie sich scheiden lassen, und jetzt weiß Lucy nie, wo ihre Sachen sind, weil sie in zwei Häusern wohnt.«

Ich nahm sie so in den Arm, dass sie mein Gesicht nicht sehen konnte, und der aufgehende Vorhang bewahrte mich davor, antworten zu müssen. Ein Beckenschlag eröffnete die Ouvertüre und weckte mich endlich so weit auf, dass mir die Tragweite meiner Handlungen richtig bewusst wurde. Ich riskierte das Glück meines Mannes und meiner Kinder wegen eines Mannes, der nicht nett zu seiner Frau war. Wie lange würde es dauern, bis er zu mir auch nicht mehr nett war? Wenn Kitty schon Verdacht geschöpft hatte, was musste Greg dann denken? Ich sah Greg an, der neben Kitty saß. Trotz der Intimität der vergangenen

Nacht kam er mir vor wie ein vertrauter Fremder, wie jemand, den man vielleicht täglich an der Bushaltestelle sieht.

Der Applaus des Publikums holte mich wieder in die Gegenwart zurück, und ich richtete meine Aufmerksamkeit auf die Bühne. Sie war in zwei Hälften geteilt: Auf der einen Seite freute sich der Königshof über die Geburt eines Prinzen, auf der anderen klagte eine bitterarme Familie über die unerwünschte Ankunft eines weiteren hungrigen Kindes. Der Kontrast zwischen dem Luxus des Königshauses und der Armut der einfachen Familie war hervorragend dargestellt: Samt, Kerzen und prächtige Gewänder auf der einen Seite, ein schmutziger, düsterer, kahler Raum auf der anderen.

Die Szene schien mein eigenes Leben darzustellen, oder zumindest nahm ich sie so wahr: der sinnliche Plüsch meines Verhältnisses mit Iwan im Gegensatz zur immer ärmer werdenden Beziehung zu meinem Mann. Ich war der arme kleine Tom Canty, der sich die Nase am Palasttor plattdrückte und sich nach einem Leben im Überfluss sehnte; der es erlangte und feststellte, dass es ihm nichts als Ärger brachte. Wie Tom stellte auch ich fest, dass das, was ich mir gewünscht hatte, nicht so war wie erhofft. Ich sehnte mich nach der Einfachheit meines alten Lebens zurück, in dem ich nicht auf Zehenspitzen durch den Schatten schleichen und in ständiger Angst vor dem Entdecktwerden leben musste.

Dad hatte mir fest die Hand gedrückt und schien sich jetzt ein bisschen zu entspannen, als er die herzliche Reaktion des Publikums spürte.

»Es ist immer noch eine wacklige Angelegenheit, aber bisher sieht es immerhin so aus, als würde es keine Katastrophe«, flüsterte er.

»Wirst du irgendwann begreifen, dass es nie eine Katastrophe ist?«

»Erst wenn ich tot bin.«

»Hör auf Dad, sag so was nicht.«

Ich ließ mich ganz in Musik und Tanz fallen. Es war eine

Erleichterung, mich auf die Geschichte auf der Bühne zu konzentrieren und meine eigene zu vergessen.

In der Pause gingen wir alle in einen VIP-Raum, wo es tödliche Cocktails mit dem passenden Namen *Schiwagos Rache* gab. Gottesgeschenk stand am Eingang und warf mir eine Art wissendes, schiefes Grinsen zu, das andeutete, zwischen uns sei noch etwas zu klären. Gleichzeitig bewunderte er sein Spiegelbild in der Fensterscheibe hinter mir. Was um alles in der Welt fand BB bloß an ihm, außer körperlicher Befriedigung? Wobei man sich bei seiner Selbstverliebtheit nur schwer vorstellen konnte, dass er ein aufmerksamer Liebhaber war. Neben BB stand eine junge Journalistin und stenographierte jedes Wort mit, das sie sagte, auf dass es bald gedruckt und unsterblich gemacht würde. Sie nickte ernst wie ein Specht und gab mit jedem Nicken ein aufgeregtes, ergebenes »Mm« von sich, während BB sich über ihr nächstes Buch verbreitete.

»Sex«, sagte sie, »ist sehr wichtig für die Energie eines Menschen. Er ist unser Treibstoff; genauso wie ein Auto mit vollem Tank eine bestimmte Anzahl von Meilen fahren kann, so verleiht befriedigender Sex uns die Energie, unser geschäftiges Leben zu führen. Und genauso wie ein Auto muss auch der Mensch regelmäßig betankt werden, um gut zu laufen.«

»Aber ging es in Ihrem letzten Buch nicht um Enthaltsamkeit?«, fragte die Journalistin.

»Ja, aber das ist nur der erste Teil eines Prozesses, eine Reinigung der Persönlichkeit – oder des Motors, wenn man so will – am Ende einer Beziehung, wenn man sich selbst erst wieder lieben lernen muss, bis man den Treibstoff einer neuen Beziehung aufnehmen kann.«

»Ich glaube überhaupt nicht, dass es so ist«, unterbrach ich. »Sex ist überhaupt nicht wie Treibstoff, der einen wie ein Auto jahrelang am Laufen hält, sondern im Gegenteil. Es ist, wie wenn man furchtbar viel isst und glaubt, man könnte nie wieder etwas essen, und dann wacht man am nächsten Morgen auf und hat einen Bärenhunger; du weißt schon, je mehr Sex man hat, desto unersättlicher wird man.« BB schaute mich an, als sei ich der Papst persönlich und hätte soeben über die Freuden der geschlechtlichen Vereinigung gepredigt.

»Na ja«, fügte ich hastig hinzu, »was weiß ich schon, ich bin seit hundert Jahren mit demselben Mann verheiratet und habe so wenig Sex, dass ich rein technisch gesehen wahrscheinlich schon wieder Jungfrau bin.«

BB betrachtete mich immer noch neugierig; wenn sie aus jeder Pore sexuelle Erfüllung verströmte, woher wollte ich wissen, dass ich das nicht auch tat? Ich sah Iwan ein paar Meter entfernt stehen. Er schob sich an mir vorbei und drückte mir einen Zettel in die Hand.

Wir treffen uns in der Loge zwei Türen weiter unten.

»Was ist das?«, fragte Kitty hinterrücks.

»Nichts, ein Zettel, das ist alles.«

»Den hat *er* dir gegeben, oder?«

»Hörst du jetzt mal auf damit?«, antwortete ich mit der abweisenden Gereiztheit eines zu Recht Angeklagten, den man in die Enge treibt.

»Wo gehst du hin?«, fragte Kitty, als ich losging.

»Zur Toilette.«

»Ich gehe mit.«

Kitty bestand darauf, hinter mir her zur Toilette zu gehen, vorgeblich, um mir den Rock so weit runterzuziehen, dass er meinen Po bedeckte, aber ich fühlte mich wie unter Polizei-Eskorte. Ich schämte mich in Grund und Boden, dass sie Angst hatte, mich allein zu lassen. Ich schloss die Tür zu meiner Toilettenkabine und hörte ein seltsames Schniefen aus der Nebenkabine. Ich bückte mich und sah unter der Trennwand hindurch eine Nase mit einem Strohhalm etwas vom Boden hochziehen. Den Ring am dazugehörigen Finger kannte ich gut.

»Ruthie, was machst du da?«

Die Nase und der Finger verschwanden aus meinem Blickfeld. Ich stellte mich auf den Klodeckel und schaute hinüber in die Nachbarkabine. Ruthie kauerte auf allen vieren am Boden, in flagranti erwischt, wie sie versuchte, verstreutes weißes Pulver auf einem Blatt Papier zusammenzuschieben.

»Was zum Teufel tust du da?«

»Chloe! Hast du mich erschreckt. Mann, ich wollte mich nur gerade ein bisschen aufmuntern und habe das Scheißzeug auf dem ganzen Boden verteilt. Kam mir am sichersten vor, es einfach alles mit der Nase hochzuziehen.«

»Du hast mir versprochen, du hättest aufgehört.«

»Habe ich ja auch. Ich habe das schon ewig nicht mehr gemacht, es war nur eine winzig kleine Line zum Champagner.«

»Darüber reden wir noch«, sagte ich und schaute zum Waschbecken hinüber, wo Kitty sich die Hände wusch. Sephy kam herein, und kurz darauf verschwanden die beiden zusammen. Kitty hatte meine Überwachung offensichtlich vergessen.

Auf dem Weg zur Loge, in der ich Iwan treffen wollte, merkte ich, dass mein Leben gefährlich aus den Fugen geraten war. Wie konnte ich überhaupt noch in den Spiegel gucken – eine Frau, deren eigene Tochter sie verdächtigte, einen Liebhaber zu haben? Das fühlte sich noch viel schlimmer an, als eine Frau zu sein, die ihren Mann betrog. Dass ich plötzlich verstand, wie viel Einfluss mein Verhalten auf diejenigen hatte, die ich liebte, und Gregs Zuwendung in der Nacht zuvor holten mich endlich wieder auf den Boden zurück. Es schien auch etwas zu bedeuten zu haben, dass diese Nachricht von Iwan die erste war, die er auf Englisch geschrieben hatte. Plötzlich wusste ich sehr genau, was ich zu tun hatte und dass ich es sofort tun musste, bevor ich die Nerven verlor.

Ich spürte ihn schon, bevor ich ihn sah; er stand im Schatten an der Seite, und kurz wollte ich einfach in seinem Duft versinken. Er trat vor, um mich zu berühren, aber ich riss mich zusammen und entzog mich ihm.

»So geht das nicht weiter, Iwan«, sagte ich. »Ich kann nicht mehr.«

»Schh, schh«, machte er und streichelte mir das Gesicht.

»Nicht«, sagte ich, »bitte, das muss alles aufhören.«

»Ich will dich, Chloe«, sagte er und versuchte, mich an sich zu ziehen. »Ich will dich immerzu.«

»Es ist aus«, sagte ich und verschränkte die Arme. »Ich kann mich nicht mehr mit dir treffen, es geht einfach nicht. Für mich ist es anders als für dich; deine Kinder sind aus dem Haus, aber meine nicht. Sie brauchen ihre Mutter und ihren Vater; sie gehören in eine richtige Familie. Ich kann ihnen das nicht antun, es ist einfach nicht fair. Bitte versteh das.«

Iwan schaute mich an; er kniff die Augen zu, und als er sie wieder öffnete, hatte sich in seinem Gesicht etwas verschlossen.

»Ich bettele nicht gern«, sagte er. Ich sah ihn an, und es war, als seien wir plötzlich Fremde. Er trat einen Schritt von mir weg, und ich drehte mich um und rannte aus der Loge hinaus, dicke Tränen hinterließen schmierige Streifen in meinem Make-up. Ich wollte doch nur, dachte ich voller Selbstmitleid, ein bisschen leben, und jetzt packte das Elend seinen Koffer aus und richtete sich auf einen längeren Aufenthalt in meinem Magen ein. Ich hörte Gregs Stimme und versteckte mich hinter einer Säule. Er erklärte Edie die Geschichte vom Prinzen und dem Bettelknaben mit der beherrschten Geduld, die in Wirklichkeit kaum verhohlene Verzweiflung ist.

»Es geht um einen Identitätstausch. Tom macht das ja nicht absichtlich, er versucht ja, allen zu sagen, dass er nicht der Prinz ist, aber sie glauben ihm nicht, und jetzt sitzt er fest.«

»Aber das müssen sie doch sehen, dass er das nicht ist.«

»Nein, er und der Prinz gleichen sich wie Zwillinge.«

»Ach so, und deswegen hat die Palastwache den richtigen Prinzen rausgeschmissen, weil er in Toms Lumpen aussieht wie Tom.«

»Genau, Mutter, du hast es erfasst.«

»Das kam mir gleich komisch vor, so was würde eine Palastwache ja normalerweise nicht machen …«

Ich blieb in meinem Versteck bis nach dem Klingeln und ging erst in der kurzen Dunkelheit kurz vor dem Hochgehen des Vorhangs wieder an meinen Platz.

»Wir haben dich schon vermisst, Schatz«, flüsterte Dad.

Ich drückte ihm die Hand und sorgte dafür, dass er meine Finger zählte.

Die Schlussnummer von *Prinz und Bettelknabe* verklang, und ich schaute verstohlen zu Iwan. Er saß stocksteif da und starrte stur geradeaus, den Skizzenblock in der Hand. Der illusorische Palast der sinnlichen Liebe mit Iwan war mir verloren, wie ein Lichtblitz, der erst zu einem winzigen Punkt wird und dann ganz verschwindet. Ich war wieder bei Tom Canty in Offal Court und sah meinem Schicksal des emotionalen Hungers und der sexuellen Vernachlässigung entgegen. Na gut, das war vielleicht ein bisschen übertrieben; aber so fühlte es sich an, auch wenn ich wusste, dass ich das Richtige getan hatte. Die Zwillinge, die Edward VI und Tom Canty gespielt hatten, traten Hand in Hand auf die Bühne und sangen:

Never judge a book by its cover,
Never say you see what's not there,
Never give your heart to another,
Never eat a crust you can't share.

Sie sangen wunderbar harmonisch; Dads Sorgen über ihr Talent waren vollkommen unbegründet gewesen. Als der Vorhang fiel, gab es tosenden Applaus, und Dad ging auf die Bühne und verbeugte sich.

»Vielen Dank Ihnen allen«, sagte er. »Ich muss gestehen, als man mir sagte, es würde zur Feier meines fünfzigjährigen Bühnenjubiläums diese Galavorstellung geben, dachte ich, um Himmels willen, die müssen alle etwas wissen, was ich nicht weiß.« Er machte eine Kunstpause. Das Publikum schaute ihn erwartungsvoll an.

»Sie haben sicher bemerkt«, fuhr Dad fort, »dass Würdigungen oder Feiern eines Lebenswerks im Showgeschäft immer kurz vor dem Tod stattfinden. Es tut mir leid, wenn ich Sie jetzt enttäuschen muss, aber ich plane, noch einige Jahre zu bleiben.«

Das Publikum brüllte vor Lachen, applaudierte und stand auf. Ich betrachtete meinen Vater, der allein oben auf der großen Bühne ganz klein wirkte, und schauderte. Ich legte den Arm um Greg. »Lass das«, sagte er und schob mich weg, »das kitzelt.«

Neunzehntes Kapitel

Helgas Apfelstrudel, schnell und einfach

1 Pfund süße Äpfel, geschält, entkernt und in dünne Scheiben geschnitten
¼ Tasse Rosinen
¼ Tasse Korinthen
½ TL Zimt (gemahlen)
2 EL Zucker

2 Scheiben trockenes Graubrot, zu Semmelbrösel verarbeitet
400 g fertiger Strudelteig (das Leben ist zu kurz, um selbst welchen zu machen)
¼ Tasse geschmolzene Butter

Ofen auf 200 °C vorheizen (Gas Stufe 6).
Äpfel, Rosinen, Korinthen, Zimt, Zucker und Semmelbrösel in einer Schüssel vermengen.
Mehrere Schichten Teig großzügig mit geschmolzener Butter bestreichen und auf einem Backblech aufeinanderlegen. Fruchtmischung gleichmäßig darauf verteilen und Teig zu einer langen Rolle aufrollen. Mit Butter bestreichen. 30 Minuten im vorgeheizten Backofen backen, bis der Teig golden und die Früchte zart sind.

Bei der After-Show-Party muss ich mindestens zwei Flaschen Sekt getrunken haben. Greg und die Kinder waren fast sofort gegangen und hatten die widerwillige Edie hinter sich hergezerrt. Sie schüttete munter Baileys in sich hinein, fünf oder sechs hatte sie bereits – noch einen mehr, dann hätte sie »Danny Boy« gesungen. Sie hatte eine Frau an der Wand festgequatscht, die sich verzweifelt nach Rettung umsah.

»Bleib doch noch«, sagte ich zu Greg, als er der Frau zu Hilfe eilte.

»Ich habe Bertie gesehen und ihm gratuliert. Die anderen interessieren mich doch alle nicht, die ganzen Schicki-Mickis und Wichtigtuer. Außerdem will ich nach Hause und einen Brief an den Stadtrat schreiben, die wollen in unserer Gegend noch mehr Bodenschwellen anlegen. Wenn das so weitergeht, kann man das Autofahren bald ganz bleibenlassen und stattdessen Springreiter werden.«

»Hey, mit dir kann man echt Spaß haben.«

»Bloß weil du noch bleiben willst, muss ich das doch nicht auch wollen.«

»Nein, du tust ja nie irgendwas, was du nicht willst. Und schon gar nicht, um irgendwem einen Gefallen zu tun.«

»Ach du meine Güte, Chloe, willst du jetzt hier streiten?«

»Es wäre schon nett, wenn ich gelegentlich mal mit meinem Mann zusammen auf einer Party sein könnte, statt immer nur allein. Da kann ich ja genauso gut gar nicht verheiratet sein«, sagte ich ein bisschen zu laut.

»Da habe ich jetzt echt keine Lust drauf. Wir sehen uns morgen früh.« Er drehte sich um und ging.

Iwan war gar nicht erst zur Party gekommen; wir hatten im Foyer einen letzten schmerzerfüllten Blick gewechselt. Als er Becky hinausschob, hatte er sich auf eine Weise an mich herangedrückt, die sich sowohl sehnsüchtig als auch vorwurfsvoll anfühlte.

»Ich dachte, wir gehen auf die Party«, hörte ich sie sagen.

»Dann geh doch. Ich habe jedenfalls keine Lust.«

»Nein, nein, dann gehe ich mit dir nach Hause, Schatz.«

Ich hatte ihn angespannt lächeln und sich von ihr abwenden sehen. Die arme Becky, sie schien sich so zu bemühen, und von ihm kam nichts zurück. Aber irgendwann einmal mussten sie glücklich gewesen sein, ganz im anderen aufgegangen, in Küssen und Liebkosungen und geflüsterten Liebesbekundungen, genauso wie Greg und ich. Die Zeit nagte an Beziehungen, knabberte Zuneigung und Begehren ab, bis nur noch Gewohnheit und Verpflichtung übrig waren. Lag es daran, dass man den Falschen geheiratet hatte? Oder würde einem das mit jedem anderen genauso gehen?

Auf der Party sah ich Lou in einer Ecke zusammen mit einem glatzköpfigen Mann. Es war Gus Fallick, oder sollte ich Les sagen? Als wir zusammen waren, hatte er noch Haare gehabt, und ich hätte ihn gar nicht erkannt, wenn er nicht auf so vertraute Weise seinen Kopf Lou zugeneigt hätte. Unser Gehirn speichert die intimen Erinnerungen an den Gang und die Bewegungen eines Liebhabers, an sein Lachen und seine Küsse, auch wenn die Intimität längst dahin ist. Was würde mir wohl von Iwan am meisten im Gedächtnis bleiben? Wie er drängend von mir Besitz ergriff, sein stilles Lächeln, nachdem wir miteinander geschlafen hatten, oder die Intensität seines Blicks, wenn wir miteinander redeten? Les flüsterte Lou etwas ins Ohr, und sie wurde rot, ihr Brustkorb hob und senkte sich schnell. Ich wollte gerade zu ihnen gehen und mal sehen, ob er mich erkannte, als Lou den Raum verließ und er ihr kurz darauf folgte. Sie hatten etwas zu erledigen, seine verbalen Fähigkeiten wirkten offensichtlich immer noch. Aus eigener Erfahrung wusste ich, dass er mit einem Flüstern die Voraussetzungen geschaffen haben musste und jetzt in irgendeiner dunklen und abgeschiedenen Ecke die Umsetzung folgen würde. Was wäre gewesen, wenn ich ihn geheiratet hätte? Wäre das irgendwie besser oder schlechter gewesen als mit Greg? Dann hätte ich Leo und Kitty nicht, und schon aus diesem Grund würde ich es nie bereuen, Greg geheiratet zu haben. Ich dachte an Iwan und wie wir früher am Abend auseinandergegangen waren. Ich ballte die Fäuste und bohrte mir die Fingernägel in die Handflächen, um den Schmerz zu verlagern und nicht weinen zu müssen. Ich hatte mich zur Ehe verdammt.

»Was ist eigentlich der Sinn von Ehemännern?«, fragte ich Ruthie im Vorbeigehen.

»Schwierige Frage, da komme ich noch drauf zurück.«

Ich kippte den Rest meines Sekts hinunter, nahm mir ein neues Glas und von einem in Lumpen gekleideten Kellner ein Kanapee: ein Schmalzbrot. Die Prinzen-Kanapees, Kaviar auf kleinen Pumpernickel-Quadraten, waren schon alle weg, es gab nur noch die Bettelknaben-Schmalzbrote.

Ich ging zu Dad, der von einer Traube von Gratulanten umringt war.

»Es war wundervoll, Dad, ich bin so stolz auf dich.« Ich drückte ihn und ergriff dann schnell die Gelegenheit zu verschwinden, als jemand kam, der mit ihm sprechen wollte, weil ich fürchtete, sonst in seinem Arm in Tränen auszubrechen und ihm seine schönsten Stunden zu verderben. Es gibt Zeiten, in denen kann man nicht von seinen Eltern erwarten, dass sie einen küssen, und alles ist wieder gut.

»Na komm«, sagte Ruthie, die mich zum Ausgang schwanken sah. »Ich bringe dich nach Hause.«

»Es ist nämlich so, Ruthie, dass man sich entscheidet, man könnte jetzt mal heiraten, und dann heiratet man einfach den, mit dem man zufällig gerade zusammen ist«, sagte ich, als seien wir mitten im Gespräch, und als hätte der Alkohol mir die Schuppen von den Augen genommen und ich würde plötzlich klar sehen. »Das heißt, man heiratet nicht unbedingt den Richtigen, sondern den, der halt gerade da ist. Du weißt schon, mit dem man zufällig in dem Moment zusammen ist, wenn man sich entscheidet, dass man heiraten will.« Ich wiederholte mich nicht nur, sondern nuschelte auch und hatte Schluckauf.

»Ich meine, man hätte genauso gut den heiraten können, mit dem man davor zusammen war, aber da hat man noch nicht ans Heiraten gedacht und es deswegen nicht gemacht. Man hat ihn nicht geheiratet. Aber jetzt überlegt man sich plötzlich, dass man ja mal heiraten könnte, und dann tut man es halt, man heiratet einfach den, mit dem man gerade zusammen ist, in dem Moment.«

Ruthie tat freundlicherweise so, als wäre ich bei Sinnen. »Da ist schon was dran. Wahrscheinlich erreicht jeder mal den Punkt, an dem er beschließt, sesshaft zu werden, aber solange man sich nicht einen gewalttätigen oder verrückten Partner sucht, hat man wahrscheinlich mit dem einen die gleiche Chance, glücklich zu werden, wie mit dem anderen. Deswegen sind arrangierte Ehen nicht unbedingt schlecht. Weißt du, ich bin zu dem Schluss gekommen, dass es gar nicht so wichtig ist, wen man heiratet, solange er aus dem passenden Pool von Leuten stammt.« Sie schaute mich durchdringend an. »Alles wird gut, Chloe, ehrlich, für uns beide. Wir haben nur beide gerade eine kleine Krise, das geht vorbei. Triff dich weiter mit Iwan, wenn dir das hilft, aber sei bloß diskret.«

»Aber ich habe mit ihm Schluss gemacht, ich habe ihm gesagt, dass ich ihn nicht mehr sehen will, und jetzt bin ich so traurig. Ich habe alles versaut und werde nie wieder glücklich.« Ich weinte mit großen, lauten Schluchzern.

Ich bin nicht ganz sicher, was dann passierte, aber ich nehme an, Ruthie hat mich irgendwie nach Hause geschafft. Am nächsten Morgen, einem Sonntag, wachte ich allein im leeren Haus auf. Ich rief sie an, damit sie meine Erinnerungslücken schloss.

»Hast du eine Ahnung, wo mein Mann sein könnte?«

»Er ist mit Richard, sämtlichen Kindern und seiner Mutter im Park und sieht aus wie diese Statuen auf der Osterinsel.«

»Hart, unbeweglich und unumstößlich?«

»Genau.«

»Und meinst du, seine Versteinerung kommt von der Anwesenheit seiner Mutter oder vom Verhalten seiner Frau?«

»Ich schätze, von beidem ein bisschen.«

»Mist. Dann muss ich wohl von zu Hause weglaufen.«

Ich stand auf und wanderte im Haus herum. Die Küche war tipptopp – ein stummer Vorwurf. Edie hatte sich in ihrer Schürze darin zu schaffen gemacht. Ich wusste in diesem ungewohnt stillen Wochenend-Haus nichts mit mir anzufangen, also ging ich wieder ins Bett und blätterte durch die Sonntagszeitungen. Von den Seiten der *Sunday Times* starrte mich Iwans Zeichnung von Dad an. Er hatte ihn in Hermelin gekleidet und auf einen Thron in der königlichen Loge des Theaters gesetzt: *Bertie Schiwagos lange Regentschaft als König des West End Musicals* lautete die Überschrift. Dann bemerkte ich noch etwas: Bei näherem Hinsehen sah man in der Nachbarloge die Umrisse eines Paars, eine Hommage an unseren Abschied.

Etwas später kam Sammy herein und setzte sich auf meine Bettkante.

»Sind die anderen wieder da?«

Er nickte. »Ja, die Kinder machen Hausaufgaben, und Greg bringt Edie zum Bahnhof.«

»Ich habe mich gar nicht von ihr verabschiedet.«

»Schon okay, Greg hat ihr gesagt, dir geht es nicht gut.«

»Was hat sie gesagt?«

»Sie hat ungläubig geschnaubt und Greg an seine Exfreundin erinnert, Mary O'Grady, ein ›nettes, tüchtiges Mädchen‹, das jetzt sechs Kinder hat. Das letzte hat sie allein zu Hause entbunden und dann die anderen von der Schule abgeholt und ihrem Mann das Abendessen gemacht. Ich glaube, sie sagte, es gab Fischpastete.«

Den Rest Tages schlichen Greg und ich umeinander herum und vermieden Blickkontakt und Gespräche. Mir war ganz elend zumute, und der Gedanke, Iwan nie wiederzusehen, tat mir weh. Doch ich konnte mich mit meiner Trauer über den Verlust meines Liebhabers nicht gut bei meinem Mann oder meinen Kindern ausheulen. Das war das Problem mit Doppelleben: Sie mussten geheim bleiben, und man musste die Konsequenzen tragen. Gezwungen, allein mit meinem Kummer fertig zu werden, fand ich es einfacher, sauer auf Greg zu sein.

Am nächsten Abend wurde das Schweigen zwischen uns bedrückend.

»Was genau habe ich eigentlich verbrochen, außer dass ich einen Großteil des Sonntags verschlafen habe?«, fragte ich Greg, als ich nach einem anstrengenden Tag mit den Psychen anderer Leute wieder nach oben kam. Ich war der Aufgabe nicht ganz gewachsen; es beanspruchte momentan meine ganze Kraft, meine eigene in Ordnung zu halten. Greg saß im Wohnzimmer in einem Sessel; er wandte sich von mir ab, wie Becky sich bei der Gala von Iwan abgewandt hatte. Aber bei Greg war es, als könnte er durch körperliche Nähe zu mir mit einer Krankheit infiziert werden. Er hielt die Zeitung vor sich wie einen Schild. Unter dem unteren Rand guckte so eben sein Mund hervor, er hatte die Unterlippe leicht vorgeschoben. Ohne die Zeitung zu senken sagte er: »Wenn dir das nicht klar ist, dann bringt es auch nichts, es dir zu erklären.«

Okay, dann war ich eben ein bisschen betrunken gewesen und hatte in der Öffentlichkeit meine Stimme gegen ihn erhoben. Mir schien, dass er da überreagierte. Greg war es sehr wichtig, nicht öffentlich schmutzige Wäsche zu waschen; er zeigte der Welt lieber das Bild von einer glücklichen Familie. Ich fand das ziemlich spießig, aber ich kam ja auch aus einer Familie von eher lauten Juden, die alles rausließen. Bevor ich mich in eine richtige Entrüstung über seine meiner Meinung nach ungerechtfertigte Wut hineinsteigern konnte, musste ich natürlich bedenken, dass ich in den vergangenen Monaten fremdgegangen war und damit jedes Recht auf Entrüstung verspielt hatte. Und so saß ich da unter Gregs schweigender Anklage und fühlte mich wie eine gescholtene Jugendliche.

»Ach, dann willst du also, wie immer, nicht darüber reden? Sondern mich lieber einfach ignorieren?« In der Offensive ging es mir besser.

Er antwortete nicht.

Er, das Haus, unser ganzes Leben zermürbten mich. In der Luft hing immer noch ein Rest von Edies blumigem Parfum. Ich fühlte mich von Gregs Laune gefangen, wie mich einst die Launen meiner Mutter gefangen gehalten hatten, wenn sie schweigend im abgedunkelten Zimmer lag. Ich brauchte Luft.

»Gut«, sagte ich, »dann gehe ich eben.«

»Mach doch, was du willst, das tust du ja sowieso«, sagte Greg.

Ich knallte die Wohnzimmertür hinter mir zu.

»Wo gehst du hin?«, fragte Kitty, als ich meinen Mantel vom Haken neben der Tür nahm.

»Aus.«

»Immer gehst du aus. Du bist nie mehr hier. Kann ich ja genauso gut gar keine Mutter haben.« Sie taxierte mich. »Außerdem läufst du rum wie diese Frauen, die gern wieder Teenies wären; wie geschiedene Frauen, wenn sie einen neuen Mann suchen.«

»Ach, mein Schatz.« Ich kniete mich zu ihr und nahm sie in den Arm. Ihr kleiner Körper war steif und unnachgiebig.

»Habt ihr euch noch lieb, du und Daddy?«, fragte sie.

»Irgendwie schon, aber es ist ganz normal, dass man sich mal streitet; das muss gar nicht heißen, dass man sich nicht mehr liebhat.« Wobei ich mir in der Tat nicht sicher war, ob ich Greg noch liebte. Anscheinend hatte ich es geschafft, alles kaputt zu machen.

»Komm doch einfach mit, wir gehen zu Grandpa rüber, das wird uns beiden guttun.«

Es war eine Erleichterung, aus dem Haus zu gehen und zu Daddy nach Hause zu laufen. Jeder braucht einen Zufluchtsort, und meine waren immer mein Vater oder Ruthie gewesen. Helga hatte ihren Aufenthalt verlängert, sie begrüßte mich herzlich, nahm Kitty zum Apfelstrudelunterricht beiseite und ließ Dad und mich allein in seinem Musikzimmer. Ich erzählte ihm, dass ich meine Affäre beendet hatte. Er sagte nichts; er nahm mich nur in den Arm und setzte sich ans Klavier.

Ich beobachtete seine Hände, während er eins seiner Lieder spielte, und dachte an Iwan und wie seine Hände auf meinem Körper gespielt hatten. Ich muss einen gequälten Seufzer losgelassen haben, denn Dad unterbrach sein Spiel und schaute mich an.

»Alles in Ordnung, Chloe?«

»Ich wünschte, ich könnte alles nochmal versuchen.«

»Was meinst du?«

»Mein Leben. Ich möchte es zurückspulen und nochmal von vorn anfangen; diese Version habe ich ja wohl gründlich versaut. Ich möchte es einfach nochmal probieren. Meinst du, ich kriege einen Nervenzusammenbruch? C.G. Jung hatte mal einen. Er hat es eine Konfrontation mit dem Unbewussten genannt. Bei mir ist es eher ein Zusammenstoß mit dem Bewussten. Ich halte mein Leben einfach nicht mehr aus.«

»Alles hat einen Sinn, und aus einer Krankheit kann sich Neues entwickeln«, sagte Dad. »Wobei es dir wahrscheinlich im Moment schwerfällt, das zu glauben.«

Greg und ich waren nicht mehr in der Lage, irgendetwas zu sagen, ohne dass der andere es als Rüffel oder Kritik auffasste. Also verbrachten wir die folgende Woche damit, uns gegenseitig die Zähne zu zeigen wie im selben Käfig eingesperrte Tiere. Der Haussegen hing schief, weil wir all unsere Verfehlungen der letzten siebzehn Jahre darangehängt hatten. Ich erwischte mich dabei auszurechnen, wie viele Tage Kitty noch zur Schule gehen würde (fünfeinhalb Jahre: fünf mal 365 ist 1825 plus ein halbes Jahr [182], macht 1997 Tage. Sagen wir 2000). In ungefähr zweitausend Tagen könnte ich ihn verlassen, und das Zuhause meiner Kinder würde erst zerbrechen, nachdem sie es verlassen hatten; aber dann wäre ich neunundvierzig, Iwan hätte mich vergessen, und sonst würde mich niemand wollen. Greg verbrachte viel Zeit mit seinem Kampf gegen den Stadtrat und damit, das Fehlverhalten seiner Mitmenschen anzuprangern – andere Autofahrer, Ladenbesitzer – und die Kinder anzuschreien. Dann und wann ertappte ich ihn, wie er mich gedankenverloren anschaute, als überlege er, etwas zu sagen. Wollte er mich mit seinem Verdacht konfrontieren? Immer wieder spielte ich in Gedanken meine Zeiten mit Iwan durch. Natürlich spürten alle die Spannung; Bea und Zuzi hielten Abstand, und selbst Jessie blieb bei ihrer Mutter.

Zwanzigstes Kapitel

Abes Latkes mit jamaikanischer scharfer Soße

Für die Latkes:

1,5 Pfd. Kartoffeln	2 TL Backpulver
1 Zitrone	1 große Prise Salz
1 Zwiebel, fein gehackt	1 Prise Pfeffer
1 Ei, geschlagen	Pflanzenöl oder
2 EL Mehl	Schmalz zum Anbraten

Ofen auf 140 °C vorheizen (Gas Stufe 1). Zitrone auspressen und den Saft in eine große Schüssel Eiswasser geben. Kartoffeln schälen und grob in die Schüssel reiben; eine halbe Stunde stehen lassen.

Kartoffeln gut abtropfen lassen und mit einem Geschirrtuch trocken tupfen.

Geriebene Kartoffeln in eine große Schüssel geben und Zwiebeln, Ei, Mehl, Backpulver, Salz und Pfeffer hinzufügen.

Etwas Pflanzenöl oder Schmalz in eine schwere Pfanne geben und auf mittlerer Stufe erhitzen. Pro Latke etwa einen Esslöffel Kartoffelmasse in die Pfanne geben. Ungefähr eine Minute lang goldgelb braten. Umdrehen und auf der anderen Seite noch etwa eine halbe Minute braten. Auf einen Rost legen und im Ofen warm halten. Für jede Ladung etwas frisches Fett in die Pfanne geben.

278

Für die jamaikanische scharfe Soße:

½ Pfund rote Habanero-Chilis, ohne Kerne und Stiel
1 weiße Zwiebel, gehackt
2 Knoblauchzehen, gehackt
½ Tasse Apfelessig
½ Tasse Zitronensaft (oder Limettensaft)
2 EL Wasser

1 mittelgroße Papaya, gekocht, geschält, entkernt und fein gehackt
1 Tomate, fein gehackt
1 TL Thymian
1 TL Basilikum
½ TL gemahlene Muskatnuss
2 EL scharfer Senf
½ TL Kurkuma

Chilis, Zwiebeln, Knoblauch, Papaya und Tomate zusammen im Mixer pürieren (gegebenenfalls in kleinen Portionen). In eine flache Schüssel geben. Essig, Zitronensaft und Wasser in einer Stielkasserolle erhitzen, bis es zu köcheln beginnt, dann Thymian, Basilikum, Muskatnuss, Senf und Kurkuma hinzugeben. Die heiße Würzmischung über das Püree geben und gut vermengen. Hält sich im Kühlschrank bis zu acht Wochen.

Es war zehn Uhr, Sammy war unterwegs, ebenso wie die Aupair-Mädchen, und alle anderen außer mir waren im Bett und schliefen. Seit Dads Gala waren vier Wochen vergangen, vier Wochen, in denen ich Iwan weder gesehen noch gesprochen hatte, und immer noch dachte ich ständig an ihn.

»Was erwartest du denn«, hatte Ruthie nachmittags im Park-Café gesagt. »Es sind erst achtundzwanzig Tage. Du darfst ihn sechzig Tage lang nicht sehen oder anrufen, das ist die Regel.«

»Was für eine Regel? Du meinst, es gibt immer noch mehr Regeln?«

»Jede Menge. Das sind nun mal die Regeln für eine Trennung, weißt du nicht mehr? Nicht anrufen, nicht schreiben, nicht treffen. Und wenn du schwach wirst, musst du mich anrufen, damit ich dich vor dir selbst beschützen kann.«

»Ich bin doch kein Teenie mehr!«

Ruthie sagte nichts dazu, sie schnaubte nur vielsagend. Sie hatte ja recht; ich benahm mich wie eine Sechzehnjährige.

Es juckte mir in den Fingern, ihm eine SMS zu schreiben, dass wir uns sofort treffen müssten. Ich ging durch das schlafende Haus und schenkte mir in der Küche ein Glas Wein ein, um mir entweder den Mut anzutrinken, ihn anzurufen, oder mich so zu betrinken, dass ich dazu nicht mehr in der Lage wäre. Ich trinke sonst nie allein. Ich legte den Kopf ans Fenster und schaute in den Garten hinaus. Die kahlen Zweige des Kirschbaums, den wir für Mum gepflanzt hatten, waren im Mondlicht so eben zu erkennen. Ich sah eine Spiegelung in der Scheibe und glaubte kurz, das Gesicht meiner Mutter zu erkennen, merkte aber schnell, dass es mein eigenes war. Je älter ich wurde, desto ähnlicher sah ich ihr. Als Mum starb, war sie nur zwölf Jahre älter als ich jetzt. Niemand weiß, wie lange er lebt; was würde ich tun, wenn ich wüsste, dass ich nur noch zwölf Jahre zu leben habe? Wie würde ich den Rest meiner Lebenszeit verbringen? Ich griff nach dem Telefon, um Iwan anzurufen, aber als ich es in die Hand nahm, klingelte es.

»Ruthie, Gott sei Dank, ich wollte ihn gerade anrufen.«

»Komm rüber. Sofort«, befahl sie.

An der Haustür lag ein kleiner Briefumschlag auf dem Boden. Er war an mich adressiert und direkt eingeworfen worden: von Iwan, als hätte meine Sehnsucht ihn magnetisch angezogen. Darin war ein Cartoon von ihm und mir. Ich saß in meinem Psychiatersessel und hörte ihm zu. Er streckte mir seine Hände hin. Darunter stand: *Ne mogu bes tebja. Davaj budem kak my byli v natschale. Ja tak tebja ljublju.*

Wie konnte er nur das Risiko eingehen, das durch den Briefkastenschlitz zu werfen? Entschlossen trug ich den Brief zum Mülleimer, steckte ihn dann aber im letzten Moment doch in meine Manteltasche.

Ruthie und ich saßen in ihrer Küche, und ich trank noch sehr schnell ein großes Glas Wein, bevor ich endlich Rotz und Wasser heulte. Die Kunst des dekorativen Weinens habe ich nie beherrscht, eine vereinzelte Träne, ein leises Schniefen, ein Spitzentaschentuch ans Auge gedrückt. Nein, ich weinte schmutzig, mit verquollenen Augen und roter Nase. Ruthie ging immer wieder zur Toilette, ich vermutete, dass sie Kokain nahm. Was ich ihr ohnehin ansah. Wir steckten beide ganz schön tief in der Scheiße.

»Normalerweise würde ich ja keine Werbung für Drogen machen«, sagte sie, »aber möchtest du vielleicht eine Line? Es könnte dich ein bisschen aufheitern.«

Ich heulte immer noch lautstark, wischte mir die Nase am Ärmel ab und hatte einen Schluckauf. Ich schüttelte den Kopf.

»Nein, danke, das habe ich vor Jahren mal probiert und musste fürchterlich heulen, und das kriege ich im Moment auch so ganz gut hin.«

Stattdessen schenkte ich mir einen Wodka ein und folgte Ruthie ins Bad, wo sie die Marmorablage neben dem Waschbecken abtrocknete und eine dicke Line weißes Pulver auslegte. Sie zog ihre Line, und ich kippte meinen Wodka hinunter. Er schien dieselbe Wirkung auf mich zu haben wie das Koks auf Ruthie; wir lebten beide sichtbar auf.

»Mir geht's bestens, ehrlich, ging nie besser, wirklich super«, sagte ich. »Komm, wir gehen aus, irgendwo tanzen. Wo wollen wir hin? Ich weiß was, lass uns zu Abes Deli gehen, vielleicht spielt Herbies Band ja. Los, beeil dich, lass uns gehen.«

»Gott, du bist ja unzurechnungsfähig wie ein Teenie. Was war denn in dem Wodka drin?«, murmelte Ruthie, hielt mich zurück, bis ich mein tränenfleckiges Gesicht mit Touche Eclat einigermaßen wiederhergestellt hatte, und folgte mir dann hinaus.

Abraham »Abe« Green war ein fast zwei Meter großer Jamaikaner mit hüftlangen Dreadlocks, dessen jüdischer Deli rund um die Uhr geöffnet hatte und nur ein paar Türen vom Wolga entfernt lag. Er trug ein gehäkeltes Scheitelkäppchen in Regen-

281

bogenfarben, wie eine Mini-Rastamütze. Abe legte Wert darauf, dass er ein netter jüdischer Junge war, dessen portugiesisch-spanische Vorfahren im sechzehnten Jahrhundert nach Jamaika gekommen waren, und tatsächlich deuteten seine blassgrünen Augen auf eine komplizierte Abstammung hin. Seine Sprache war mit »oj wejs«, »aj-aj-ajs« und »mein Gotts« durchsetzt. In seiner Freizeit studierte er, um Rabbiner zu werden, und sein Wissen über die jüdischen Schriften einerseits und die Authentizität und Schmackhaftigkeit seiner Küche andererseits hatten schnell dafür gesorgt, dass die jüdische Gemeinde ihn ins Herz schloss. (»Er mag ein Schwarzer mit zu langen Haaren sein, aber er ist unser Schwarzer.«)

»Schön, schön, schön«, begrüßte er uns, als wir durch die Tür kamen, »was verschafft mir denn die Ehre? Ihr ruft nicht an, ihr schreibt nicht, habt ihr was Besseres gefunden, dass ihr gar nicht mehr kommt?« Ein schlechtes Gewissen machen konnte er jedenfalls wie ein Jude.

»Wie läuft das Geschäft?«, fragte ich.

»Gefilte Fisch! Pah, wie soll es schon laufen?« Abe hatte die charmante Angewohnheit, die Namen jüdischer Gerichte als Flüche zu gebrauchen. Ruthie und ich setzten uns. Ich war unruhig und konnte nicht stillhalten. Warum hatte ich uns denn hierher gebracht? Das Letzte, was ich jetzt wollte, war etwas zu essen. Ich war betrunken und wollte noch betrunkener sein. Der Raum war voller älterer Juden, die eine Kleinigkeit aßen, bevor sie nach Hause ins Bett gingen (Gott behüte, dass sie hungers starben, bevor sie ihren eigenen Kühlschrank erreichten), und Rastas mit Fressflash. Abe schimpfte mit einem Paar, das längst aufgegessen hatte, aber immer noch am Tisch saß. »Wenn ihr rumsitzen wollt, geht nach Hause und sitzt rum, wenn ihr essen wollt, bleibt hier und esst.« Harte Holzstühle, die gewollte Abwesenheit von Ambiente und kahle Resopaltische kündeten von der Regel des Hauses: esst, und dann geht. Abe machte gern Umsatz. Er brachte uns einen Teller saure Gurken und gehackte Leber.

»Tut mir leid, aber ich habe überhaupt keinen Hunger, Abe. Hast du was zu trinken?«, fragte ich.

»Trinken? Was verstehen wir Juden schon von Alkohol? Pfft, was ist denn heute los, alle sitzen nur rum und essen nichts, was bin ich denn, eine Parkbank?« Er machte eine Pause. »Ich habe noch ein bisschen israelischen Schabbat-Wein.«

Ruthie und ich sahen uns an und zogen Grimassen. Wie nötig hatten wir es? »Ist er trocken?«

Abe zuckte die Achseln, hob die Hände mit den Handflächen zum Himmel und zog ein Gesicht, das Juden seit undenklichen Zeiten kennen; alles an ihm sagte: »Was wollt ihr, ein Wunder?«

»Ich für mein Teil glaube ja, ihr braucht keinen Alkohol. Ihr seht aus, als wärt ihr nicht gut drauf, also müsst ihr was rauchen, das beruhigt und macht außerdem Appetit. Und dann könnt ihr was essen.«

Wir gingen mit ihm ins Hinterzimmer und schauten zu, wie er einen einblättrigen Joint drehte.

»In der Hinsicht sind deine Rasta-Gene eindeutig stärker als die jüdischen«, sagte ich.

»Gene-Popene, sie ergänzen sich, zwei Hälften, die eine Einheit bilden: Rasta-Gras macht Appetit, jüdisches Essen stillt den Fressflash. Yin und Yang, wenn der Ausdruck gestattet ist. Der Rasta-Jude ist das am höchsten entwickelte menschliche Wesen auf diesem Planeten«, sagte Abe selbstgefällig.

Ruthie und ich nickten zu seiner Weisheit, die uns nach dem sechsten Zug an dem kleinen Joint umso weiser erschien.

Ich spielte gedankenverloren mit einer von Abes Schneekugeln herum; er hatte über zweihundert Stück, die zugestaubt von überfüllten Bücherregalen purzelten. In meinem Lieblingsstück waren zwei chassidische Juden, die sich in ihren langen schwarzen Mänteln und schwarzen Hüten gegen den Wind stemmten. Ihre langen Bärte und Schläfenlocken schienen im Wind zu flattern. Jetzt schaute ich die kleine Glaskugel an und hatte das Gefühl, in das polnische Schtetl im achtzehnten Jahrhundert hineingezogen zu werden, das das Zuhause der beiden Chassidim war. Hatte ich mich deswegen bei Iwan so zu Hause gefühlt, überlegte ich, wegen der Verbindung nach Osteuropa, der unauslöschlichen, mir angeborenen Erinnerung meines Volkes? Irgendetwas an ihm war so vertraut gewesen, ein kulturelles Zusammengehörigkeitsgefühl, das ich mit Greg nicht hatte. Ich drückte mir die Schneekugel ins Gesicht, spürte ihre Kühle. Ich hatte nie bemerkt, wie langsam die silbernen Schneeflöckchen fielen, fast wie in Zeitlupe eigentlich. Einen Augenblick vorher war noch alles rasend schnell gegangen, und jetzt war plötzlich alles so l-a-n-g-s-a-m ...

»Wann bringst du mir mal wieder was von deiner Hühnersuppe, Chloe?«, fragte Abes Stimme. Sie klang, als spräche er vom Grund eines sehr tiefen Brunnens.

»Demnächst, versprochen.« Meine Antwort schien erst mit Verzögerung zu kommen, als könne man den Klang erst hören, nachdem er meinen Mund schon vor einer Weile verlassen hatte. War es überhaupt mein Mund? Es fühlte sich an wie mein Mund, aber was bedeutete eigentlich »mein«? Und was, wenn ich schon dabei war, war eigentlich ein Mund?

(»Du hast Abes Gras geraucht?«, fragte Greg mich am nächsten Tag, »du hast Abes Gras geraucht?« Er schüttelte ungläubig den Kopf. »Bist du noch ganz dicht? Ich würde nie mehr als zweimal an einem Joint ziehen, den Abe gedreht hat, und ich kenne mich damit aus. Sei froh, dass du kein Locked-in-Syndrom bekommen hast!«

»Was ist das denn?«, fragte ich. »Das ist, wenn man sich überhaupt nicht mehr bewegen oder sprechen kann. Himmel, Chloe, was ist bloß mit dir los?«)

»Greg war gestern hier.« Abe hatte die Augen geschlossen und schwankte leicht, als würde er beten. »Er hat mit Moishe aus der Küche gesprochen und ihn gefragt, wie viel Schmalz er in die Kneidlach tut. Moishes sind aber nicht so gut wie deine.« Er schlug sich mit der flachen Hand auf die Stirn. »Zimess! Ich Schmock! Das sollte ich doch nicht verraten.«

»Bei mir ist es sicher. Ich bin die Königin der Geheimnisse«, sagte ich.

Abe wirkte skeptisch und legte eine CD in den Ghettoblaster. »Hört mal, Herbie hat das ›Schma Israel‹ geremixt.«

Wir klopften den Takt zu Herbies Reggae-Version des jüdischen Gebets. Ich stand auf und fing an zu tanzen und habe eine schwache, aber erschreckende Erinnerung daran, dass ich die beiden anderen in einer Art Polonaise ins Restaurant geführt habe, mit der rechten Hand über den Augen, wie es Sitte ist, wenn man dieses Gebet spricht, und dazu sangen wir *Schma Israel adonai elohenu adonai echad*. Die Stimmung schien ansteckend zu sein, und die übrigen Gäste stimmten mit ein.

Da sag nochmal einer, wir Juden wüssten uns nicht zu amüsieren! Ruthie und ich hatten inzwischen einen Bärenhunger, und so setzten wir uns und fielen über das vertraute Essen unserer Vorfahren her: gesalzenes Rindfleisch, Ei, Bagels und Abes Variante eines alten Klassikers, Latkes mit jamaikanischer scharfer Sauce. Wir spülten alles mit süßem israelischem Schabbat-Rotwein hinunter.

»Habt ihr die Einzelheiten deiner Entlassung eigentlich schon verhandelt?«, fragte ich Ruthie, und mir fiel ein Stückchen Leber aus dem Mund.

Ich hörte das Zischen eines kollektiven Einatmens. Alle um uns herum hielten entsetzt inne. Gabeln standen auf halbem Weg zu Mündern still, Gläser erreichten ihren Bestimmungsort nicht, und hier und da sah man Leute sich dreimal über die linke Schulter spucken, um das Böse abzuwehren.

»Was? Was? Was habe ich denn gesagt?«, fragte ich in den Raum hinein.

Ein elegant gekleideter Herr im Anzug beugte sich vom Nachbartisch zu mir und packte mich fest am Arm. »Verzeihen Sie bitte, aber Sie glauben doch nicht, dass das ein Wort ist, das wir beim Essen gern hören?«

»Was, Entlassung?«

Wieder atmeten alle hörbar ein und wandten sich von uns

ab. Ich sah Wolodja durch die Tür kommen und winkte ihm zu. Ich hatte ihm heimlich eine SMS geschickt, als Ruthie nicht geguckt hatte, und ihn gebeten, hierherzukommen. Er trug einen Mantel über dem Schlafanzug und hatte seinen zerschlissenen *Doktor Schiwago* dabei.

»Wie weit sind Sie?«

»Lara ist zum Bahnhof gegangen, und Juri sagt, er kommt nach und trifft sie dort.«

»Wissen Sie wirklich nicht, wie es weitergeht?«

»Nein, psst, verraten Sie es nicht.«

»Wie können Sie als Russe das nicht wissen?«

»Was soll ich sagen? An dem Tag habe ich in der Schule gefehlt.«

Ich leerte meine Taschen aus. Schmutzige Taschentücher, ungekaute Kaugummikrümel, Münzen, ein zerknülltes Park-Knöllchen … Schließlich fand ich Iwans Karte.

»Was steht da?«

Wolodja schaute sich um. Das Paar am Nachbartisch war ganz interessiert. Ich stand auf, nahm Wolodja am Arm und führte ihn hinaus. Er hielt die Karte ins Licht einer Straßenlaterne und kniff die Augen zusammen, um den Text lesen zu können.

»Da steht *Ich halte es ohne dich nicht mehr aus. Lass uns wieder sein wie am Anfang. Ich liebe dich so sehr.*«

Ich fing wieder an zu weinen. Diesmal recht schmuck, nur ein paar Tränen, die sich würdevoll einen Weg über mein Gesicht bahnten.

»Machen Sie es nicht wie Juri Schiwago, Chloe, gehen Sie zum *Woksal*, zum Bahnhof; werfen Sie Ihre Chance auf das Glück nicht fort.«

»Sie sind ein Lügner, Sie wissen ja doch, was passiert!« Ich schlug ihn auf die Schulter.

Wolodja zuckte unverbindlich mit den Achseln.

»Und überhaupt, was ist mit dem ganzen ›Passen Sie auf‹-Zeug?«, fragte ich.

»Manchmal darf man die Liebe nicht aufhalten.«

»Ich liebe euch Russen«, sagte ich und warf ihm die Arme um den Hals. »Ihr seid so leidenschaftlich und romantisch.«

Schließlich, sagte ich mir, hatte es Juri Schiwago auch nicht gutgetan, seine Liebe zu Lara zu verleugnen. Am Ende war er ohne Tonja und ohne Lara allein und einsam in Moskau gestorben. Es kam mir vor wie ein Zeichen, als würde das Universum mir den Weg weisen. Ich küsste Wolodja und ging wieder ins Restaurant.

»Nu, also, was stand auf dem Zettel?«, fragte die überschminkte Matrone vom Nebentisch auf dem Weg hinaus.

»Sag ich nicht«, sagte ich.

Sie winkte angewidert ab. »Spielverderberin.«

»Komm, Ruthie«, sagte ich, zog sie vom Stuhl hoch und bezahlte Abe. Er drückte mir eine kleine Plastiktüte mit etwas Gras in die Hand.

»Für Greg«, sagte er.

Ich warf ihm eine Kusshand zu und führte Ruthie zur Straße. »Gehen wir, nimm noch ein bisschen von deinem weißen Pulver, und ich rauche Gregs Gras.«

»Du wirst ja zum Tier«, sagte sie, »zu einer wilden, drogenkonsumierenden Bestie.« Danach ist alles ein bisschen verschwommen, wobei ich eine dunkle Erinnerung habe, wie ich in Ruthies Küche auf dem Fußboden liege und einen Joint rauche und sie dabei beobachte, wie sie eine Line zieht, die einmal ums Tischbein herumgeht.

»Wer sagt denn, dass Lines immer gerade sein müssen?«, hatte Ruthie gefragt. »Öde, öde-popöde. Ich will leben, Schnörkel machen, Kreise, Quadrate und ganz neue Formen für Kokain und seinen Konsum entwickeln.«

Gott, waren wir klug, kreativ, interessant, geistreich und überhaupt ganz großartig, und wir hatten so viel zu besprechen. Leider erinnere ich mich nicht mehr an viel, aber ich glaube, wir haben eine Menge Probleme gelöst, unsere eigenen und die anderer Leute.

»Das ist es!«, rief Ruthie einmal aus. »Ich quetsche einfach eine Tube Superkleber in David Gibfucks Autoschlösser! Das hat er dann davon, mich zu entlassen. Der Sack! Da wird er nicht mehr so schlau dastehen, wenn er nicht mehr in seinen schicken Saab reinkommt und zu Fuß gehen muss oder mit den Öffentlichen fahren, wie andere Leute auch, weil sie arbeitslos sind, und er ist schuld.« Sie verlieh der Sache Nachdruck, indem sie mit dem Finger in die Luft stieß. (Drogen machen geschwätzig, aber nicht unbedingt klug.)

Des Weiteren habe ich eine beunruhigende Erinnerung daran, dass ich eine sehr lange SMS an Iwan aufgesetzt habe, die vielleicht, oder auch nicht, so was enthalten haben könnte wie *Unsere Trennung tut mir so leid, du musst wissen, dass du mir sehr wichtig bist und dass du in den letzten Monaten meine Seele wachgeküsst hast. Ich habe das Gefühl, wir sind seelenverwandt und haben eine einzigartige Verbindung zueinander. Dank dir spüre ich wieder etwas, du hast meine Sinne berührt, wie sie schon seit Jahren nicht mehr berührt wurden, mir das Herz geöffnet und …*

»Der Witz an SMS ist ja, sich kurz zu fassen«, sagte Ruthie, während ich tippte.

»Ja, schon, aber ich muss ihm ein paar Sachen sagen. Das ist total superwichtig, ich sehe das jetzt alles so klar.« Mein Finger hatte sich selbständig gemacht. *Ich war so überwältigt von all dem, was zwischen uns passierte, dass ich dachte, es wäre das beste für uns beide, wenn ich unsere Beziehung beende. Jetzt weiß ich, dass das ein schrecklicher Fehler war. Seitdem bin ich ganz traurig und verzweifelt. Ich will dich sehen, mein Schatz, und deine Arme um mich spüren.* Bevor ich auf »senden« drückte, fügte ich noch in einem drogeninduzierten Anfall von Leidenschaft hinzu: *Ich möchte wieder spüren, wie du dich in mir bewegst und wir hoch hinaufsteigen in die Höhen der fleischlichen Seligkeit.* Als ich am nächsten Morgen daran dachte, wurde ich rot. In vino veritas? Vielleicht. In narkotika nonsense? Sicher.

Jetzt lag ich im Bett, schamgerötet, und streckte versuchsweise die Hand auf die andere Bettseite. Leer. Ich sah auf die Uhr. Ein Uhr. Was sollte das heißen? Welches ein Uhr? Nachts oder mittags? Durch die geschlossenen Vorhänge fiel Licht. O Gott, ich hatte den halben Tag verschlafen. Wann war ich denn nach Hause gekommen? Ich erinnerte mich daran, dass Ruthie gegen halb sieben morgens noch eine Flasche Wein aufgemacht und dann Sephy, die gerade aufgestanden war, zum Kiosk um die Ecke geschickt hatte, um Zeitungen und Zigaretten zu kaufen. (Wir hatten im Laufe der Nacht beschlossen, dass Rauchen etwas sehr Erwachsenes war.)

»Wieso verkaufen die dir denn Zigaretten?«, fragte Ruthie, als Sephy zurückkam.

»Das war easy«, antwortete sie. »Ich habe einfach gesagt, dass meine Mum zu besoffen ist, sich selbst welche zu holen.«

Der Effekt war, dass wir schlagartig nüchtern wurden. Ich hatte es irgendwie durch den Park geschafft, in dem ein frühmorgendliches Treffen von Parkbank-Alkis stattfand. Sie lümmelten sich schweigend herum und hielten sich an ihren Bierdosen fest wie an Rettungsdecken. Zum ersten Mal konnte ich mir genau vorstellen, wie sie sich fühlten; ich war nahezu unter meinesgleichen. Ich stand in der kühlen Morgendämmerung eines Wintersonntags da und starrte meine Haustür an. Ich hatte meinen Schlüssel vergessen, und nachdem ich einige Minuten verwirrt und wie betäubt dagestanden hatte, warf ich einen Stein in Richtung unseres Schlafzimmerfensters. Er traf nicht, aber der laute und empörte Schrei der Taube, die er erwischte (eine aus Madges Schwarm?), rief Greg ans Fenster, stumm und grimmig. Er kam herunter und ließ mich wortlos hinein.

Mein Mund war trocken, ich spürte tausend Nadeln in Armen und Beinen, und mein Gehirn fühlte sich an, als hätte es blaue Flecken. Im Haus war es still. Ich holte mir das Telefon und verkroch mich wieder in meiner Schande und unter der Decke.

»Ruthie?«, flüsterte ich heiser.

»Tut mir leid«, sagte Ruthie, »ich fürchte, deine Freundin Ruthie ist tot. Eine Überdosis Drogen, glaube ich. Ich bin nur ihre wandelnde Leiche.«

»Gott, Ruthie, es tut mir alles so leid.«

»Ach, mir eigentlich nicht«, sagte sie. »Ich finde das gut, es war der große Knall, den ich noch gebraucht habe. Du weißt schon, der Punkt: Es reicht, jetzt ist Schluss. Als du gegangen warst, habe ich mich hingesetzt und darüber nachgedacht, dass das überhaupt nicht erwachsen war oder lustig und schon gar nicht klug. Ich habe den Rest des Stoffs ins Klo geschüttet, Richard alles gebeichtet und bin zu einer Sitzung der Anonymen Drogensüchtigen in Notting Hill Gate gegangen.«

»Und, war jemand da, den wir kennen?«

»Meine Lippen sind versiegelt, ich habe den AD-Eid geleistet.«

»Streberin.«

Ich schämte mich sehr, dass ich Ruthie ermuntert hatte, noch mehr Koks zu nehmen, wo ich doch die ganze Zeit versucht hatte, sie davon abzubringen. Es machte das heimliche Gespräch mit Richard überflüssig, das ich eine Woche zuvor geführt hatte. Ich war eines Tages rübergegangen, als ich wusste, dass Ruthie nicht da war. Richard war in seinem Arbeitszimmer in ein Buch über antike griechische Inschriften vertieft. Er wirkte ziemlich verwirrt, und ich merkte, dass ich es in einen Kontext stellen musste, den er verstand.

»Kokain wird schon seit Jahrhunderten konsumiert«, sagte ich. »Vielleicht waren die alten Griechen ihm ja genauso zugetan wie die alten Ägypter?«

»Ja, stimmt«, sagte Richard, und sein Gesicht hellte sich auf. Er fasste sich an die Nase, wie immer, wenn er etwas erklärte. »Es gibt Hinweise, dass die ersten Athleten bei Olympischen Spielen schon alle möglichen Methoden hatten, ihre Leistungen zu steigern; Alkohol, Aufputschmittel und Opiate, die sie wahrscheinlich gekaut haben. Du weißt ja sicher, dass die Spiele 395 n. Chr. erst mal eingestellt wurden und Olympia zerstört wurde.«

Das hatte ich nicht gewusst, aber ich nickte trotzdem. Er machte einen Augenblick Pause und schüttelte traurig den Kopf, als sei die Zerstörung Olympias eine schlimme Neuigkeit.

»Als die Olympischen Spiele 1896 in Athen wiederaufgenommen wurden«, fuhr er fort, »haben einige Teilnehmer Kokain und andere Stimulanzien genommen.« Er steckte ein ledernes Lesezeichen in sein Buch, legte es vorsichtig ab und ging an seinen Schreibtisch. Darauf stand sein glänzendes Zugeständnis an die Tatsache, dass wir in einer modernen Welt lebten: ein silberner Apple-Laptop. Er tippte die beiden Wörter *Kokain* und *Missbrauch* in eine Suchmaschine ein. »Danke, dass du mir Bescheid gesagt hast, Chloe«, sagte er. »Ich weiß, dass Ruthie in letzter Zeit nicht glücklich war.« Ich bat ihn, mich nicht zu verpfeifen, aber ich war nicht sicher, ob er zuhörte. Als ich ging, recherchierte er bereits über Drogensucht und machte sich Notizen in das kleine schwarze Büchlein, das er immer dabeihat.

»Was hat Richard denn gesagt?«, fragte ich Ruthie jetzt nervös. Hatte er mich verraten?

»Er war ganz erleichtert, dass ich endlich damit herausgerückt bin, warum ich mich in den letzten Monaten wie eine Bekloppte benommen habe. Er hat mich in den Arm genommen und gesagt, dass er mich liebt und dass er alles tut, was er kann, um mir dabei zu helfen.«

»Dann haben Ehemänner am Ende doch einen Sinn?«

»Na ja, nun übertreib mal nicht gleich. Wobei ich zugeben muss, dass meiner im Moment nicht vollkommen sinnlos ist.«

»Gott«, sagte ich, weil mir die vergangene Nacht wieder einfiel. »Du hast vielleicht ein Glück, dass du schon tot bist. Ich will auch sterben.«

Ich holte mein Handy aus einer abgeschlossenen Schublade, in der ich es in einem Anfall von Selbstschutz und trotz meines betrunkenen, bekifften Zustands versteckt hatte. Da war meine

Nachricht an Iwan, komplett und glücklicherweise im Ordner »Entwürfe« gespeichert. Gott sei Dank hatte ich sie nicht abgeschickt. Ich war mit einem neuen Entschluss aufgewacht und wusste, dass ich keinen Kontakt zu ihm aufnehmen durfte. Meine Affäre mit Iwan war vorbei. Schluss. Ende. Das Telefon piepste in meiner Hand, und ich zuckte zusammen. Iwan? Nein, eine Nachricht von Greg: *Sag Bescheid, wenn du aufzustehen geruhst.* Ups, der Haussegen hing eindeutig schief. Ich schrieb zurück: *Ich bin wach.*

Die Frau, die mich aus dem Badezimmerspiegel anguckte, hatte ich noch nie gesehen. Sie war eine Fremde: einige Jahre älter als ich, dunkle Ringe unter den vor Verzweiflung glänzenden Augen, aufgedunsenes Gesicht, aus dem jegliche Spuren einst vorhandener Schönheit komplett gewichen waren.

Ich ließ Badewasser einlaufen, ging durch das leere Haus, von dem jeder einzelne Mauerstein ein Vorwurf zu sein schien, und suchte mir etwas Gemüse und ein paar kalte, nasse Teebeutel, die ich vorsichtig am Badewannenrand aufreihte. Gurke allein würde nicht reichen; in meinem Zustand brauchte ich alle verfügbaren Wundermittel gegen verquollene Augen. Ich gab ätherische Öle ins Wasser, stieg hinein, legte mich hin und betete darum, dass Naturheilmittel den Schaden von Alkohol- und Drogenmissbrauch beheben konnten. Es war ja schön und gut zu glauben, man sei noch ein Teenager – der eigene Körper sagte einem dann schon, dass man eine Frau mittleren Alters war und einfach nicht mehr bei allem mithalten konnte. Nichts schien zu helfen. Ich fühlte mich aufgekratzt und unwohl und brauchte einen Arzt, aber ich fürchtete, mein eigener Hausarzt würde meiner Misere nicht gerade verständnisvoll begegnen. Vielleicht hatte BB doch recht: Sex war wie Treibstoff, und ich war leer, würde bald stottern, keuchen und sterben.

Zweiundzwanzigstes Kapitel

Chloe Schiwagos Rezept für sehr kleine Brötchen

500 g Mehl, Weizen   ⅛ l Milch
oder Roggen   1 TL Zucker
1 Päckchen Hefe   1 TL Salz

Mehl in eine Schüssel geben und eine Mulde in die Mitte drücken. Frische Hefe in lauwarmer Milch auflösen, zusammen mit dem Zucker in die Mulde gießen und mit etwas Mehl vom Rand her zu einem dünnen Vorteig verrühren. Leicht mit Mehl bestreuen und abgedeckt an einem warmen Ort 15 Minuten gehen lassen, bis sich der Vorteig ungefähr verdoppelt hat. Salz zufügen und mit dem restlichen Mehl zu einem geschmeidigen Teig verarbeiten. Nötigenfalls einige Tropfen Milch hinzufügen, bis sich der Teig gut von der Schüssel löst. Teig abdecken und weitere 45 Minuten gehen lassen.
Teig nochmals durchkneten und zu kleinen Brötchen formen. Auf ein mit Backpapier belegtes Blech legen und einschneiden. Mit einem Tuch abdecken und den Ofen auf 225 °C vorheizen. Dann die Brötchen mit Wasser bestreichen und auf mittlerer Schiene ca. 18–20 Minuten backen.

Die Brötchen können nach Geschmack mit Körnern oder Kräutern, Käse oder Schinkenspeck variiert werden. Für süße Brötchen Weizenmehl verwenden und statt Salz etwas mehr Zucker. Nach Belieben Rosinen oder Mandeln in den Teig kneten.

Unnötig zu sagen, dass mein neuester Fehltritt mich meinem Mann nicht gerade näherbrachte. Was ich ihm auch nicht vorwerfen konnte. Trotz meiner wiederholten Versuche, mich zu entschuldigen, sprach er inzwischen überhaupt nicht mehr mit mir, und eines Abends fand ich Kitty in ihrem Zimmer, wie sie eine Tasche packte. Sie reichte mir einen Brief, der an Greg und mich adressiert war, in lila Tinte geschrieben:

Liebe Mum, lieber Dad,
ich halte das nicht mehr aus. Ich weiß noch nicht, wann ich zurückkomme. Warum streitet ihr euch? Wenn man schon so lange zusammen ist wie ihr, sollte man sich doch immer näherkommen, statt sich voneinander zu entfernen. Ich habe euch lieb und muss euch deswegen verlassen.
Alles Liebe von eurer Tochter
XXX Kitty XXX

Selbst Greg wurde durch Kittys Versuch, von zu Hause wegzulaufen, nachdenklich. Ihre Wahrnehmung unserer Situation machte deutlich, wie kindisch unser Verhalten war. Seltsam: Kitty war auch der Auslöser dafür gewesen, mit Iwan Schluss zu machen, aber dadurch war nichts besser geworden; das Verhältnis zwischen Greg und mir hatte sich eher verschlechtert. Komischerweise hatte meine Affäre geholfen, unsere Ehe im Gleichgewicht zu halten.

Am selben Abend kam Leo betrunken nach Hause und erbrach sich im Flur auf den Fußboden. Er torkelte auf mich zu, Tränen liefen ihm übers Gesicht, und er hatte Schluckauf.

»Ich hasse mich«, lallte er. »Euch hab ich echt lieb, aber mich hasse ich.«

»Was hast du getrunken?«

»Wodka«, sagte er. Er drückte mich, legte sich auf den Boden und schlief sofort ein, wachte aber gleich wieder auf, weil er sich noch einmal übergeben musste.

»Wir dürfen ihn nicht einschlafen lassen«, sagte ich zu Greg und drehte Leo in die stabile Seitenlage. »Da erstickt er ja.«

Greg und ich verfrachteten ihn unter die Dusche. Ich hatte Leo schon seit Jahren nicht mehr nackt gesehen, zuletzt vor der Pubertät, als er noch den Körper eines kleinen Jungen hatte. Es stimmt tatsächlich: Aus kleinen Kastanien wachsen große Bäume. Ich war so schockiert, dass ich ihn die ganze Zeit anstarren musste. Wo war mein Baby hin? Ich erinnerte mich an den Augenblick, als er mir zum ersten Mal in den Arm gelegt wurde, ein fest eingewickeltes Bündel, das die Hebamme mir reichte. »Das ist Ihr Sohn«, hatte sie gesagt, und ich war vor Stolz beinahe geplatzt und konnte gar nicht glauben, dass mein weiblicher Körper so einen winzigen und perfekten männlichen Körper hervorbringen konnte; das war ganz einfach das Großartigste, was ich in meinem ganzen Leben gemacht hatte. Und jetzt, nur einen Wimpernschlag später, war er ein betrunkener, kotzender, nackter Mann. Trotzdem war er immer noch hilflos, immer noch schutzbedürftig, immer noch mein kleines Baby.

»Ich habe gar nicht so viel getrunken, Mum.«

»Sein Blutzucker ist total durcheinander«, sagte Greg. »Er muss ins Krankenhaus.«

»Ich bringe ihn«, sagte ich. »Bleib du hier bei Kitty.«

Im Krankenhaus erbrach er sich auf die Schuhe eines Fremden und fiel dann auf den kalten, harten Boden. Das war selbst den harten Jungs zu viel, die mit Verletzungen von Schlägereien in der Notaufnahme saßen. Sie sahen mich vorwurfsvoll an: Was ist das denn für eine Mutter, die ihren Sohn so viel trinken lässt?

»Das finden Sie ja bestimmt toll«, sagte die Schwester, die Leo munter zu einem Bett führte und ihn an den Tropf hängte, um seinen Blutzucker zu stabilisieren.

»Ja«, stimmte ich sarkastisch zu, »finde ich super.«

Ich saß die ganze Nacht am Bett meines Kindes und schaute

zu, wie Betrunkene von den Straßen hereingebracht wurden. Besonders einer fiel mir ins Auge, ein großer Mann in einem Anzug, der zwar abgewetzt war, aber doch eine gewisse Eleganz ausstrahlte. Der Mann drückte sich gepflegt aus, war höflich zu den Schwestern und sprach in einem Ton, als bemühe er sich, nüchtern zu wirken. Ich beobachtete ihn, wie er sich das graue Haar zurückstrich und seinen Hut vorsichtig am Fußende des Bettes ablegte, eine Geste, die gleichzeitig pingelig und geübt war: Offensichtlich war er hier nicht fremd, und tatsächlich lächelte ihn kurz darauf eine Schwester im Vorbeigehen an, salutierte und sagte: »Guten Abend, Major.« Ich überlegte, wie er wohl hierhergekommen war. Ein Leben als schwerer Alkoholiker; es beginnt als jugendliche Schwäche und wird unterwegs unbemerkt zu einer Karriere-Entscheidung. Ich wandte mich wieder Leo zu und sah in seinen Augen, dass seine Trunkenheit langsam der Scham wich. Auch er beobachtete den fremden Trinker. Ich musste gar nichts sagen; ich sah, dass er die Lektion selbst lernte. Manchmal braucht man eine Krise, um einen Schritt weiterzukommen im Leben. Vielleicht hatte ich die Affäre mit Iwan gebraucht, damit Greg und ich weiterkamen. Ich wusste zwar nicht, wie, aber als ich da saß und dem gleichmäßigen Atem meines Sohnes lauschte, beschloss ich ernsthafter denn je, dass Iwan der Vergangenheit angehörte und ich mich auf die Zukunft mit Greg konzentrieren würde.

Dennoch blieb das Leben im Schmollwinkel schwierig, und meine zögerlichen Versuche, hinauszukriechen und Gregs Wohlwollen wiederzuerlangen, waren bislang gescheitert. Greg tat, wenn die Kinder in der Nähe waren, als sei alles in Ordnung, aber wenn wir allein waren, war er distanziert wie ein nicht wirklich freundlich gesinnter Bekannter.

»Wie läuft's zu Hause?«, fragte Ruthie mich eines Morgens im Café.

»Schlecht.«

»Sex?«

296

»Keiner.«

»Meinst du nicht, du solltest mit ihm darüber reden? Ich meine, du bist doch Mrs Drüberreden. Du verdienst doch sogar Geld damit.«

»Schon, das Problem ist nur, ich habe das Gefühl, dass ich das Recht darauf verspielt habe«, sagte ich traurig.

Es war schwierig, sauer auf Greg zu sein, weil er mit mir nicht das tat, was ich so bereitwillig mit einem anderen getan hatte. Es war auch schwierig, mich nicht nach Iwan und seinen Küssen zu sehnen, vor allem, weil er angefangen hatte, mir Nachrichten zu schicken. Bislang war ich standhaft geblieben und hatte nicht geantwortet, aber ich musste zugeben, dass es mir trotz meiner Vorsätze schwerfiel.

Es half ja nichts, ich musste meinen Mann zurückerobern, und als Erstes musste ich kleine Brötchen backen; sowohl metaphorisch als auch wörtlich. Und dafür sorgen, dass Greg ebenfalls welche aß. Der Weg zum Herzen eines Mannes führt in der Tat durch den Magen und nicht, wie man es oft gern hätte, mit dem Messer durch die Brust.

»Was hast du denn vor, Mum«, fragte Kitty, als ich den Teig knetete.

»Wieso? Ich mache Abendbrot.«

»Du wirkst so weit weg«, sagte sie unglücklich. »Ich habe gedacht, das wäre vorbei, aber jetzt ist es wieder da.«

Sie hatte mich erwischt, wie ich an Iwan dachte. Kitty hätte auch immer noch in meinem Bauch sein und durch die Nabelschnur an meinen Gefühlen teilhaben können; sie spürte jede emotionale Veränderung an mir. Weitere Nachforschungen blieben mir durch das Klingeln ihres Handys erspart. Ihr Gesicht wurde weicher, als sie die Nachricht las.

Sie hielt mir das Telefon hin, und ich las: *Wollen wir uns treffen?*

»Von wem ist das?«, fragte ich.

»Von Max, ich gehe mit ihm.«

»Seit wann das denn?«

»Seit gestern.«

Es war alles so schön einfach: Max hatte Kitty angerufen und sie gefragt, ob sie mit ihm gehen wolle. Sie hatte gesagt, er solle mal kurz warten, sie müsse eben mit Joe Schluss machen, der die letzten vierzehn Tage ihr Freund gewesen war, und jetzt ging Kitty mit Max. Wobei sie nie wirklich irgendwohin zu gehen schienen. In ein paar Tagen oder Wochen würde der eine oder der andere von ihnen Schluss machen, normalerweise per SMS oder Telefon, und mit jemand anderem gehen, vielleicht mit dem besten Freund des gerade abgelegten Freundes. Ein guter Übungshang für Beziehungen. Schade, dass es mit den Jahren immer komplizierter wurde. Vielleicht sollte ich Greg einfach sagen, dass Schluss war, und mit Iwan gehen. Angesichts der Regelmäßigkeit, mit der Kitty und ihre Freundinnen mit ihren Freunden Schluss machten und sich neue suchten, war es kein Wunder, dass niemand mehr davon ausging, dass Beziehungen ewig hielten, und dass viele in serieller Monogamie lebten. Wenn es doch so einfach wäre und Beziehungen wie Glühbirnen wären: Man würde sie einfach ersetzen, wenn sie ausgebrannt sind.

Mein Handy piepste. Es war Iwan: *Wollen wir uns treffen?*

»Zeig«, sagte Kitty und streckte die Hand aus.

Ich versteckte das Handy in meiner Hand.

»Ich hab dir meine auch gezeigt«, sagte sie.

»Tut mir leid, Schatz, das ist von einer Patientin«, log ich.

Kitty schnaubte ungläubig, ging hinaus und stieß mit Leo zusammen, der gerade hereinkam.

»Verpiss dich, Leo«, sagte sie und schob ihn zur Seite.

»Verpiss dich selbst du kleine Schlampe wofür hältst du dich eigentlich sag mir nicht ich soll mich verpissen.« Ich starrte ihn verdattert an – weniger, weil seine Antwort so heftig ausgefallen war, als vielmehr wegen der Geschwindigkeit.

»Hallo Mum was hast du fürn Problem was guckst du mich so an?«

»Sprich nicht so mit deiner Schwester! Was ist überhaupt los, seit zwei Jahren hört man kaum ein Wort von dir, und jetzt ratterst du plötzlich wie ein Maschinengewehr.«

»JaklardasistweilichderweißeTwistawerde,deristmeinMann, derallerbesteallerschnellsteRapperüberhauptaufderWelt,undich werdedieweißeenglischeVersionunddeswegenübeichsoschnellzu sprechenwieesgeht.«

»Um Himmels willen«, murmelte ich.

»Wie man's macht, macht man's verkehrt«, sagte Leo übertrieben langsam. »Erst meckerst du, weil ich nur grunze, und jetzt rede ich, und es ist auch nicht recht. Du verstehst auch überhaupt nichts. Ich weiß endlich, was ich mit meinem Leben anfangen will.« Er stürmte hinaus und knallte die Tür hinter sich zu.

Der Tisch war für ein friedliches und versöhnliches Familien-Abendbrot gedeckt. Greg und die Kinder saßen wortlos am Tisch, und ich trug die Brötchen auf. Wir waren ausnahmsweise einmal nur zu viert, was die Spannungen zwischen uns nur noch deutlicher machte. Greg fing mit der Nase in der Zeitung an zu essen und ermahnte die Kinder gereizt, weil sie zu laut kauten und ihr Besteck nicht richtig benutzten. Ohne Reden und Lachen war es besonders einfach, sich über die Tischmanieren der anderen aufzuregen. Die Kinder spürten das, schlangen ihr Essen hinunter und verließen den Tisch, so schnell sie konnten. Greg und ich aßen schweigend weiter. Aber die kleinen Brötchen taten ihre Wirkung, und er entspannte sich, legte die Zeitung beiseite und schaute mich zum ersten Mal seit einer gefühlten Ewigkeit an. Ich hielt inne, ein Brötchen auf halbem Weg zum Mund.

»Ich mag es, wenn du kleine Brötchen backst«, sagte er.

Ich lachte, stand auf, um ihm noch welche zu holen, reichte sie ihm und sagte: »Bestimmt nicht so sehr, wie ich es mag, wenn du sie isst.« Ich streckte ihm zögernd die Hand hin. »Lass uns wieder ein bisschen netter zueinander sein«, sagte ich.

Später griff ich im Bett nach ihm, schmiegte mich an ihn, in der Hoffnung, dass wir auch körperlich wieder zueinanderfinden würden.

»Ich bin müde«, sagte er, rutschte weg und drehte mir den Rücken zu.

Ich lag noch einige Zeit wach, lauschte dem Wind und dem Regen draußen und beobachtete die Leuchtzeiger der Uhr auf ihrem langsamen Weg bis zwei Uhr. Manchmal fühlt man sich mit jemandem neben sich viel einsamer, als man sich allein fühlen würde.

Am nächsten Morgen waren drei Nachrichten von Gina auf dem Anrufbeantworter in meiner Praxis, einer hysterischer als der andere. Hilferufe einer Braut, die in den letzten Stunden, bevor sie vor den Altar trat, Panik bekam. Sie sollte an diesem Nachmittag heiraten. Ich seufzte und rief zurück.

»Glauben Sie, man kann glücklich verheiratet sein, Chloe?«, fragte sie ängstlich.

»Ich glaube, man darf nicht allzu viel erwarten, und man muss die guten Zeiten im Gedächtnis behalten, nicht die schlechten.«

»Ich weiß nicht, ob ich das schaffe.«

»Ich hätte nie gedacht, dass ich je Dolly Parton als Quelle der Weisheit zitieren würde«, sagte ich. »Aber ich habe mal ein Interview mit ihr gehört, in dem sie gefragt wurde, wie sie es schafft, so fröhlich zu bleiben, obwohl sie so viel durchgemacht hat. Sie sagte, sie habe sich eben entschieden, glücklich zu sein. So einfach kann das sein. Also, Gina, entscheiden Sie sich, glücklich zu sein, Sie haben einen reizenden Mann, Sie lieben ihn, und er liebt Sie. Wir sehen uns gleich auf Ihrer Hochzeit.«

Gina heiratete im Haus ihrer Eltern, das sich als herrschaftliche Villa am Rande des Holland Park entpuppte. Mehr als hundert weiße Callas säumten den Treppenaufgang zur Haustür. Ein uniformiertes Hausmädchen nahm mir den Mantel ab, und ich mischte mich zum Begrüßungssekt unter die Leute. Mir war nicht gut, und das Durcheinander all der Stimmen machte mich fast taub. Außerdem musste ich dringend auf die Toilette. Ich ging die Treppe hoch, und als ich herauszufinden versuchte, hinter welcher der vielen Türen sich das Bad verbergen mochte, hörte ich Stimmen und eine sich öffnende Tür. Gina erschien in einem Traum von weißer Spitze, lachte und versuchte, ein paar Locken daran zu hindern, sich aus ihrer Hochzeitsfrisur zu lösen. Hinter ihr sah ich einen Mann, der sich gerade das Hemd in die Hose steckte.

»Wissen Sie nicht, dass es Unglück bringt, wenn der Bräutigam Sie vor der Hochzeit sieht?«, fragte ich lächelnd. Sie schaute mich schweigend an. Mir dämmerte etwas.

»Ach so, das ist nicht der Bräutigam«, sagte ich. »Verstehe.«

»Wir haben uns nur verabschiedet. Ich bin ja noch nicht verheiratet.«

Ich hielt die Hand hoch, um ihren Erklärungsfluss zu stoppen. Das war nicht der richtige Augenblick für eine Therapiesitzung, also wünschte ich ihr viel Glück und sagte ihr, dass sie hinreißend aussehe. Das muss man Bräuten sagen, und in diesem Fall stimmte es auch: Sie strahlte diese ganz besondere Schönheit einer Frau aus, die gerade befriedigt wurde.

Ich fand das Badezimmer und studierte mein Gesicht im Spiegel. Ich sah nicht besonders gut aus. Ich setzte mich auf den Klodeckel, machte ein Gästehandtuch (sicheres Zeichen für die Mittelschicht, die sich feudal gibt) nass und hielt es mir an die Stirn. Dann ging ich zitternd wieder hinunter, wo die Zeremonie gerade anfangen sollte.

Das Wohnzimmer musste über zwölf Meter lang sein. An einem Ende führten hohe Terrassentüren in den Garten hinaus, wo die Bäume langsam wieder zum Leben erwachten. Hier und da zwischen den kahlen Zweigen kamen zarte, grüne Blätter hervor, und in den Beeten tummelten sich frühe Osterglocken. Auf beiden Seiten des Raums standen Stühle, in der Mitte war ein Gang freigelassen. Der Raum war mit zahllosen Lilien geschmückt, und mir wurde von ihrem Duft übel. Gina wartete am Arm ihres Vaters, in das ätherische Sonnenlicht des Frühlingsanfangs getaucht, das durch das hinter ihr liegende Fenster hereinfiel. Ich lächelte ihr aufmunternd zu und setzte mich. Sie wirkte, als würde sie gleich anfangen zu weinen. Sie schaute nicht ihren gutaussehenden Bräutigam an, der sich zu ihr umdrehte, als sie auf ihn zuschritt, sondern den Mann, den ich zuvor gesehen hatte und der nun etwa in der Mitte des Raumes saß. Als sie an ihm vorbeiging, schien ihr ganzer Körper magnetisch von ihm angezogen zu werden; sie zögerte einen Moment, riss sich zusammen und schritt entschlossen weiter. Als ihr Vater sie ihrem Bräutigam übergab, erinnerte sie mich an einen Gefangenen, der, gerade verurteilt, von den Gefängniswärtern direkt von der Anklagebank in die Zelle geführt wird. Ich wusste, was ihr noch nicht klar war: dass ihre Affäre mit dem Hemd-in-die-Hose-Stopfer, der brütend auf seinem Stuhl saß, keineswegs vorüber war. Es ist so viel leichter, die Lage eines anderen einzuschätzen, als die eigene. Meine plötzliche Klarheit über Gina und ihren Liebhaber sagte mir, dass für Iwan und mich das Gleiche galt. Ich musste ihn wiedersehen.

Später, als ich versuchte, unbemerkt zu verschwinden, kam eine Frau mit scharf geschnittenen Gesichtszügen in einem fuchsiafarbenen Kostüm zu mir und legte mir die Hand auf den Arm.

»Sie müssen Chloe Schiwago sein«, sagte sie. »Ich bin Ginas Mutter. Haben Sie vielen Dank für alles, was Sie für sie getan haben. Ich glaube, ohne Ihre Hilfe hätten wir sie nie vor den Altar bekommen.«

Sie schaute zu Gina hinüber, die neben ihrem frisch Angetrauten stand und den Fotografen anlächelte. Fotos sind emotional unzuverlässig, sie zeigen nur die Oberfläche; sie können lügen und tun es auch. Dieses Bild würde jahrelang aus einem oft durchgeblätterten Hochzeitsalbum herauslächeln, ein Moment geheuchelten Glücks der frisch Verheirateten; es würde keinen Hinweis darauf geben, dass die Braut weniger als eine Stunde vor der Hochzeit noch in den Armen eines anderen ge-

302

wesen war. Ich sah Ginas Blick wandern und auf der dunklen Figur ihres Liebhabers verweilen, der an einer Tür lehnte und sie beobachtete.

»Ich hoffe sehr, dass sie zusammen glücklich werden«, sagte ich zu Ginas Mutter. Ich fühlte mich wie eine Betrügerin in diesem Märchen, wie die böse Fee, die Dornröschen mit dem Fluch belegt, damit es sich mit der Spindel in den Finger sticht; als hätte ich, indem ich Gina in die Ehe geholfen hatte, nicht etwas gegeben, sondern etwas genommen.

Der Duft der Lilien folgte mir die Treppe hinunter, und einen Moment lang war mir noch auf der Straße ganz schwummerig. In meiner Tasche vibrierte mein stummgeschaltetes Handy wie ein wütendes Insekt, das meine Aufmerksamkeit erregen wollte. Ich ignorierte es, ging in den Holland Park und fand eine Bank im japanischen Garten; ich wollte einen Moment lang allein sein. Was auch immer meine Beziehung zu Iwan für die Zukunft meiner Ehe bedeuten mochte, ich wusste, dass ich ihn wiedersehen musste. Ich saß da und betrachtete das Wasser des japanischen Teichs, in dem ein weißer Stein schweigend Wache stand – vielleicht der Wärter eines kontemplativeren und spirituelleren Lebens. Mein Telefon vibrierte wieder und holte mich in die Realität zurück. Es war Iwan.

»Komm zu mir, Chloe«, sagte er. »Lass uns eine Nacht zusammen verbringen. Ich habe dich so vermisst.«

»Ich dich auch.« Seine Stimme wärmte mich. Nichts wollte ich mehr, als dass er mich in den Armen hielt und mir Geschichten aus Russland erzählte. Das hatte ich immer am meisten geliebt, sogar noch mehr als den Sex: das Gefühl, aus meiner eigenen Welt hinausgetragen zu werden und in eine andere hinein, in der das Leben wieder so viele Möglichkeiten bot.

Als ich den Wagen in unsere Straße lenkte, sah ich Madge über den Gehweg eilen, sie lachte und führte Selbstgespräche. Die Verrücktheit war ihr Zufluchtsort vor der unerträglichen Traurigkeit ihrer Realität. Wobei, dachte ich, als sie sich umdrehte und eine Taube beschimpfte, die Verrücktheit sie vielleicht vor ihren Erinnerungen schützte, aber Freude schien sie ihr auch nicht zu bringen. Es gibt wohl Dinge, von denen man sich nie mehr erholt: vom Ende einer Ehe ja, aber vom Tod der eigenen Kinder niemals.

Das Haus war zum Glück leer, und ich war innerhalb von zwanzig Minuten gewaschen, umgezogen, geschminkt und wieder unterwegs, um mich in einem Landgasthof mit Iwan zu treffen. Ruthie hatte am Telefon zwar hörbar den Kopf geschüttelt, sich aber geschlagen gegeben und zugesagt, dass Kitty und Leo bei ihr übernachten konnten.

»Klassisch«, sagte sie. »Der eine, letzte Schuss des Süchtigen auf Turkey. Sieh zu, dass es nicht der goldene Schuss wird.«

Ich hatte Greg irgendeinen Unsinn auf den Anrufbeantworter gebrabbelt, dass ich doch noch bei Ginas Hochzeitsfeier bleiben würde und erst morgens zurückkäme, weil sie außerhalb stattfinde.

Ich fuhr mit dem Zug zu unserem Treffpunkt, einem Pub in Oxfordshire mit einem Michelin-Stern. Iwan erwartete mich nackt auf einem Himmelbett in einem Zimmer, das eindeutig für Liebende eingerichtet war. Ich wandte mich von ihm ab, als ich mich auszog, schüchtern geworden durch die Zeit der Trennung, und schlüpfte schnell unter die Laken und in seine Arme. Ich schmiegte mich an ihn wie eine Katze, die gestreichelt werden will; es fühlte sich so wunderbar an, wieder berührt zu werden, dass ich beinahe laut geschnurrt hätte.

»Ich habe dich so vermisst«, sagte er, nachdem wir es getan hatten.

»Ich dich auch«, antwortete ich, aber die Wahrheit war, dass es mir jetzt, nach dem Akt, irgendwie gleichgültig war; das Hochgefühl nach dem Fix war nicht so intensiv, wie ich es in Erinnerung hatte. Der Sex hatte ein Gefühl der Leere hinterlassen – ich musste mit ihm reden, um ihm wieder näherzukommen.

»Erzähl mir etwas aus Russland«, sagte ich. Aber sein Atem sagte mir, dass er schon schlief.

Ich stand auf, ging ans Fenster und schaute in die Nacht hinaus. Es war viel dunkler und stiller, als ich es gewohnt war, und ich hörte Iwans Atem. In der Ferne durchbrach das jaulende Bellen eines einsamen Fuchses, der nach seinem Partner rief, die Stille. Ich ging ins Bett zurück und stellte das Telefon wieder an. Es klingelte sofort. Greg war dran; seine Worte waren der Donnerschlag, vor dem ich mich immer gefürchtet hatte.

»Chloe, ich fürchte, ich habe eine schlechte Nachricht.«

»Was ist passiert, ist was mit den Kindern, was ist los?«

»Dein Vater; er hatte einen Herzinfarkt. Er ist okay, er ist im Krankenhaus, und sein Zustand ist stabil.«

»O Gott, und ich bin nicht bei ihm.«

Da war sie, meine Strafe, die Folge meiner Abgebrühtheit. Der Preis für die Freude an dem Mann neben mir war die Krankheit meines Vaters und die Tatsache, dass ich nicht bei ihm war. Ich sagte Greg, ich würde so schnell wie möglich nach Hause kommen, und weckte Iwan auf.

»Wird schon alles okay sein«, sagte er müde.

Die Angst ergriff von mir Besitz; es fing in der Magengrube an und strömte durch meinen ganzen Körper, bis die Furcht mir in den Finger- und Zehenspitzen klopfte. Seit meiner Kindheit hatte ich gefürchtet, dass mein Vater sterben könnte. Ich wollte sofort zu ihm, ich wollte in meinem Zuhause sein, bei meinen Kindern und bei meinem Mann. Was machte ich hier eigentlich mit dem Ehemann einer anderen?

»Ich muss nach Hause«, sagte ich.

»Es ist spät«, antwortete er. »Wir fahren morgen gleich früh los. Außerdem hat Greg doch gesagt, er ist stabil, jetzt lass uns doch die Nacht genießen, du hast mir eine ganze Nacht versprochen.« Er nahm meine Hand und versuchte, mich wieder ins Bett zu ziehen.

»Ich kann nicht, ich muss jetzt sofort zu meinem Dad, er braucht mich.« Das weiche Bett mit den warmen Decken bildete einen grausamen Kontrast zu dem dunklen Brunnen der Angst, in den ich zu stürzen drohte.

»Ich brauche dich auch, Chloe.« Iwan seufzte schwer; das Seufzen eines Mannes, der sich nicht gern den Spaß verderben lässt. Das wirkliche Leben und verbotene Affären waren keine guten Bettgenossen.

»Sorry, Schatz.« Ich nahm seine Hand. »Du verstehst das doch, oder?«

Mit unübersehbarer Selbstbeherrschung lächelte Iwan und sagte: »Natürlich, komm, der letzte Zug ist schon weg, ich fahre dich in die Stadt.«

Während der Fahrt fiel mir etwas Seltsames auf: Vorher, als wir miteinander schliefen, hatte ich an meinen Mann gedacht.

Zweiundzwanzigstes Kapitel

Als ich im Krankenhaus ankam, war es schon spät. Am Eingang standen einige Patienten und rauchten und ließen sich weder von der nieseligen Kälte beirren noch von den Gestellen mit dem Tropf neben sich. Sie hingen am Leben, obwohl sie seine Zerstörung vorantrieben, sie zogen gierig an ihren Zigaretten, bis die Spitzen heiß, lang und rot aufglühten. Man hätte meinen können, sie wollten neues Leben aus den Dingern saugen und nicht ihr Ableben beschleunigen. Wie krank musste man sein, bis die Gefahr des Todes die Sucht bezwang? Ich sah einen Beinamputierten im Rollstuhl, der sich an der alten Kippe eine neue ansteckte. Er war zerbrechlich und ausgemergelt, wie es lebenslange Raucher sind, und pfiff buchstäblich auf dem letzten Loch. Er schaute mich an und zuckte mit den Schultern, als wolle er sagen: »Kann man nichts machen.«

Auf der Station war das Licht gedämpft, und eine Krankenschwester, deren Busen aus ihrem enggeknöpften Kittel quoll, telefonierte leise. Sie sah eher aus wie eine Schauspielerin in einer Krankenhausserie als wie medizinisches Fachpersonal. Angst, dachte ich, hält einen nicht davon ab, Einzelheiten zu bemerken; sie macht sie nur so absurd.

»Wo liegt Bertie Schiwago?«, fragte ich.

»Die Besuchszeit ist vorbei«, sagte sie und schaute demonstrativ auf ihre Uhr, die sie verkehrt herum auf der Brust trug.

»Ich bin seine Tochter.«

Sie betrachtete mich, als suche sie nach besonderen Kennzeichen, die meine Behauptung bestätigen würden.

»Brauchen Sie noch eine Geburtsurkunde, oder was?«, fauchte ich; die Angst war stärker als meine Höflichkeit.

»Bett Nummer zwölf«, sagte sie und tat so, als hätte sie mich nicht gehört. Sie beschäftigte sich mit irgendwelchen Papieren. »Aber bleiben Sie nicht zu lange.«

Die Patienten lagen jeweils zu viert in einer Nische, die meisten reglos. Ich schaute in die erste Nische, und jemand hustete kehlig und schleimabsondernd. Der Geruch von Krankheit vermischte sich mit dem von mitgebrachten Blumen und Obst zum unangenehmen Aroma von Elend und Verzweiflung, den Begleitern von Krankheiten. Helga döste auf einem Stuhl neben Dads Bett, ihre Brust hob und senkte sich im Gleichtakt mit seiner. Er sah klein und zerbrechlich aus, und seine Haut wirkte in den weißen Krankenhauslaken ganz grau. Ich wollte seine Hand nehmen, aber darin steckten lauter Kanülen, durch die er Medikamente bekam. Von seiner Brust aus führten Drähte zu einem Monitor, auf dem ein Kardiograph die mühsame Tätigkeit seines Herzens verzeichnete.

Er regte sich und schlug die Augen auf. Dad spürte meine Anwesenheit: Wir waren schon immer durch dieses unsichtbare Band miteinander verbunden, das angeblich nur Mütter mit ihren Kindern verbindet.

»Tut mir leid, Schatz«, flüsterte er, »dass ich euch so zur Last falle.«

»Jaja, du denkst immer nur an dich«, lächelte ich und drückte ihm die Schulter. Ich war entsetzt, wie dünn er sich anfühlte. Ich wollte mich an seine Brust werfen, damit er mich tröstete, weil ich wegen seiner Krankheit so durcheinander war. Stattdessen brauchte er meinen Trost, und so machte ich Witzchen, obwohl mir ein Kloß in der Kehle saß.

»Was ist denn passiert?«

»Ich saß im Arbeitszimmer und wollte gerade die Vögel für einen neuen Song notieren, da hat mir plötzlich ein riesengroßes Pferd in die Brust getreten. Jedenfalls hat es sich so angefühlt. Das Nächste, was ich weiß, ist, dass ich total verkabelt hier lag.«

»Gott sei Dank war Helga bei dir«, sagte ich. Wenn er allein gewesen wäre, wie lange hätte er wohl dagelegen, ohne Hilfe, während ich mit einem Mann auf dem Land war, der weder mein Ehemann noch der Vater meiner Kinder war? Helga öffnete die Augen und lächelte uns an.

»Ich lasse euch zwei Hübschen mal einen Moment allein«, sagte sie in dem betont munteren Tonfall, mit dem man so tut, als sei alles in Ordnung.

»Mir geht es schon viel besser«, sagte Dad, »jetzt, wo ich meine beiden liebsten Frauen bei mir habe.« Helga tätschelte Dad die Wange, umarmte mich und ging ein bisschen frische Luft schnappen.

»Ich mag sie sehr, Dad«, sagte ich, »sie ist so liebevoll.«

»Sie mag dich auch. Ich bin so froh; es ist mir wichtig, dass die beiden Frauen, die ich liebe, sich mögen.«

»Wo ist Sammy?«

»Er und Greg sind ungefähr vor einer Stunde gegangen«, sagte Dad.

»Hat Greg mit dem Arzt gesprochen?«, fragte ich.

»Ich bin mir nicht sicher, ob schon ein Arzt bei mir war. Eine Zwölfjährige in einem weißen Mantel war da und hat meinen Puls gefühlt und irgendwas davon gesagt, dass sie mich übers Wochenende hierbehalten. Greg hat kurz mit ihr gesprochen.«

Ich marschierte zur Rezeption. Die Soap-Sternchen-Schwester telefonierte immer noch; so, wie sie mit dem obersten Knopf ihres Kittels herumspielte, vermutlich mit ihrem Freund. Ich stellte mich ihr ins Blickfeld und starrte sie nieder.

»Ich rufe gleich zurück, könnte eine T.B.A. sein«, sagte sie und legte auf.

»Total Bekloppte Angehörige«, sagte ich. Sie errötete. Sie konnte ja nicht wissen, dass ich mein klinisches Praktikum im Krankenhaus geleistet hatte, mit einem Arzt verheiratet war und die ganzen Abkürzungen kannte, die das Krankenhauspersonal im Allgemeinen so liebt. Ich freute mich, dass ich sie in die Defensive gebracht hatte.

»War schon ein Arzt bei meinem Vater?«

»Ja, Dr. Ashby hat ihn sich vorhin angeguckt. Sie ist die diensthabende Ärztin im Praktikum.«

Die Zwölfjährige, eindeutig.

»Was ist mit dem Chefarzt?«

»Er ist am Wochenende nicht da.«

»Ist die Ärztin im Praktikum noch hier?«

»Nein, sie ist schon weg, aber sie hat Rufbereitschaft. Sie war zufrieden mit seinem Zustand.«

»Verstehe. Wenn er einen Arzt bräuchte, wie schnell wäre einer bei ihm?«

»Na ja, es ist Wochenende, da dauert es normalerweise ein paar Stunden, bis einer hier ist.« Mir stieg plötzlich das Blut in den Kopf, eine Wut, die durch ihr mitleidiges Lächeln nur noch verstärkt wurde; anscheinend wusste sie, wie man mit schwierigen Fällen wie mir umging.

»Sie sagen das, als wäre so ein Wochenende ein unvorhergesehenes Ereignis: oh, es ist Freitag, du lieber Gott, da steht uns ja ein Wochenende bevor, was für eine Überraschung«, sagte ich. »Sie wissen schon, dass das jede Woche passiert?«

Sie schob Gegenstände auf dem Tisch herum und gab sich besondere Mühe, das Telefon rechtwinklig zu einem Stapel von Plastikablagen auszurichten, aus dem menschliche Leben in Form von Patientenakten quollen. Vielleicht hoffte sie, dass ihre methodische Organisation unbelebter Objekte mich beruhigen würde.

»Ich glaube kaum, dass die Krankheiten wissen, dass sie samstags und sonntags frei haben und ihre Opfer nur montags bis freitags belästigen dürfen.« Ich war noch nicht bereit, klein beizugeben.

»Tut mir leid, so arbeitet das Krankenhaus nun mal«, sagte sie. »Ihrem Vater geht es doch im Moment ganz gut.«

Ich beugte mich über den Tresen. »Wie würden Sie das denn finden, wenn es Ihr Vater wäre, der gerade nach einem Herzinfarkt im Krankenhaus liegt? Er ist nicht einfach irgendein alter Mann, der niemandem etwas bedeutet, Sie wissen schon, so einer, der *ein langes und erfülltes Leben* hatte. Jeder verdient die bestmögliche Pflege, aber das hier ist mein Vater, ein Mann, der sehr geliebt wird, von seinen Freunden und seiner Familie, und wenn ihm irgendetwas passiert, während Sie hier Dienst haben, dann mache ich Sie persönlich dafür verantwortlich.«

Tränen waren mir in die Augen gestiegen, und ich war kurz davor, mich zu vergessen, aber ich sah ihr an, dass ich zu ihr durchgedrungen war, und darüber war ich froh. Dad war nicht mehr nur irgendein Patient für sie, er war ein echter Mensch mit einem echten Leben; er war, kurz gesagt, zum Individuum geworden.

Sie beugte sich vor und legte ihre Hand auf meine. »Machen Sie sich keine Sorgen, wir passen auf ihn auf.«

»Danke. Und entschuldigen Sie bitte meinen T.B.A.-Auftritt.« Wir hatten uns miteinander verschworen, Töchter von Vätern, und sie lächelte und sagte: »Ich wäre an Ihrer Stelle ganz genauso.«

Dad las die Zeitung und sah ganz munter aus, als ich wieder an sein Bett kam.

»Wie war dein Ausflug in die Vororte?«, fragte er.

»Haha, sehr witzig. Bin ich so leicht zu durchschauen?«

»Du bist meine Tochter.«

»Ich weiß nicht. Es war seltsam, ihn zu sehen, und du hast recht gehabt mit der Entwicklung der Innenstadt: Meine ist inzwischen so baufällig, dass sie Gefahr läuft, demnächst abgerissen zu werden. Verfallende Hochhäuser, eingeworfene Fensterscheiben, so was. Ich meine, guck dir doch nur mal die letzten Ereignisse an: Der Sohn landet mit Alkoholvergiftung im Krankenhaus, der Ehemann führt einen Einmannkrieg gegen den Stadtrat, die Tochter ist wahrscheinlich demnächst schwanger, und der Vater hat einen Herzinfarkt.«

»Für meinen Herzinfarkt bist du wohl kaum verantwortlich

und auch nicht für Gregs Spinnereien. Aber Kittys und Leos Ausfälle gehen natürlich auf dein Konto, schon weil du ihre Mutter bist.«

Er streichelte mir die Hand. »Greg ist ein guter Mann, Chloe, und er liebt dich. Weißt du, was Simone Signoret mal gesagt hat?«

Ich schüttelte den Kopf.

»›Ketten halten eine Ehe nicht zusammen. Es sind Fäden, Hunderte ganz dünner Fäden, die zwei Menschen über die Jahre zusammennähen. Das macht eine Ehe beständig – mehr als Leidenschaft oder Sex.‹ Ich glaube, sie hat recht, das ist es, was mich an deine Mutter gebunden hat und was mich jetzt an Helga bindet.«

Helga kam mit einem Plastikbecher mit einer geschmacklosen, braunen Brühe zurück, die sich Tee schimpfte.

»Du siehst ja schon viel besser aus, Bertie. Chloe ist bestimmt die beste Krankenschwester.« Dad lächelte und tätschelte mir die Hand. »Ich muss jetzt schlafen«, sagte er, »geht ihr Mädels doch nach Hause und ruht euch auch ein bisschen aus.«

Helga und ich sahen uns an. Ich sah ihr an, dass sie nicht meinen Platz einnehmen wollte, aber ich sah auch, dass sie Dad nicht allein lassen wollte.

»Bleib du hier, aber ruf mich an, wenn du mich brauchst«, sagte ich.

Sie lächelte dankbar. »Ich fühle mich viel wohler, wenn ich hier auf dem Stuhl neben ihm schlafen kann.«

Es war nicht einfach, Dad einer anderen Frau zu überlassen, ich war es ja gewohnt, ihn für mich zu haben. Aber ich wurde zu Hause gebraucht.

Ich schaltete mein Handy wieder an, als ich aus dem Krankenhaus ging, und es piepste sofort. *Ruf mich an, Tschudo. Iwan XX*

Plötzlich spürte ich, dass er mir entglitt. Sein Gesicht und seine Stimme, normalerweise klar und eindeutig in meinem

Kopf abrufbar, verschwammen. Es war, als hätte ich lange Fieber gehabt und wäre jetzt ausgebrannt, schwach und erschöpft. Er fühlte sich weit weg und unwichtig an, als gehörte er in ein anderes Leben. Ich rief ihn sofort an.

»Wie geht es ihm?«

»Es geht, ziemlich blass und müde, aber sonst ganz der Alte«, sagte ich.

»Komm wieder mit mir aufs Land.« Seine Stimme wurde tief und heiser. »Ich fessele dich und sorge dafür, dass du auf fünf verschiedene Arten kommst.«

»Äh, also, ich muss wirklich in der Nähe meines Vaters bleiben.« Telefonsex passte nicht zu Krankenhäusern, und schon gar nicht zu elterlichen Herzinfarkten. »Ich muss auch los, wir telefonieren morgen nochmal.«

Mein Date mit Iwan war beinahe tatsächlich der goldene Schuss gewesen, allerdings mit meinem Vater statt mir als Opfer.

Als ich Greg sah, überkam mich plötzlich große Zuneigung. Es war längst nach Mitternacht, und er saß im flackernden Licht des Fernsehers auf dem Sofa. Die Kinder waren rechts und links von ihm eingeschlafen, mit ausgebreiteten Armen wie unschuldige Babys. Mir kamen die Tränen, als ich die drei so aneinandergeschmiegt dasitzen sah. Greg stand auf, vorsichtig, um sie nicht zu wecken. Wir schauten uns an, er seufzte und zog mich an sich. Ich weinte an seiner Schulter, schluchzte still aus Angst um meinen Vater und aus Trauer und Reue wegen allem, was ich Greg angetan hatte.

»Schon gut, mein Schatz«, sagte Greg und streichelte mir über den Kopf. »Sie haben gesagt, es war nur ein kleiner Infarkt, er muss sich nur ein bisschen ausruhen.«

»Er sah so dünn und zart aus. Ich ertrage die Vorstellung nicht, ihn zu verlieren.«

»Ich weiß, mein Schatz, ich weiß.« Er nahm mein Kinn und hielt mein Gesicht so, dass ich ihn anschauen musste. »Aber die Kinder und ich werden immer für dich da sein. Du hattest recht: Wir müssen netter zu einander sein.«

Jetzt weinte ich ebenso sehr um Greg und mich wie um meinen Vater.

»Jeder hat mal schwierige Zeiten, so ist das im Leben«, fuhr er fort. »Das muss nicht heißen, dass es das Ende ist, manchmal ist es die Mitte, nur ein Punkt auf der Reise.«

Er war so viel erwachsener als ich, stellte ich fest, und dann fiel mir ein, dass ich ihn anfangs genau deswegen geliebt hatte. Und ich hatte ihn so sehr geliebt. Als wir gerade erst zusammengezogen waren, bin ich immer ganz aufgeregt nach Hause gestürmt, wenn ich sein Auto vor der Tür stehen sah, und war glücklich, dass er da war und auf mich wartete. Ich war diejenige, die menschliches Verhalten eigentlich verstehen sollte, und dennoch war Greg, trotz seiner Eigenheiten, so viel stabiler als ich.

Als Erste rührte sich Kitty und setzte sich auf, dann Leo. Kitty schob Greg und mich näher zusammen.

»Küsst euch«, sagte sie.

»Ärks«, sagte Leo. »Muss das sein?«

»Warum nicht? Hast doch selber im Park eine abgeleckt«, sagte Kitty.

Leo trat sie.

»Was genau bedeutet das?«, fragte ich.

»Er hat ein Mädchen geküsst.«

»Bei uns hieß das noch knutschen.«

»Naja, die Dinge ändern sich, es ist nicht mehr alles wie zu deiner Zeit«, sagte Leo in Schnellster-weißer-Rapper-der-Welt-Sprache und starrte Kitty dabei drohend an.

Wir schauten uns alle an und lächelten. Ich hatte das Gefühl, ein Teil des Wahnsinns der letzten Monate schwand dahin.

»Es tut mir leid, Greg«, sagte ich.

»Was denn?«

»Alles.«

Unsere kleine Familienidylle wurde dadurch gestört, dass Janet sich in einer Ecke übergab und aus dem oberen Stockwerk erhobene Stimmen kamen. Bea und Zuzi hatten offenbar Streit.

Der nächste Morgen war knackig frisch und strahlend. Bea strich wütend Butter auf Brote. Die dicken Brauen waren zusammengezogen, weil sie gereizt war und sich konzentrierte. Kitty stand hinter ihr, bürstete ihr das Haar und übte mit ihr das Eheversprechen ein, das extra für gleichgeschlechtliche Paare formuliert war.

»Woher hast du das denn?«, fragte ich und deutete auf den ausgedruckten Zettel in ihrer Hand.

»Dafür gibt's extra eine Website, MrsandMrs.com«, sagte sie mit der Selbstverständlichkeit eines Kindes des einundzwanzigsten Jahrhunderts.

»Du sagst *Ich, Bea Hawlowa, nehme dich, Zuzi Palachowas, zu meiner rechtmäßig angetrauten Partnerin.*«

Es waren zwar noch Monate bis zu ihrem schönsten Tag, den wir *Die lesbianische Hochzeit* nannten, aber die Vorbereitungen liefen auf Hochtouren und nahmen immer mehr Zeit in Anspruch. (Leo hatte eines Abends, während Sammy ihm das Holzschnitzen beibrachte und ich Abendessen kochte, eine Phantasie entwickelt, in der Bea und Zuzi nicht aus Tschechien stammten, sondern Eingeborene der Insel Lesbos waren und daher Lesbianerinnen seien.

»IchbrauchjanichtmeineganzeklassischeBildungverleugnen, Mum«, hatte er gesagt.

»Aber das klingt wie Marsianer«, hatte ich protestiert.

»Sindsiefürmichauch,wasfürneMösenverschwendung«, hatte er gesagt und mich damit ziemlich schockiert.)

Leo kam in die Küche und griff blindlings im Kühlschrank nach Orangensaft. Ich glaube nicht, dass er an einem Sonntag Morgen schon mal so früh auf gewesen war.

»Du bist böse Junge«, beschwerte sich Bea, »steht auf Stuhl und guckt durch Fenster über unsere Tür, wenn wir sind in Bett.«

Leo grinste unbehaglich und sagte nichts.

»Das hast du doch nicht wirklich getan?«, fragte ich.

Er zuckte unverbindlich mit den Achseln. »Alsohabich-
vielleichtundvielleichtauchnicht,dasistdochwohlmeineSache
undgehtauchsonstniemandenwasan,nurmich,undüberhauptist
dasnichts,worübermanausgerechnetmitseinerMuttersprechen
würde.«

»Er und Atlas auch immer gucken mit die Teleskop von Dach
von Haus von Ruthie in unsere Fenster«, sagte Bea und stieß ihr
Messer Richtung Leo.

Du lieber Gott, es war ja schön und gut, so wischi-waschi-
liberal zu sein, aber vielleicht sollten wir doch irgendwo eine
Grenze ziehen – zum Beispiel bei lesbischen Live-Sex-Shows
in unserem eigenen Haus für den heranwachsenden Sohn und
seine Freunde. Wobei es in Atlas' Fall eine therapeutische Wirkung gehabt zu haben schien, denn Ruthie hatte mir erst ein
paar Tage zuvor erzählt, er denke in letzter Zeit darüber nach,
ob er nicht doch heterosexuell sei.

Ich entkam der Peinlichkeit der erwachenden Sexualität
meines Sohnes, indem ich ins Wohnzimmer floh. Dort fand
ich Zuzi, die einen Becher Tee umklammert hielt, als müsse sie
jeden Tropfen Wärme daraus ziehen. Auf dem Tisch neben ihr
lag *Doktor Schiwago*, geschlossen. Sie hatte es endlich ausgele-
sen und starrte mit glasigen Augen vor sich hin.

»Für mich Ehe hört sich an wie Märchen. Meine Bea, jetzt
liebt mich, aber ist Liebe für mich stark genug? Vielleicht sie
findet andere Frau? Was ist, wenn ich bin nicht für sie ihre
Lara?«

»Das Risiko geht jeder ein. Entscheide dich, glücklich zu
sein.« (Wieder einmal erwies das Evangelium nach Dolly Parton
sich als kluger Ratgeber.)

Sie stellte ihren Becher ab und drehte den Verlobungsring
mit dem Saphir um ihren Finger. Saphir-Ringe für sapphische
Bräute.

»In Tschechien haben wir andere Sprichwort: *Erwarte nicht*

immer, Gutes zu passieren, aber lass dich nicht von Schlechtes erwischen.«

Ich sah schon: Dollys und mein Happy-Mantra kam gegen die tschechische Psyche nicht an. Osteuropäer waren wie Juden, wenn es darum ging, immer am Rande der Katastrophe zu leben und mit dem Schlimmsten zu rechnen.

»Warst du je mit einem Mann zusammen, Zuzi?«, fragte ich.

»Paar Mal, aber für mich ist schrecklich. Wird mir schlecht, wie sie riechen!« Sie zog angeekelt die Nase kraus.

Das war es, was ich an Männern am meisten liebte: ihren Geruch. Nicht bei allen, aber bei denen, zu denen ich mich hingezogen fühlte. (Es hatte in jüngster Zeit eine Menge Untersuchungen zu Pheromonen gegeben, die ich aufmerksam verfolgt hatte, um die Schuld an meiner Affäre irgendeinem anderen Umstand zuschreiben zu können als meiner Treulosigkeit; Iwan hatte mich sozusagen an der Nase herumgeführt. Was sorgte im olfaktorischen System Homosexueller wohl dafür, dass sie sich zum gleichen Geschlecht hingezogen fühlten? Ich nahm mir vor, Ruthie zu sagen, sie solle Atlas an Männern und Frauen riechen lassen und dann mal schauen, was ihm besser gefiel. So würde er ein für alle Mal rauskriegen, wo seine sexuellen Präferenzen lagen. Über all das nachzudenken faszinierte mich; daraus ließe sich ein prima Artikel für den *Psychological Review* machen. Zum ersten Mal seit Ewigkeiten fand ich meinen Beruf wieder spannend.)

Zuzi wirkte immer noch bedrückt.

»Also, Juri Schiwago am Anfang liebt Tonja, macht er sie zu seine Frau, und dann er geht im Krieg und verliebt in Lara und verletzt er Tonja so sehr. Vielleicht ich bin Tonja und nicht Lara, und wenn Bea findet Lara, sie verlässt mich.«

»Es gibt auch ein jüdisches Sprichwort«, sagte ich und zitierte einen von Dads Aphorismen: *»Hinterfrage keine Märchen.«*

Aus irgendeinem Grund hellte sich ihr Gesicht auf, und sie ging in die Küche zu Bea; jeder muss offenbar an ein *glücklich bis an ihr Lebensende* glauben.

Dad war hellwach und kritzelte kleine Amseln auf ein Blatt Notenpapier, als Sammy und ich ihn am Vormittag besuchen kamen. Helga erzählte uns, die Ärztin habe gesagt, er könne in ein paar Tagen nach Hause. Sie wirkte erschöpft, die Haare standen ihr in alle Richtungen, und ihre Kleider waren verknittert; auch der frisch aufgetragene Lippenstift konnte ihre Müdigkeit nicht verbergen. Wir schickten sie nach Hause, damit sie sich umziehen und ausruhen konnte.

»Helga zieht zu mir«, sagte Dad. »Sie sagt, sie will sich um mich kümmern. Ich brauche niemanden, der sich um mich kümmert, aber ich freue mich, wenn sie hierbleibt und wir richtig zusammen sein können. Aristoteles hat einmal gesagt: ›Ohne Freunde möchte niemand leben, auch wenn er alle übrigen Güter besäße.‹ Und da hat er recht. Am Ende sind all die kleinen Ärgernisse des alltäglichen Zusammenlebens doch nichts gegen die Liebe und Freundschaft, die man erhält. Wenn der Herzinfarkt auch sonst zu nichts nütze war, das habe ich immerhin gelernt.«

»Das ist schön«, sagte ich. »Wir mögen sie beide sehr, nicht wahr, Sammy?«

»Ja«, stimmte er zu, aber seine Augen sagten mir, dass er immer noch, nach all den Jahren, das Gefühl hatte, Mum zu betrügen.

»Es wäre doch schön, wenn du auch jemanden hättest, Sammy«, sagte Dad.

»Ich habe jemanden kennengelernt, eine Spanierin. Sie heißt Nieves.«

»Wie schön«, sagte Dad. »Mir gefällt der Gedanke gar nicht, dass du allein bist.«

Auf der anderen Seite des Raumes sah ich die hübsche Schwester, die ich am Tag zuvor so beschimpft hatte. Ihr Blick begegnete meinem, und sie lächelte. Ich ging zu ihr.

»Danke«, sagte ich. »Es geht ihm schon so viel besser.«

»Er ist auch ein ausgesprochen angenehmer Patient, ich wünschte, so wären sie alle«, sagte sie, als ein Mann in der Nähe

318

»Schwester, Schwester, Schwester!« rief und mit jedem Ruf lauter wurde.

Ich wandte mich wieder Dad zu. Im Bett neben ihm lag ein alter Mann, blass und reglos. Seine Familie saß ernst um sein Bett herum, auf das Schlimmste gefasst. Ich betrachtete eins der Gesichter, eine Frau in ungefähr meinem Alter, die seine Tochter sein musste. Sie schaute auf, als habe sie meinen Blick gespürt, und wir lächelten uns schüchtern an. Wir waren beide Töchter, die eine besondere Beziehung zu ihren Vätern hatten. Ich wollte Dad so schnell wie möglich hier rausholen und ihn in Sicherheit bringen, als wäre das Schicksal des anderen Vaters ansteckend.

»Ich mache jetzt mal ein kleines Schläfchen, und ihr zwei habt doch bestimmt jede Menge zu tun, also ab mit euch«, sagte Dad und gab jedem, wie immer, drei Küsse.

Auf dem Weg nach unten sagte Sammy: »Ich habe Madges Armie gefunden.«

»Und?«

»Er ist nach Jamaika zurückgegangen.«

»Und was hast du jetzt vor?«

»Ich weiß nicht, was ich tun kann; ich muss wohl mal sehen, ob ich aus den jamaikanischen Behörden irgendwas rauskriege, und Madge so lange erzählen, dass ich noch am Suchen bin.«

Die Raucher hielten immer noch schweigend Wache am Krankenhauseingang, gegen die Kälte fest in Bademäntel und Pullover eingewickelt. Als wir an ihnen vorbeikamen, klingelte mein Handy; es war Ruthie.

»Bea hat mich gerade angerufen; Zuzi ist verschwunden«, sagte sie.

»Wie, verschwunden?«

»Sie hat eine Nachricht hinterlassen: Bea soll sie am Bahnhof treffen, und sie will die Kraft ihrer Liebe testen. Sie hat allerdings nicht gesagt, an welchem Bahnhof.«

Es war *Doktor Schiwago*: Lara ging voraus, und Juri Schiwago versprach, ihr zu folgen. Oder wollte Zuzi sich wie Anna Karenina vor einen Zug werfen?

»Ach du Scheiße«, sagte ich, »warte mal, ich muss kurz nachdenken.« Bahnhof. *Woksal*. Ich erinnerte mich: Bei einer unserer postkoitalen Plaudereien, die Iwan und ich immer so genossen hatten, hatte er mir erzählt, dass das russische Wort für Bahnhof von Vauxhall Station abgeleitet war. Angeblich hat man Zar Nikolaus I, als er 1844 auf Staatsbesuch in London war, die Züge in Vauxhall Station gezeigt. Er nahm fälschlicherweise an, Vauxhall (oder auf Russisch *Woksal*) bedeute Bahnhof. Es war nur eine Vermutung, aber eine plausible, in Anbetracht all der russischen Literatur, die der Russisch-Tschechische Buchclub in den letzten Monaten gelesen hatte.

»Ich fahre hin«, sagte ich zu Ruthie, wieder einmal um Beas Glück bemüht. »Ich glaube, ich weiß, wo sie ist. Setz Bea in ein Taxi, wir treffen uns in Vauxhall Station.«

Als ich die Straße zum Bahnhof entlanghetzte, sah ich Bea aus einem Taxi steigen und hineinlaufen. Ich ließ mich zurückfallen; dies war ihre Geschichte, nicht meine. Ich wartete und rief unterdessen im Krankenhaus an, fragte nach Dad und erfuhr, dass er schlief. Kurz darauf kamen Bea und Zuzi aus dem Bahnhofsgebäude. Sie hielten sich eng umschlungen und lachten und weinten gleichzeitig. »Affenhochzeit« haben Sammy und ich es als Kinder genannt, wenn es gleichzeitig regnete und die Sonne schien.

»Woher Sie wussten, dass sie ist hier?«, fragte Bea.

»*Woksal*«, sagte ich achselzuckend.

»P.O.B.« *Passenger on Board* simste ich Ruthie und schwenkte auf die mittlere Fahrspur, während vom Rücksitz tschechisches Liebesgeflüster kam.

»Habe ich ihr gesagt, sie ist zu sensibel für russische Literatur, nimmt zu sehr zu Herzen, die ganze Gefühle, ist zu viel für sie, und läuft sie weg«, erklärte Bea von hinten, »aber darum ich liebe sie, hat sie so zartes Herz.«

Ich sah die beiden kurz im Rückspiegel an. Zuzi hatte den Kopf an Beas Schulter gelegt, und Bea streichelte ihr den Arm.

»Bin ich ihre Lara«, sagte Zuzi. Ihr unschuldiger Glaube, dass Liebe genüge, hätte mich fast zum Weinen gebracht. Es brauchte so viel mehr als Liebe, um ein Leben in einer Partnerschaft zu verbringen.

Ich hielt vor einer Ampel und schaute wieder in den Spiegel. Bea legte ihre Hand beschützend auf Zuzis kleines Bäuchlein. Ob sie schwanger war? Aber woher sollten sie das Sperma gehabt haben? Kurz hatte ich eine erschreckende Vision, dass sie es Leo bei seinen nächtlichen Ejakulationen im Schlaf geraubt haben könnten. Als die Ampel umsprang, wurde mir plötzlich schlagartig klar, dass nicht Zuzi schwanger war, sondern ich. Ich rechnete rückwärts und erinnerte mich, dass meine letzte Blutung zehn Tage vor dem Tag gewesen war, an dem ich sowohl mit meinem Liebhaber als auch mit meinem Mann geschlafen hatte. Ich hatte mit beiden nicht verhütet. Das bedeutete, dass ich im dritten Monat war und keine Ahnung hatte, wer der Vater war.

»Alles klar?«, fragte Greg, als ich die Tür öffnete. »Du bist ja kreidebleich.«

Ich konnte es ihm jetzt nicht sagen, ich musste erst mal nachdenken. Wie sollte ich denn noch ein Baby bekommen? Wie sollte ich denn nochmal ganz von vorn anfangen? Schlaflose Nächte, Windeln, vierundzwanzig Stunden am Tag Überwachung, wie es bei einem Kleinkind eben nötig ist. Wieder keinen Satz zu Ende sprechen, kein Buch lesen. Aber dann fiel mir der süße, milchige Duft ein, und wie die kleinen Wesen sich recken und strecken und lustige Babygesichter ziehen, die kleinen Arme nach oben strecken, die ihnen gerade mal bis über den Kopf reichen. Die Ankunft eines ganz neuen Menschen, komplett und vollkommen. Man sollte kein Kind bekommen, um eine Beziehung zu retten; andererseits konnte es eine Chance für Greg und mich bedeuten. Außer dass es vielleicht nicht sein Kind war. Womit es das Ende wäre, nicht ein Anfang. Ich hatte zu Dad gesagt, dass ich es noch einmal neu versuchen wollte, dieses Leben zurückspulen und von vorn anfangen – war dies ein Zeichen, dass ich ein neues Leben mit Iwan anfangen sollte? Konnten wir ein Kind haben und glücklich sein bis an unser Lebensende? Wie ging noch das jüdische Sprichwort? *Wenn zwei Geschiedene heiraten, gehen sie zu viert ins Bett.* Oder eher zu acht, mit den Kindern, beziehungsweise zu neunt, wenn man das Baby auch noch mitrechnete.

In meinem Wohnzimmer saß BB und hielt der versammelten Gemeinde einen Vortrag darüber, wie wichtig Sex für eine Beziehung sei. Es fand eine richtige Party statt. BB sah hinreißend aus, trotz ihres grotesken Huts in Rosa und Weiß, der einer umgedrehten Eistüte ähnelte. Jezzie saß an ihrer einen Seite, Jessie schien auf der anderen Seite auf ihrem Stuhl festgefroren zu sein. Jezzie grinste ein Was-bin-ich-für-ein-toller-Hecht-Grinsen, als BB auf seine sexuellen Fähigkeiten anspielte, und Jessie sah aus, als hätte sie ihre Seele aus ihrem Körper verbannt, um dieser unfassbaren Peinlichkeit zu entgehen. Drei osteuropäische Lesben, die Bea in der Stunde der Not zusammengetrommelt hatte, hingen an BBs Lippen, vor allem, als sie einen detaillierten Exkurs darüber begann, wie wenige Männer den weiblichen Körper überhaupt verstünden, und dass sie, wenn sie nicht so gern gefickt würde, bestimmt selbst lesbisch wäre. Eine große, ernst wirkende Frau mit blondgefärbtem Kurzhaarschnitt kritzelte etwas auf ein Blatt Papier und schob es ihr vor Jeremys Nase zu. »Wenn Sie überlegen es sich anders, rufen mich bitte an.«

Das würde BB ähnlich sehen. Ich sah schon ihren nächsten Buchtitel vor mir: *Die sapphische Liebe: der wahre weibliche Orgasmus* oder so was. Jeremys eingebildetes Lächeln wurde für einen Moment unsicher, und Jessie, die schon ganz elend aussah, fand endlich die Kraft aufzustehen und zu gehen.

»Jezzie und ich heiraten«, flüsterte BB mir zu. »Ich glaube, das verkünde ich jetzt mal allen.« Sie griff schon nach ihrer Gabel, um damit ans Glas zu klopfen.

»Ich weiß nicht«, sagte ich und hielt ihre Hand fest. Ich schaute zu Bea und Zuzi hinüber, die engumschlungen beieinandersaßen. »Lass erst Bea und Zuzi ihren Moment genießen.«

BB hielt inne und schaute mich an. »Du hast recht«, sage sie. »Ich bin manchmal furchtbar egoistisch, was? Ich weiß gar nicht, warum du es mit mir aushältst.«

Das wusste ich auch nicht, aber vielleicht lag es daran, dass sie doch irgendwie immer unterhaltsam war. Dass sie es manchmal selbst merkte, wenn sie zu weit ging, versöhnte mich immer wieder mit ihr. Jeder sollte eine absurd schöne Freundin haben, es ist, wie ein Kunstwerk zu besitzen: Wie schwierig es auch immer war, es zu erwerben und zu behalten, letztlich konnte einem nichts die Freude daran verderben, es zu betrachten.

Jetzt betrachtete BB mich und sagte leise: »Es ist vorbei, oder?«

»Was?«

»Deine Affäre mit Iwan.«

»Ich weiß nicht, was du meinst.«

»Ach komm, Chloe, du weißt doch, dass ich Hexenkräfte habe. Den Verdacht hatte ich schon ewig, aber bei Berties Gala war ich mir dann sicher. Aber jetzt sehe ich dir an, dass es vorbei ist.«

War es vorbei? Vielleicht. Was hatte Ruthie noch gesagt? Manchmal wissen andere Leute Dinge über einen, die man selbst noch nicht weiß.

»Willst du Jeremy wirklich heiraten?«, fragte ich, um das Thema zu wechseln.

»Ja. Am Anfang ist die Ehe immer der Himmel, oder?«

»Ich weiß nicht«, sagte ich. »Ich war erst einmal verheiratet und bin es immer noch.«

Aber ich wusste, was sie meinte; der Anfang einer Beziehung war immer himmlisch. Das hatte ich an meiner Affäre mit Iwan geliebt. Die traurige Wahrheit war aber, dass es keine Garantie gab, dass es so weitergehen würde, und dass wir höchstwahrscheinlich in diesem Zustand irgendwo zwischen Zufriedenheit und Gleichgültigkeit rutschen würden, der das Schicksal der meisten Ehepaare ist.

Greg kam mit ernstem Gesicht auf mich zu. Wollte er mich wegen Iwan zur Rede stellen?

»Chloe, Helga hat gerade angerufen. Bertie hatte noch einen Infarkt. Er ist auf der Intensivstation.«

Dreiundzwanzigstes Kapitel

Unter der Sauerstoffmaske war Dads Gesicht kaum zu sehen. Helga stand am Fußende des Bettes und sprach mit einem Arzt. Ich freute mich, dass er über vierzig war und wie ein Chefarzt aussah. Er wandte sich mit ernstem Gesicht zu uns um, als ich mit Greg und Sammy hereinkam.

»Das sind Mr Schiwagos Sohn, seine Tochter und der Schwiegersohn«, erklärte sie und stellte sich neben mich. »Mr McTernan ist auch Arzt«, fügte sie hinzu und legte Greg die Hand auf den Arm.

Der Arzt lächelte Greg knapp an; das Lächeln eines Profis, der weiß, dass er einem Kollegen sagen kann, was Sache ist.

»Mr Schiwago hatte einen schweren Myokardinfarkt und ist sehr schwach«, sagte er. »Wir behandeln jetzt medikamentös, er bekommt eine Gentamicin-Infusion und Hyperium i. v. Außerdem kontrollieren wir den Sauerstoffgehalt im Blut und machen ein Rhythmusmonitoring.«

»Was ist mit einer OP?«, fragte Greg.

»Seine Arterien sind für einen Bypass nicht geeignet, fürchte ich, und für eine Transplantation ist er zu alt. Wir müssen einfach abwarten.«

Mehr als seine Worte beunruhigte mich das, was ich ihm ansah. Greg gefiel es auch nicht; er zog mich an sich. Draußen war es dunkel, und drinnen war es still bis auf Dads Atem. Eine Schwester bewegte sich um ihn herum, kontrollierte seinen Blutdruck und überprüfte die verschiedenen Tropfe. Sie wollte uns anscheinend nicht ins Gesicht sehen.

Wir saßen die ganze Nacht dort, alle vier, und beobachteten, wie Dads Brust sich angestrengt hob und senkte. Ich glaube, wir alle wussten, dass es seine letzte Nacht sein würde, und wollten ihn keinen Augenblick allein lassen. Wir sprachen nicht viel, hielten einander nur die Hand und wischten uns die Tränen fort. Abwechselnd hielten wir auch Dad die Hände, bewegten uns stumm ums Bett und tauschten einen Fuß gegen eine Hand; es war, als würden wir ihn dadurch, dass wir ihn berührten, am Leben halten. Helga sang leise:

Bertie is from England
Schiwago is his name
Lives in Temple Fortune
On High Market Lane
Building Number Twenty
The doorbell's just the same.

Es war der Vers, den Jürgen auswendig gelernt hatte, um Dad nach dem Krieg wiederfinden zu können.

Einmal in dieser stillen, dunklen und zeitlosen Nacht, hielt ich für ein paar Minuten allein Wache. Ich nahm Dads Hand und streichelte sie, führte sie an mein Gesicht und küsste sie. Ich wollte ihm noch so viel sagen. Ich wollte ihn anflehen, uns nicht zu verlassen, ich wollte noch einmal mit ihm lachen, mich an seiner Wärme, seiner Weisheit und seinem Humor freuen und ihm für all die Liebe danken, die er mir mein ganzes Leben lang geschenkt hatte. Aber nichts davon konnte ich sagen; er sollte nicht wissen, dass er im Sterben lag. Und so sagte ich das Einzige, was möglich war, Worte, die nicht im Geringsten ausdrücken konnten, was ich für ihn empfand: »Ich liebe dich, Dad.«

Er bewegte sich und zog sich plötzlich die Sauerstoffmaske vom Gesicht.

»Ich liebe dich auch«, sagte er und sah mich an. »Weißt du, worauf ich am stolzesten bin?«

Ich traute mich nicht, etwas zu sagen, und schüttelte nur den Kopf.

»Auf meine Familie; dass ich Vater und Großvater bin.« Seine Stimme klang erstaunlich normal. Er lächelte mich ganz liebevoll an, tätschelte mir die Hand und schloss die Augen. Ich legte ihm die Sauerstoffmaske wieder auf und strich das weiche, silbrige Haar auf seinem klugen Kopf glatt, der so voller Wissen, Sprichwörter, Musik und Noten war. Wo würde das alles hingehen? Es musste doch alles irgendwohin, es konnte doch nicht einfach gelöscht werden wie das Licht, auf Knopfdruck. Helga kam zurück und setzte sich auf seine andere Seite. Unsere Hände berührten sich, als wir ihm den Kopf streichelten.

Ich dachte an ihn als jungen Mann in einem Wald in Italien, der das ganze Leben noch vor sich und doch Todesangst hatte, mit der Waffe eines feindlichen Soldaten an der Schläfe. Ich dachte an all die Wechselfälle seines Lebens, die ihn hierher gebracht hatten, mit der Witwe ebenjenes deutschen Soldaten neben sich, die ihn an seinem Ende liebte, als der Tod wieder unabwendbar zu sein schien. Wie seltsam es wäre, wenn wir von Anfang an wüssten, wie unser Leben sich entwickelt. Ich saß da, in mir regte sich neues Leben, die ersten Bewegungen eines Babys, die sich wie platzende Blasen in mir anfühlten. Mein ganzes Leben lang hatte ich mich davor gefürchtet, meinen Vater zu verlieren, und jetzt gab es wohl kein Entkommen mehr. All die Sternschnuppen, bei denen ich mir etwas gewünscht hatte, die Pusteblumen, das Salz, das ich mir über die Schulter geworfen hatte, und die dabei gemurmelte Beschwörung *Lass Daddy leben bis er vierundneunzig ist und dabei immer gesund bleiben* (ein Alter, das ich einfach aus der Luft gegriffen hatte, weil es so unmöglich alt und weit weg schien): Nichts davon hatte funktioniert.

Warum war ich beide Male schwanger, als meine Eltern starben? Es war eine grausame Erinnerung an den ewigen Kreislauf des Lebens, jede Geburt wurde mit einem Tod bezahlt. Als Mum starb, wuchs Kitty in mir, und ich dachte immer, dass ihre Geburt auch eine Art Wiedergeburt meiner Mutter sei. Ich hatte das Material, die DNA, um meine Mutter gewissermaßen wieder zu erschaffen, allerdings nicht zu ersetzen, denn es gibt keinen Ersatz. Jetzt lag Dad vor uns und schied dahin, wieder wuchs in mir neues Leben, ein neues Familienmitglied, das etwas von meinem Vater in sich tragen würde. In diesem Moment wusste ich: Was auch immer geschehen würde, wer auch immer der Vater war, ich würde dieses Baby bekommen. Und ich wusste auch, dass es ein Junge war.

Früh am Morgen kam der Chefarzt wieder. Er nahm Sammy und mich beiseite.

»Sie sollten wissen, dass der Zustand Ihres Vater sehr ernst ist«, sagte er. Ich glaube, bis zu dem Moment hatte ich noch gehofft, dass unsere Liebe ihn am Leben erhalten könnte. Sammy und ich umarmten uns und weinten.

»Wir müssen die Kinder holen«, sagte ich zu Greg.

»Ist das nicht zu schwierig für sie?«, fragte Helga.

»Sie würden es uns nicht verzeihen, ihn nicht nochmal gesehen zu haben.«

Ich hatte Ruthie gebeten, bei den Kindern zu bleiben, und ging hinaus, um sie anzurufen. Mir versagte die Stimme, als ich es ihr erzählte. Als ich den Gang wieder zurückging, erwachte das Krankenhaus zum Leben; hier und da plauderten Ärzte und Schwestern und lachten. Ihre Normalität verletzte mich. Wie soll ich das ertragen? Die Frage wiederholte sich endlos in meinem Kopf. Ich verstand, warum Madge verrückt geworden war; Trauer ist zu schmerzhaft und kann einen an einen anderen Ort treiben.

Ruthie kam mit Kitty und Leo, deren Gesichter von einem Kummer erfüllt waren, für den sie viel zu jung schienen. Sie bemühten sich tapfer, nicht zu weinen. Und so standen wir alle um Dad herum, schauten und warteten, wie der Arzt es gesagt hatte, aber alle in dem Wissen, dass es ein Abschied war. Plötzlich setzte Dad sich auf und nahm die Sauerstoffmaske ab. Er sah uns alle an.

»Hallo, Leute«, sagte er. Er freute sich, uns zu sehen, und klang, als hätte er gerade die Tür aufgemacht und uns hereingebeten. Einen Augenblick lang hoffte ich, er würde sich wieder erholen, aber dann fiel mir ein, dass dem Tod angeblich oft noch ein lichter Moment vorausgeht. Dad sah uns alle nacheinander an, wie um sich unsere Gesichter einzuprägen, ließ sich in die Kissen sinken, schloss die Augen und atmete aus, in einem langen, loslassenden Seufzer. Er hatte uns verlassen. Am Ende war sein Tod wie sein Leben: würdevoll und ruhig.

Ich weiß nicht, wieso ich loszog und eine Schere suchte, um Dad eine Locke seines silbernen Haars abzuschneiden. Vielleicht war es dasselbe Bedürfnis, ein Stück des geliebten Menschen zu behalten, wie bei dem Jungen in Iwans russischer Geschichte, der der toten Geliebten die Nase abbeißen wollte. Ich drückte Leo und Kitty an mich. In diesem Moment wusste ich, abgesehen von dem unerträglichen Schmerz, meinen Vater verloren zu haben, einem Schmerz, der mich für immer zu erdrücken drohte, dass ich bei Greg bleiben würde und dass meine Affäre mit Iwan, wie BB es gesagt hatte, wirklich vorüber war.

Vierundzwanzigstes Kapitel

Ich sah Iwan noch ein einziges Mal. Es war einige Wochen später, nach der Trauerfeier, nachdem der anfängliche brennende Schmerz einem stumpfen, dauerhaften Kummer gewichen war. Jeden Morgen, wenn ich aufwachte, hatte ich einen kurzen Moment lang ein Gefühl der Normalität, bis mir einfiel, dass ich in einer Welt aufwachte, zu der mein Vater nicht mehr gehörte. Dann kehrte der gewohnte, drückende Kummer für den Rest des Tages zurück. Die Trauerfeier hatte zwei Tage nach Dads Tod stattgefunden, weil Sammy und ich uns darauf besannen, dass wir Juden waren. Juden bestatten ihre Toten so schnell wie möglich. Ich hatte immer geglaubt, das sei wegen der Hitze in der Wüste, aber Ruthie hatte mir erklärt, dass es als entehrend gilt, einen Körper noch bei den Lebenden zu behalten, wenn die Seele bereits zu Gott zurückgekehrt ist. Wir beerdigten Dad allerdings nicht, sondern ließen ihn einäschern, was im Judentum strenggenommen verboten ist. Offenbar muss der Körper verwesen und der Seele Trost spenden, während sie langsam entweicht. Dad hatte ausdrücklich eine Einäscherung gewollt. »Was weg ist, ist weg«, hatte er immer gesagt, »und außerdem gefällt mir der Gedanke nicht, in einer Kiste in der Erde zu liegen, während meine Seele langsam entweicht.«

»Geburten, Hochzeiten und Todesfälle, da ist einem die Religion plötzlich wieder nah«, sagte Sammy, als wir ein paar Tage nach Dads Tod in dessen Wohnung saßen. Vom Krankenhaus aus waren wir auch alle hergekommen; es schien das Naheliegendste zu sein, als könnten wir so bei ihm bleiben und ihn am Leben erhalten. Die Wohnung roch noch nach ihm, das Klavier war noch offen, wie er es hinterlassen hatte, und winzige Staubkörnchen tanzten im Frühlingssonnenlicht, das ungerührt unseren Kummer beschien. Es war still und leise im Raum, als wüsste das Klavier, dass die Hände meines Vaters es nie mehr zum Klingen bringen würden. Seit der Trauerfeier waren wir die meiste Zeit hier gewesen und hatten Schiwa gesessen, wie es Sitte war. Ruthie hatte uns etwas zu essen gebracht und nach uns geschaut, und wir saßen da und weinten und sprachen über unsere Erinnerungen an Bertie.

»Juden machen ein paar Sachen wirklich gut«, fuhr Sammy fort. »Ich meine, es ist doch klar, warum sie ihre Kleider zerreißen. Das hilft, seinen inneren Zustand nach außen hin auszudrücken. Genauso fühle ich mich. Zerrissen. Du nicht?«

Sammy war, wie es im Judentum üblich ist, in der Zeit der Trauer unrasiert und trug ein zerrissenes Hemd.

Er sah aus, wie ich mich fühlte – beraubt, ein Waisenkind. Wenn die Eltern sterben, ist es egal, wie alt oder erwachsen man ist; man fühlt sich allein und verlassen. Wenn sie sterben, stirbt ein Teil von einem selbst mit, das junge Selbst, die Kindheit. Es ist niemand mehr da, der einem sagen könnte, wie man als Baby war, welche Worte man als erste gesprochen oder womit man am liebsten gespielt hat. All diese Erinnerungen werden mit beerdigt. Ich war niemandes Tochter mehr. Das Sicherheitsnetz war weg, es lag keine Generation mehr zwischen uns und dem Tod. Am Ende dieser schrecklichen Woche war Helga nach Deutschland zurückgekehrt, und wieder fühlten wir uns alleingelassen und verwaist.

»Aber das versteht ihr doch, oder?«, hatte sie gesagt. »Ich muss zu meinen Kindern. Aber ich komme euch ganz oft besuchen; wir werden immer zusammengehören.«

Ein paar Wochen später waren Sammy und ich in die Wohnung gegangen, um ein vollendetes Leben zu sichten, zu sortieren und in Kisten zu verstauen. Ich fand dort einen Teil unserer Kindheit in Schubladen versteckt, in Form von vergilbten Schulzeugnissen und den unsinnigen kleinen Liebesbriefen, die ich Dad geschrieben hatte und er mir. Er hatte sie alle aufbewahrt, in einer kleinen Holzschachtel ganz hinten in einer Schublade. Töchter lernen das Lieben, wenn sie Glück haben, von ihren Vätern. Die Briefe überwältigten mich; ich spürte wieder von neuem, was ich verloren hatte.

(»Sei doch froh, dass du so lange einen Dad hattest«, hatte BB am Tag zuvor in meiner Küche gesagt und mir ihre Hand entgegengestreckt, damit ich ihren Verlobungsring von Jeremy bewundern konnte. »Hatte ich nicht.«

BBs Vater war gestorben, als sie zehn war. »Hier, ich habe was für dich, das wird dir guttun.« Sie reichte mir einen Briefumschlag; darin war ein Gutschein für eine Behandlung bei Rasa Rastumfari, dem legendären Darmspüler. War ja bestimmt gutgemeint, aber glaubte sie wirklich, ein sauberer Darm würde mich über den Tod meines geliebten Vaters hinwegtrösten?)

Sammy fand mich in Tränen aufgelöst in Dads Schlafzimmer, wegen eines Fotos, das ich dort entdeckt hatte. Darauf war ich als Vierzehnjährige zu sehen, neben meinem Vater. Meinen Kopf hatte ich an seine Schulter gelegt. Er war mir halb zugewandt und lächelte. Ich erinnerte mich an den Tag, an dem es aufgenommen wurde; der Tag nach Grandma Bellas Beerdigung. Ganz kurz zuvor hatten Dad und ich noch zusammen geweint. Sammy hatte einen Pappkarton in der Hand, den er im gleichen Schrank gefunden hatte, er trug die pathetische Aufschrift »Meine Jugend«. Er setzte sich neben mich und ließ seine Vergangenheit durch seine Finger wandern.

»Ginny Bests Vagina«, sagte er plötzlich und hielt etwas hoch.

»Wie bitte?«

»Diese Fotos. Die habe ich von ihrer Vagina gemacht, oder besser gesagt von ihrer Vulva. Da waren wir vielleicht neunzehn. Gar nicht schlecht«, sagte er und betrachtete das Bild näher.

»Die Vulva oder das Foto?«

»Beides. Ich war ein ganz guter Fotograf.«

Er hatte früher Stunden im Badezimmer verbracht, das er in eine Dunkelkammer verwandelt hatte, und ich hatte ungeduldig an die Tür gehämmert.

»Was soll ich damit machen?«, fragte er jetzt.

»Sie ihr schicken?«, schlug ich vor. »Wegwerfen?«

»Willst du sie vorher noch sehen?«

»Lieber nicht.«

Diese Entdeckung hob unsere Laune ein wenig, und als Iwan mir kurz darauf eine SMS schickte, ob wir uns treffen könnten, verabredete ich mich in einem Café um die Ecke mit ihm.

Es ist der Tod, der alles verändert, nicht die Liebe. Wie gut Iwan aussah! Ein gutaussehender Fremder. Mir war klar, warum ich ihn begehrt hatte, aber es bestand keine Verbindung mehr zwischen uns. Anfangs gaben wir nicht recht zu, dass wir uns nun voneinander verabschiedeten; das brauchten wir auch nicht, wir wussten es beide. Ich saß ihm gegenüber, fuhr mit dem kleinen Finger über die Narbe in seiner Augenbraue und las die Brailleschrift seines Gesichts, um sie mir zu merken.

»Becky und ich, wir lassen uns scheiden«, sagte er. »Es ist schrecklich, wie ich sie behandle, das hat sie nicht verdient.«

»Und wie geht es ihr?«

»Ich glaube, sie ist erleichtert.«

Wir schwiegen einen Moment lang.

»Es tut mir so leid, mit deinem Vater …«, fing er an.

Mir kamen schon wieder die Tränen. »Ich muss los«, sagte ich, »Sammy wartet auf mich.«

»Wenn du mich brauchst, oder sich was ändert …«, sagte er, als ich ging.

Ich legte ihm einen Finger auf die Lippen, und dann küsste ich ihn, wie er einst mich geküsst hatte, als alles anfing.

An der Tür drückte er mir einen Zettel in die Hand. Darauf stand ein russisches Gedicht.

»Eine letzte Nachricht«, sagte er und lächelte traurig. »Entschuldige, dass ich mir die Worte eines anderen ausleihe, um meine Gefühle auszudrücken. Das sind die Worte des größten russischen Dichters, Alexander Puschkin.«

Er nahm mich ein letztes Mal in den Arm, drehte sich um und ging.

Ja was ljubil: ljubow jeschtschjo, byt moschet,
V dusche mojei ugasla ne sowsem;
No pust ona was bolsche ne trewoschit:
Ja ne chotschu petschalit was nitschem.
Ja was ljubil besmolwno, besnadeschno,
To robostju, to rewnostju tomim:
Ja was ljubil tak iskrenno, tak neschno,
Kak dai wam bog ljubimoi byt drugim.

Diesmal würde ich Wolodja nicht um eine Übersetzung bitten. Instinktiv wusste ich, dass dies zu intim und zu traurig war. Stattdessen ging ich an Dads Computer und suchte mir eine Übersetzung im Internet:

Ich liebte dich: vielleicht ist noch bis heute,
In meiner Brust dies Feuer nicht verglüht;
Doch will ich nicht, daß sie dein Schmerz erneute –
Nichts soll fortan erregen dein Gemüt!.
Ich liebte dich mit hoffnungslosem Schweigen,
Bald schüchtern, bald durch Eifersucht betrübt;
Ich liebte dich so innig, so treueigen –
Gott gebe, daß ein andrer dich so liebt!

Puschkin hat es 1829 geschrieben. Nichts ist neu in der Liebe, und das ist ein bisschen tröstlich.

Danach sah ich Iwan nicht mehr. Ich konnte es nicht. Das Wissen, dass das neue Leben, das in mir wuchs, zum Teil seines sein könnte, machte es mir unmöglich, ihn zu sehen. Die einzige Möglichkeit, damit umzugehen, waren ganz klare Grenzen:

seine Existenz zu verdrängen und mir einzureden, nichts davon sei passiert, und ich sei einfach eine verheiratete Frau, die das dritte Kind bekam.

»Soll ich Greg von Iwan erzählen?«, hatte ich Ruthie eines Nachmittags am Telefon gefragt.

»Regel zwei, weißt du nicht mehr?«, sagte sie. »*Gesteh niemals: Die Suppe, die du dir einbrockst, musst du schon allein auslöffeln.*«

»Aber ich muss ihm ja wohl sagen, dass ich schwanger bin.«

»Ja, das musst du wohl.«

Greg kam zur Tür herein und sah sehr zufrieden aus. Er hielt mir einen Zettel unter die Nase. »Lies mal:«

Betr: Bußgeldbescheid wegen unerlaubten Fahrens in der Stauzone

»Sehr geehrte Damen und Herren,

ich habe sehr darauf geachtet, erst nach 18.30 Uhr in die Stauzone zu fahren.

In Ihrem Schreiben informieren Sie mich darüber, dass Ihr System mit der »Rugby-Atomuhr« synchronisiert sei. Ich habe mich, bevor ich in die Stauzone gefahren bin, sowohl auf meiner Armbanduhr als auch auf der Uhr im Auto davon überzeugt, dass es 18.30 Uhr war. In Ihrem ersten Schreiben behaupten Sie, ich sei zwei Minuten und sechsundvierzig Sekunden vor 18.30 Uhr in die Stauzone gefahren – wahrscheinlich laut der »Rugby-Atomuhr«. Ich betrachte mich als sehr pünktlichen Menschen und habe immer großen Wert darauf gelegt, dass alle meine Uhren richtig gehen. In Zukunft werde ich meine Uhren also auch noch mit einer Funkuhr abgleichen, bevor ich mich abends in die Londoner Stauzone begebe.

Dennoch möchte ich die beiden Punkte aus meinem ersten Schreiben wiederholen:

1) Ich gehe davon aus, dass eine Zeitüberschreitung von weniger als drei Minuten im Toleranzbereich liegt.
2) Wenn die Stadt Wert darauf legt, dass alle Autofahrer sich atomuhrgenau an die Stauzeiten halten, dann sollten an jeder Kreuzung innerhalb der Stauzone Uhren aufgestellt werden, die die entsprechende Zeit anzeigen.

Ich bitte nochmals in aller Form um die Beachtung dieser beiden Punkte und um Zurückziehung des Bußgeldbescheids.

Mit freundlichen Grüßen
Greg McTernan«

»Sehr schön, Schatz«, sagte ich. »Ich bin schwanger.« (Na ja, wann *ist* denn der richtige Zeitpunkt für solch eine Eröffnung?)

»Da sollen die doch erst mal drüber nachdenk… Was?«

»Ich bin schwanger.«

Er schaute mich an; ein langer, harter, berechnender Blick. »Aber wir hatten in letzter Zeit kaum Sex, und du hast doch das Pessar benutzt, oder?«

»Du bist Arzt, du weißt doch, dass einmal reicht. Und nein, ich habe das Pessar nicht benutzt. Hast du das vergessen? Das hast du letztes Jahr versteckt, und wir haben es noch nicht wiedergefunden.«

»Ach ja«, sagte er verlegen. »Du hättest dir ja ein neues holen können.«

»Es schien die Mühe nicht wert«, sagte ich etwas schärfer als beabsichtigt.

Er schien etwas sagen zu wollen, seine Meinung dann aber zu ändern. »Was willst du tun, Chloe?«

Wir standen in der Küche, Greg lehnte am Kühlschrank neben dem Foto von uns allen draußen vor dem Haus, als wir uns zu Dads Gala auf den Weg gemacht hatten. Am Ende hatte Dad doch recht gehabt: Es war eine Ehrung für sein Lebenswerk, kurz bevor sein Leben zu Ende ging. Daneben hing die Gottesdienstordnung von seiner Trauerfeier. Darauf war das Foto von ihm abgedruckt, das er über dem Klavier hängen hatte, auf dem er Leo und Kitty so liebevoll beim Geschenkauspacken betrachtet. Wer hätte gedacht, dass dieses Bild, das wir spontan in einem Moment der Freude aufgenommen hatten, eines Tages unsere Trauer ausdrücken würde?

Ich wandte mich Greg zu. »Hat Dad je mit dir über seinen Tod gesprochen?«

»Über seinen Tod nicht«, sagte er leise, »aber über das, was danach kommt.«

»Was hat er gesagt?«

Greg schwieg einen Moment, schaltete den Wasserkessel an, holte Tassen aus dem Schrank und machte Tee. »Er hatte Sorge, wie du damit fertig werden würdest. Er hat gesagt, ich soll mich um dich kümmern, und ich habe ihm gesagt, dass ich mich immer um dich kümmern würde, weil ich dich auch liebe.«

Ich sah ihm in die Augen und erkannte ihren Ausdruck wieder. So hatte er mich angesehen, als wir frisch verliebt waren.

»Ich erinnere mich an dich«, sagte ich und knuffte ihn ein bisschen, um die Tränen zu bekämpfen, die mir in die Augen schossen. »Du bist mein Freund Greg, der Junge, in den ich mich vor hundert Jahren verliebt habe. Kommt mir vor, als hätte ich dich schon ewig nicht gesehen.«

»Ich bin immer noch derselbe, und du auch. Es hat sich nichts geändert«, sagte er und streichelte mir das Gesicht.

Wenn das doch wahr wäre.

»Was willst *du* denn?«, fragte ich Greg und strich mir mit der Hand über meinen noch kaum sichtbaren Bauch.

»Ich möchte, dass du glücklich bist; ich möchte, dass *wir* glücklich sind. Und ich möchte, dass du weißt, dass ich dich liebe.« Er legte mir die Hände auf die Schultern und zog mich an sich.

»Ich möchte, was du auch möchtest.«

»Ich möchte das Baby.«

»Dann kriegen wir es, auch wenn es bedeutet, dass wir arbeiten müssen, bis wir siebzig sind.«

Kitty und Leo fanden die Neuigkeit spannend, nachdem sie über die abstoßende Vorstellung hinweg waren, dass ihre Eltern noch Sex hatten. Ich wusste nicht, wie ich Jessie sagen sollte, dass ich ihr Zimmer für das Baby brauchen würde. Sie verbrachte wieder jedes Wochenende bei uns und oft auch ein oder zwei Nächte unter der Woche. Als ich versuchte, das Thema mit BB zu besprechen, winkte sie nur ab und sagte: »Ach, mach dir keine Sorgen, sie kann ja bei Kitty schlafen.« Es war ihr viel wichtiger, mir zu sagen, dass ich meine Figur diesmal höchstwahrscheinlich nicht wiedererlangen würde; nach dem dritten Kind und in meinem fortgeschrittenen Alter.

»Du solltest einen Kaiserschnitt machen und dir gleichzeitig den Bauch straffen lassen«, schlug sie vor. »Das macht man heute so.«

Komischerweise hatte ich fast mehr Angst, es Bea zu erzählen, als ich es bei Greg gehabt hatte. Und es zeigte sich, dass meine Sorgen berechtigt waren. Sie stand vor dem Flurspiegel und zupfte sich die Augenbrauen.

»Ich mache nicht Babypflege«, sagte sie fest.

Vielleicht war es besser so. Wir konnten sowieso nicht weiterhin sie und Zuzi im Haus haben; vielleicht war das die perfekte Möglichkeit, sie loszuwerden und mir jemand Neuen zu suchen, der mir tatsächlich ein bisschen Arbeit abnahm.

»Das ist nicht mein Job«, fuhr Bea fort, wandte sich von ihrem Spiegelbild ab und schaute mich an. »Dafür Sie brauchen meine Zuzi, hat sie das in Tschechien gemacht, ist Kinderkrankenschwester.« Bevor ich etwas dazu sagen konnte, rief sie Zuzi hinunter, und statt die beiden loszuwerden, waren sie auf einmal beide bei mir angestellt: Bea für Kitty, Leo und natürlich Jessie, und Zuzi für das Baby. Jetzt würde ich zwei Gehälter zahlen müssen und ein Kind mehr im Haus haben; beziehungsweise zwei, wenn man Jessie mitzählte.

»Hundert«, sagte Greg, als ich es ihm erzählte.

»Hundert was?«

»Jetzt müssen wir arbeiten, bis wir hundert sind, nicht siebzig.«

Nur mit Ruthie konnte ich gelegentlich über meine Traurigkeit sprechen, weil ich Iwan verloren hatte, und über meine Angst vor der Frage, wer der Vater des Babys war, die mich nachts oft wach hielt.

»Du wärst nicht die Erste, Chloe«, versuchte sie mich eines Nachmittags ein paar Monate später zu trösten, als wir auf dem Sofa in meinem Wohnzimmer herumlungerten. Ich war im siebten Monat, und sie war nun offiziell arbeitslos und froh darüber. Sie nahm sich eine Auszeit, bis sie entscheiden konnte, was sie als Nächstes tun wollte. Nachmittags ruhten wir uns zusammen aus und schauten Richard and Judy, als wären wir süchtig.

»Ich habe für *Smart* mal einen Artikel über DNA-Tests gemacht«, fuhr sie fort. »Wusstest du, dass ungefähr dreißig Prozent der Männer, die einen Test machen, feststellen, dass sie nicht die biologischen Väter der Kinder sind, die sie als ihre eigenen großziehen? Regel zehn ist übrigens: *Willige nie in einen Vaterschaftstest ein.*«

»Erstaunlich«, sagte ich, »dass die Leute einfach so die Partner wechseln. Man liest doch immer wieder von diesen Frauen, die sich scheiden lassen, und eine Sekunde später sind sie mit jemand anderem zusammen und kriegen ein Kind. Das sieht alles so einfach aus.«

»Wer macht so was bloß?«, fragte Ruthie und sah mich demonstrativer an, als es mir gefiel. Schließlich hatte ich den Pfad der Tugend gewählt und meinem Mann zuliebe meinen Liebhaber verlassen.

»Ach, du weißt schon, diese Frauen aus den Zeitschriften.«

»Vielleicht haben die es nicht so mit der Familie wie wir, du weißt schon, diesen Zwang, die Familie um jeden Preis zusammenzuhalten.«

»Hm, aber das ist doch eigentlich was Gutes, oder? Was ist denn sonst wirklich wichtig, wenn nicht die Familie?«

»Habt ihr eigentlich wieder Sex?«, fragte Ruthie.

»Andauernd«, sagte ich, »total komisch, als wäre nichts gewesen.«

Sie schaute mich an. »Einmal die Woche?«

Ich nickte.

»Okay«, stimmte sie zu. »Für eine Ehe ist das schon nicht schlecht. Was sollte denn diese Enthaltsamkeit zwischendurch?«

»Keine Ahnung. Greg meint, das wäre nur so eine Zwischenphase in unserem Leben gewesen, bevor wir dann in die nächste Phase gingen. Ich habe dir doch von dem *Grey Away* erzählt, das ich im Bad gefunden habe, oder?«

Ruthie nickte. »Das benutzt er nicht mehr, oder? Ich finde seine grauen Schläfen sehr schön.«

»Ich auch«, sagte ich. »Seltsamerweise fand ich diesen grauen Schimmer ja auch bei Iwan so sexy.«

»Meinst du, du gehst irgendwann nochmal fremd?«

»Man soll nie nie sagen«, witzelte ich.

Ruthie richtete sich auf und sah mich schockiert an.

»War ein Scherz, nächstes Mal bist du dran«, sagte ich.

Wir saßen einen Augenblick lang schweigend da und genossen den faulen Nachmittag, als es an der Tür klingelte.

Es war Madge mit einem Strauß Rosen aus ihrem Gärtchen, der mit einem goldenen Band aus ihrer Sammlung zusammengebunden war. Der Duft war so intensiv, dass man am liebsten die Nase in den Blütenblättern versenkt hätte.

»Ich wollte mich für eure Hilfe bedanken«, sagte sie.

»Damit hatte ich ja nicht viel zu tun, das war Sammy«, sagte ich.

»Aber ihr habt beide dafür gesorgt, dass es mir jetzt bessergeht.«

»Sammy ist immer noch auf der Suche nach Armie.«

Sie nickte, und wir schauten uns schweigend an. Ich bat sie

herein, aber sie schüttelte den Kopf und ging. Ich sah sie die Straße überqueren und in den Park gehen, wo sie sofort von einem kleinen Schwarm Tauben umringt wurde.

»Ich vermisse Bertie«, sagte Ruthie, als ich wieder ins Wohnzimmer kam.

»Ja«, antwortete ich leise. »Manchmal hauen mich die kleinsten Kleinigkeiten um. Gestern in der U-Bahn saß mir ein älterer Herr gegenüber; ich musste weinen, weil seine Hände mich an Dads erinnert haben.«

Die Hände eines alten Mannes, in denen Liebe lag, elterliche Hände, die Augenbrauen glatt strichen und Wangen streichelten.

Wir saßen schweigend zusammen und dachten an meinen Vater.

Ich betrachtete Ruthie. Sie war wieder gesund, ihre Kokainsucht war vorbei. Ehrlich gesagt, Richard und ich hatten sie in den vergangenen Monaten kaum aus den Augen gelassen.

»Weißt du noch, die Keksdose?«, fragte ich. »Ob die wohl jemand gefunden hat?« Eine schottisch karierte Keksdose, vor über dreißig Jahren im Garten vergraben. Es war an einem regnerischen Samstag Nachmittag im Juli gewesen, den wir hauptsächlich damit verbracht hatten, uns mental auf eine Geburtstagsparty am Abend vorzubereiten (das war immer das Beste daran). Als es anfing zu regnen, saßen wir drinnen und sprachen darüber, wie wir uns das Leben vorstellten. Wer hätte ahnen können, wie unser *glücklich bis an ihr Ende …* aussehen würde? Es war sicher nicht so, wie wir es uns damals vorgestellt hatten.

Und jetzt, so viele Jahre später, war es wieder Zeit, etwas zu begraben, etwas unerträglich Trauriges, das das Ende einer Ära bedeutete. Dads Asche. Wir versammelten uns an einem grauen, wolkigen Tag, der sein neunundsiebzigster Geburtstag gewesen wäre, im Garten beim Kirschbaum, unter dem auch Mums Asche begraben war. Helga war aus Deutschland gekommen. Sie hatte sich so gefreut, dass ich schwanger war, und ich hatte sie zur Oma *honoris causa* ernannt.

»Es ist mir eine Ehre, Chloe«, hatte sie gesagt.

Wir drückten einander die Hände, weil es nichts zu sagen gab. Sie stand groß und aufrecht zwischen Leo und Kitty und hatte ihnen je einen Arm um die Schultern gelegt; sie war auch ihre Großmutter geworden. Kitty sang einen von Dads Songs, und Leo trug ein selbstverfasstes Gedicht vor. Sie wirkten so hoffnungslos traurig, während sie durch ihre Texte stolperten und ihnen die Tränen übers Gesicht liefen. Es schien nicht fair, dass sie in ihren jungen Jahren solch einen Kummer ertragen mussten, aber so war der endlose Kreislauf von Liebe und Tod nun mal. Eines Tages würden sie, wie alle Kinder, wenn die natürliche Ordnung der Dinge eingehalten wurde, Greg und mich beerdigen müssen. Ich betrachtete Greg, der traurig neben mir stand, schlank und gutaussehend, mit geröteten Augen. In dem Textausschnitt, den ich mir zum Vorlesen ausgesucht hatte, ging es um Väter und Töchter, aber er galt für uns alle. Er stammte aus einem Roman, den ich kurz zuvor gelesen hatte, *Decorations in a Ruined Cemetery* von John Gregory Brown: *Durch die Worte, die ein Mann an seine Tochter richtet, zieht sich etwas wie ein feiner Goldfaden, und im Laufe der Jahre wird dieser Faden so lang, dass man ihn in die Hand nehmen und ein Tuch daraus weben kann, das sich anfühlt wie die Liebe selbst.*

Ruthie nahm meine Hand. Sammy öffnete die Urne und streute die Asche in die Erde. In diesem Moment fiel ein vereinzelter Sonnenstrahl durch die Wolken und auf die rieselnde Asche. Eine Amsel landete auf einem Kirschzweig und legte den Kopf mal nach rechts, mal nach links. Dann öffnete sie den Schnabel, um zu singen: einen langen, hohen, durchdringenden Ton, als wollte sie uns aufwecken. Janet, die weiterhin nur selten etwas fraß, betrachtete sie hungrig, und Sammy schaute in die Wolken.

»Ich habe kurz geglaubt, da oben Dads Gesicht zu sehen«, sagte er traurig. »Wäre das nicht toll, wenn er uns beobachten würde?«

Vielleicht tat er das ja. Es kann ja sein, dass eine Beziehung mit dem Tod nicht endet, sondern noch weitergeht, auch wenn jemand nicht mehr körperlich anwesend ist. Einen Augenblick lang schaute ich in eine andere Welt, die nicht so absolut war wie unsere. Ich hatte immer noch Dads Stimme im Ohr, und manchmal spürte ich ihn an meiner Seite. Das Baby trat mich in die Rippen, und ich stieß einen Schrei aus. Greg und die Kinder legten mir die Hände auf den Bauch. Wir wussten, dass wir nie über unseren Verlust hinwegkommen würden, aber dass die Zeit mit ihrem unaufhaltsamen Voranschreiten ihn vielleicht eines Tages erträglicher machen würde.

Epilog

Chloe Schiwagos Rezept für grünes Plazentacurry
(nichts für schwache Nerven)

2 TL Koriandersamen
1 TL schwarze Pfefferkörner
2 frische, grüne Chilischoten,
entkernt und gehackt
ca. 2,5 cm Ingwer, fein gehackt
3 EL gehackte Korianderblätter
und -stiele
2 große Knoblauchzehen
3 EL gehackte Frühlingszwiebeln

1 grob gehackte Zitronen-
graswurzel
2 EL Pflanzenöl
400 ml Kokosmilch
4 Kaffernlimetten-Blätter
850 g frische Plazenta
1 kleines Bund frische
Basilikumblätter
1 EL Fischfond

Koriandersamen und Pfefferkörner in einer Mühle oder im Mörser mahlen. Frische Gewürze (Chilischoten, Ingwer, Korianderblätter, Knoblauch, Frühlingszwiebeln, Zitronengras) hinzufügen und zu einer Paste verreiben. (Man kann auch mogeln und diesen Arbeitsgang auslassen, indem man im asiatischen Supermarkt fertige Grüne-Thai-Curry-Paste kauft.) Die Paste mit dem Pflanzenöl in einer Pfanne ein paar Minuten anbraten. Kokosmilch und Limettenblätter (ohne Stiele und Fasern) hinzufügen und 10 Minuten köcheln lassen. Die Plazenta in mundgerechte Stückchen schneiden. Mit einer Tasse Wasser zu der Sauce geben und weiterköcheln lassen, bis sie zart ist (etwa 20 min).

344

Nach Belieben mit Basilikum und Fischfond würzen.
Dazu passt Reis.

Ergibt 6 Portionen.

Chloe Schiwago, 44, wiegte ihr neugeborenes drittes Baby, einen Jungen, im Arm. »Können wir ihn Bertie nennen?«, fragte sie ihren Mann Greg. Er nickte, beugte sich über das Baby und zog ihm die Decke weg, sodass man seinen winzigen Fuß sehen konnte. Der kleine Zeh lag krumm auf dem vierten Zeh. Greg küsste das Baby auf den Fuß und sagte zu seiner Frau: Ich weiß nicht, ob ich es ertragen hätte, wenn es nicht meins gewesen wäre.« Das Baby betrachtete seine Eltern mit der Weisheit eines alten Mannes im Körper eines Säuglings. Chloe sah aus, als wollte sie etwas sagen, aber Greg brachte sie mit einem Kuss zum Schweigen. »Hier, probier mal«, sagte er und fütterte sie mit einem Löffel. Es war Hühnersuppe mit Kneidlach. »Köstlich, Schatz«, sagte Chloe. »Da ist die Geheimzutat drin, oder? Sie ist perfekt.« In Wirklichkeit war sie nicht ganz perfekt, aber verdammt nah dran.

Anmerkung der Autorin

Iwan hätte seine Nachrichten an Chloe natürlich in kyrillischer Schrift geschrieben, ebenso wie Puschkin sein Gedicht. Ich habe mich jedoch für die alphabetische Umschrift entschieden, um des Russischen unkundigen Leserinnen und Lesern einen Eindruck von der Musikalität dieser Sprache zu vermitteln.

Dank

Ich möchte mich bei meinem Bruder, Conrad Lichtenstein, und meiner lieben Freundin Claire Ladsky bedanken, die das Manuskript als Erste lasen und mich sehr unterstützt und ermutigt haben. Bei meinen Freunden, die mich während des Schreibens ertragen haben: Simon Booker (der mir geduldig erklärte, dass Schreiben nicht nur Tippen bedeutet, sondern dass all die Stunden, die man nicht am Computer verbringt, ebenfalls dazugehören), Lola Borg, Richard Denton, Neil Grant, Alla Swirinskaja und Colleen Toomey. Danke auch an Tania Abdulezer, Jochen Encke, Marc Faupel und Neil Geraghty, die sich um mein körperliches und seelisches Wohlbefinden kümmerten, und an Amy Jenkins und Phillip McGrade für grundlegende Einsichten in die Tätigkeit des Schreibens. Außerdem möchte ich vielen Menschen danken, die Gill heißen: Gill Morgan, Jill Robinson und ihrem Schreib-Workshop an der Wimpole Street, sowie Annabel Giles (nicht ganz Gill, aber immerhin), die zu Anfang der ganzen Sache da waren. Gillian Gordon für ihren inspirierenden *dream-writing*-Workshop, und Gill Hudson, die mir ein Büro zur Verfügung stellte, in dem ich schreiben konnte. Außerdem danke ich Henrietta Morrison dafür, dass ich ihr Büro in der Poland Street benutzten durfte, in dem ein Großteil dieses Buchs entstand. Herzlichen Dank auch an den Herzchirurgen Shyam Kolvekar für seinen Rat. Ein ganz großes Dankeschön geht an meine Agentin Clare Alexander, die mich mit kluger, ruhiger Hand führte, und meine Lektorinnen Jane Wood und Anika Streitfeld – es hätte keine besseren Frauen im Team geben können. Und an Sally Riley, die Chloe Schiwago und ihre Familie überallhin verkauft hat. Zutiefst dankbar bin ich meinem Mann Simon Humphreys und meinen Kindern Oscar und Francesca, ohne die ich gar nichts wäre. Ebenso meinem geliebten Vater Edwin Lichtenstein, der noch die ersten drei Kapitel las – alles, was ich bis dahin geschrieben hatte – und dann starb. Er sagte mir, ich solle weitermachen. Ich hoffe, er wäre stolz.

Olivia Lichtenstein, London, Juni 2006